UM ESTUDO EM Charlotte

UM ESTUDO EM *Charlotte*

VOCÊ NUNCA VIU *WATSON* E *HOLMES* DESSE JEITO ANTES.

BRITTANY CAVALLARO

TRADUÇÃO DE MARYANNE LINZ

ROCCO
JOVENS LEITORES

Título original
A STUDY IN CHARLOTTE

Copyright © 2016 *by* Brittany Cavallaro

Todos os direitos reservados.

Nenhuma parte deste livro pode ser reproduzida
em parte ou no todo sob qualquer forma
sem autorização, por escrito, do editor.

Direitos para a língua portuguesa reservados
com exclusividade para o Brasil à
EDITORA ROCCO LTDA.
Rua Evaristo da Veiga, 65 – 11º andar
20031-040 – Rio de Janeiro – RJ
Tel.: (21) 3525-2000 – Fax: (21) 3525-2001
rocco@rocco.com.br | www.rocco.com.br

Printed in Brazil/Impresso no Brasil

preparação de originais
BEATRIZ D'OLIVEIRA

CIP-Brasil. Catalogação na fonte.
Sindicato Nacional dos Editores de Livros, RJ.

C369e	Cavallaro, Brittany
	Um estudo em Charlotte / Brittany Cavallaro; tradução de Maryanne Linz. – 1ª ed. – Rio de Janeiro: Rocco Jovens Leitores, 2019.
	(Charlotte Holmes)
	Tradução de: A study in Charlotte
	ISBN 978-85-7980-433-5
	ISBN 978-85-7980-436-6 (e-book)
	1. Ficção americana. I. Linz, Maryanne. II. Título. III. Série.

18-54200	CDD-813
	CDU-82-3 (73)

Vanessa Mafra Xavier Salgado – Bibliotecária – CRB-7/6644

O texto deste livro obedece às normas do
Acordo Ortográfico da Língua Portuguesa.

Nunca pensei que existissem
pessoas assim na vida real.

Um estudo em vermelho, SIR ARTHUR CONAN DOYLE

um

Eu a conheci no fim de uma daquelas noites intermináveis que só se poderia ter numa escola como a Sherringford. Era meia-noite, ou pouco depois, talvez, e eu tinha passado as últimas horas no quarto colocando gelo no meu ombro deslocado, consequência de uma disputa pela bola no rúgbi que não deu certo, apenas alguns minutos depois de a partida começar. Os treinos costumavam dar nisso por aqui, algo que eu aprendera na primeira semana de aulas, quando o capitão do time apertou minha mão com tanta voracidade que achei que ele estava prestes a me puxar e devorar. O time de rúgbi da Sherringford tinha ficado em último na divisão ao fim de todas as temporadas, por anos. Mas neste ano, não; Kline tinha feito questão de me lembrar disso, sorrindo com cada um dos seus estranhos dentinhos. Eu era a obsessão deles. O redentor do rúgbi. O motivo pelo qual a escola gastava não só com uma bolsa de estudos para o meu primeiro ano, mas também com os meus custos de transporte – um grande privilégio quando se visita a mãe em Londres todos os feriados.

O único problema de verdade, na época, era o quanto eu odiava rúgbi. Eu tinha cometido o erro fatal de sobreviver a uma pancadaria no campo de rúgbi no ano anterior, na minha escola em Londres, antes de acidentalmente meio que levar o nosso time à vitória. Eu só tinha tentado porque, daquela vez, Rose Milton estava nas arquibancadas, e fazia dois anos que eu estava louca, secreta e terrivelmente apaixonado por ela. Mas, conforme fiquei sabendo depois, o diretor atlético da Sherringford também estivera nas arquibancadas. Na fileira da frente, de olheiro. Sabe, a gente tinha um belo time de rúgbi na Highcombe.

Danem-se todos eles.

Principalmente os meus novos companheiros de time com olhos arregalados e pescoço de touro. Com sinceridade, eu odiava até a própria Sherringford, com seus gramados verdes bem cuidados, o céu limpo e um campus que parecia menor até que o quartinho de blocos de concreto que me deram no alojamento Michener. Um campus que tinha nada menos do que quatro lojas de cupcake e nenhum lugar decente para comer uma boa comida indiana. Um campus a apenas uma hora de distância de onde o meu pai morava. Ele ficava ameaçando visitar. "Ameaçando" era a única palavra possível para isso. Minha mãe queria que a gente se conhecesse melhor; eles haviam se separado quando eu tinha dez anos.

Mas eu sentia falta de Londres como de um braço ou de uma perna, mesmo que só tivesse morado lá por alguns anos, porque, por mais que a minha mãe tivesse insistido que voltar para Connecticut seria como voltar para casa, estava mais para voltar para uma cela bem cuidada.

E isso é só para você entender como, naquele setembro, eu poderia ter riscado um fósforo e assistido à Sherringford pegar fogo, feliz. E, mesmo antes de ter conhecido Charlotte Holmes, eu tinha certeza de que ela seria a única amiga que eu faria naquela porcaria de lugar.

– Você está me dizendo que é *aquele* Watson? – Tom estava maravilhado. Ele deixou de lado o jeito normal de falar para encarnar o sotaque londrino mais simplório que eu já tinha escutado. – Qual é, campeão! Qual é, companheiro! Watson, vem cá, eu quero você!

O cubículo que a gente dividia era tão pequeno que, quando o afastei, quase acertei o olho dele.

– Você é um gênio, Bradford. Sério. De onde você tira essas coisas?

– Ah, mas isso é perfeito, cara. – Meu companheiro de quarto enfiou as mãos nos bolsos do colete de tricô estampado com losangos que sempre usava por baixo do blazer. Por um buraco de traça, observei o dedão dele se retorcer de empolgação. – Porque a festa é hoje à noite no alojamento Lawrence. E a Lena tá dando a festa porque a irmã dela sempre manda vodca pra ela. E você *sabe* com quem a Lena divide o quarto. – Ele mexeu as sobrancelhas.

Com aquilo, eu, enfim, tive que fechar meu livro.

– Não me diga que você tá tentando armar pra me juntar com a minha...

– A sua alma gêmea? – Devo ter demonstrado minha raiva, porque Tom colocou as mãos nos meus ombros, sério. – Não tô tentando – anunciou ele, falando pausadamente – armar pra te juntar com a Charlotte. Tô tentando deixar você *bêbado*.

Charlotte e Lena tinham organizado tudo no porão do alojamento Lawrence. Conforme Tom tinha prometido, não foi difícil passar pela matriarca do alojamento. Cada dormitório tinha uma (além do nosso exército de Conselheiros Residentes, os CRs). Eram mulheres mais velhas da cidade que supervisionavam os estudantes de uma escrivaninha na entrada. Elas separavam correspondência, providenciavam bolos de aniversário, emprestavam um ouvido quando se estava com saudades de casa – mas também impunham as regras do alojamento. A do Lawrence era famosa por dormir no trabalho.

A festa era na cozinha do porão. Embora ela fosse equipada com pratos e panelas e até um fogão alto de quatro bocas, todas as frigideiras estavam tão amassadas que pareciam ter sido usadas como arma numa guerra. Tom se espremeu contra o fogão enquanto eu fechava a porta atrás de nós; em segundos, um dos botões marcou uma meia-lua de gordura no colete de tricô dele. A garota ao lado dele sorriu de leve e se virou de volta para os amigos, com um copo de alguma coisa balançando nas mãos. Devia haver pelo menos trinta pessoas espremidas ali.

Agarrando meu braço, Tom começou a abrir caminho para os fundos da cozinha minúscula. Parecia que eu estava sendo puxado através de um guarda-roupa escuro e abafado para alguma Nárnia embriagada.

— Aquele é o traficante esquisito da cidade — sussurrou ele para mim. — Ele tá vendendo drogas. Aquele é o filho do diretor Schumer. Ele tá *comprando* drogas.

— Ótimo — falei, sem prestar muita atenção.

— E aquelas duas garotas? Elas passam os verões na Itália. Tipo, pra elas é que nem ir até a esquina. Os pais delas dirigem uma operação de perfuração offshore.

Ergui uma sobrancelha.

— Que foi? Eu sou ferrado de grana, eu reparo nessas coisas.

— Tá bom. — Se foi piada, foi péssima. Tom podia ter um buraco no colete, mas também tinha o menor e mais fino laptop que eu já tinha visto. — Você é ferrado de grana.

— Falando comparativamente. — Tom me arrastava atrás dele. — Você e eu, nós somos de classe média alta. Somos plebeus.

A festa estava barulhenta e lotada, mas Tom estava determinado a me arrastar até a parede mais distante. Eu não sabia por quê, até que uma voz estranha ecoou através da fumaça de cigarro.

— O jogo é Texas Hold'em — declarou ela, rouca, mas com uma precisão bizarra e selvagem, tipo um filósofo grego bêbado discursando. — E para entrar hoje é cinquenta dólares.

— Ou a sua alma — trinou outra voz, uma normal, e as garotas na nossa frente riram.

Tom virou para sorrir.

— Aquela é a Lena. E aquela é a Charlotte Holmes.

A primeira coisa que vi nela foi o cabelo, preto, brilhante e liso, caindo até os ombros. Ela estava se inclinando sobre uma mesa de cartas para pegar um punhado de fichas, e não pude ver seu rosto. Não era importante, eu disse a mim mesmo. Não era grande coisa se ela não gostasse de mim. E daí se em algum ponto, há cem anos e do outro lado do oceano Atlântico, um outro Watson tinha virado melhor amigo de um outro Holmes. As pessoas viram melhores amigas o tempo todo. Com certeza havia melhores amigos nesta escola. Dezenas. Centenas.

Mesmo que eu não tivesse um.

Ela se sentou, de repente, com um sorriso malicioso. Suas sobrancelhas eram linhas escuras contrastando no rosto pálido, e emolduravam os olhos cinzentos, o nariz reto. Ela era, no conjunto, pálida e séria, e ainda conseguia ser bonita. Não da forma que as garotas normalmente são, mas como uma faca refletindo a luz, que faz você querer segurá-la.

– A Lena dá as cartas – declarou ela, virando as costas para mim, e foi só então que identifiquei seu sotaque.

Fui obrigado a me lembrar de que ela era de Londres, como eu. Por um instante, tive tantas saudades de casa que achei que fosse pagar o maior mico e me jogar aos pés dela, implorar que ela lesse a lista telefônica para mim com aquela voz extravagante que não fazia o menor sentido numa garota tão magra e angulosa.

Tom se sentou, arremessou cinco fichas na mesa (olhando com mais atenção, elas eram os botões de metal do blazer dele) e esfregou as mãos de forma teatral.

Eu devia ter dito algo espirituoso. Algo estranho e engraçado e só um pouco mórbido, algo que pudesse falar baixinho enquanto me sentasse ao lado dela. Algo para fazê-la me olhar com atenção e pensar *quero conhecê-lo*.

Eu não tinha nada.

Botei o rabo entre as pernas e fui embora.

Tom chegou em casa horas depois, animado e de mãos abanando.

– Ela me depenou – gargalhou ele. – Vou recuperar tudo da próxima vez. – Foi quando fiquei sabendo que o jogo de pôquer de Holmes vinha acontecendo toda semana desde que ela apareceu, no ano anterior. Só tinham ficado mais populares desde que Lena começou a levar vodca. – E provavelmente mais lucrativos pra Charlotte também – acrescentou Tom.

Pelas semanas seguintes, apertei o botão de soneca sem parar, numa esperança louca de que a manhã simplesmente sumisse e me deixasse em paz. O pior de tudo era o primeiro período de francês, ensinado pelo despótico Monsieur Cann, de suspensórios vermelhos e cujo bigode encerado parecia pertencer à parede de um taxidermista. Quase todo estudante da Sherringford frequentara a aula desde o primeiro ano, e de manhã tão cedo, tudo o que as pessoas queriam era sentar ao lado dos amigos mais antigos e botar os papos da noite anterior em dia. Eu não era amigo antigo de ninguém. Então me sentei em uma carteira dupla desocupada e tentei não cair no sono antes do sinal tocar.

– Ouvi dizer que ela ganhou tipo quinhentos dólares na noite passada – comentou a garota na minha frente, puxando o cabelo ruivo para fazer um rabo de cavalo. – Ela provavelmente treina online. Não é justo. Não é como se ela *precisasse* de dinheiro. A família dela deve ser cheia da grana.

– Fecha os olhos – disse a companheira de carteira, e soprou o rosto da amiga com delicadeza. – Cílio. É, também ouvi falar. A mãe dela é, tipo, uma duquesa. Mas, enfim. Provavelmente ela cheira o dinheiro todo.

A ruiva se animou com o comentário:

– Ouvi dizer que ela se injeta.

– Será que ela me apresentaria ao traficante dela?

O sinal tocou e o Monsieur Cann berrou *"Bonjour, mes petites"*, então percebi que, pela primeira vez em semanas, eu estava totalmente acordado.

Passei o resto da manhã pensando naquela conversa e no que ela significava. Charlotte Holmes. Porque elas não podiam estar falando de ninguém mais. Eu ainda estava remoendo aquilo tudo quando passei pelo pátio na hora do almoço, me esquivando de pessoas à esquerda e à direita. O gramado estava entupido de estudantes, então, de certa forma, não foi surpresa quando a garota em quem eu estava pensando saiu do que parecia ser uma porta invisível direto para o meu caminho.

Não trombei com ela, não sou tão desajeitado assim. Mas nós ficamos paralisados, e começamos a fazer aquela dança terrível de esquerda-direita-você-primeiro. Enfim, eu cedi. *Dane-se*, pensei obstinadamente, é um campus pequeno e não posso me esconder pra sempre, vou *adiantar as coisas e...*

Estendi a mão.

– Desculpe, acho que a gente não se conheceu. Eu sou o James. Sou novo aqui.

Ela olhou para a minha mão com a testa franzida, como se eu estivesse oferecendo um peixe, ou uma granada. Estava sol e calor naquele dia, o último suspiro de verão do início de outubro, e quase todo mundo tinha pendurado o blazer do uniforme num dos ombros ou o estava carregando debaixo do braço. O meu estava na bolsa, e eu tinha afrouxado a gravata enquanto andava, mas Charlotte Holmes estava tão meticulosamente arrumadinha quanto se estivesse prestes a dar uma palestra sobre etiqueta. Ela vestia calça justa azul-marinho, em vez da saia plissada que a maioria das garotas usava. Sua camisa Oxford branca estava abotoada até o pescoço e a gravata de laço parecia ter sido passada. Eu estava perto o suficiente para notar que ela cheirava a sabonete, não a perfume, e que seu rosto estava tão limpo como se ela o tivesse acabado de lavar.

Eu poderia ter ficado olhando para ela por horas – para aquela garota na qual eu tinha pensado a vida toda – se seus olhos pálidos não tivessem se estreitado de forma desconfiada. Eu hesitei, como se tivesse feito algo de errado.

– Eu sou a Holmes – disse ela, por fim, naquela voz incrível, áspera. – Mas você já sabia disso, né.

Então ela não ia apertar a minha mão. Enfiei as duas nos bolsos.

– Sabia – admiti. – Então você sabe quem eu sou. O que é estranho, mas eu imaginei...

– Quem te botou pra fazer isso? – Havia um tipo monótono de aceitação no rosto dela. – Foi o Dobson?

– Lee Dobson? – Neguei com a cabeça, confuso. – Não. Me botou pra fazer o quê? Tipo, eu sabia que você estaria aqui. Na Sherringford. Minha mãe me contou que os Holmes tinham te mandado; ela mantém contato com a sua tia Araminta. Elas se encontraram num troço de caridade. Certo? Elas autografaram o manuscrito de *O último adeus de Sherlock Holmes*? Foi pra pacientes com leucemia ou algo assim, e agora elas ficam trocando e-mails. Você tá no meu ano? Disso eu não sabia. Mas você tá com um livro de biologia aí, então deve ser do segundo ano. Uma dedução, rá. Talvez seja melhor evitá-las.

Eu estava falando sem parar que nem um idiota, sabia disso, mas ela ficou parada tão ereta e imóvel que parecia uma estátua de cera. Era tão estranho em comparação à garota imponente e livre que eu tinha visto na festa que eu não conseguia entender o que acontecera a ela desde então. Mas a minha falação pareceu acalmá-la e, embora não fosse engraçada, mórbida ou espirituosa, continuei até os ombros dela relaxarem e seus olhos enfim perderem um pouco da tristeza fria.

– Eu sei quem você é, claro – disse ela quando finalmente parei para tomar fôlego. – Minha tia Araminta me falou sobre você, e Lena, é claro, apesar de ser óbvio, de qualquer forma. Oi, Jamie. – Ela estendeu uma mãozinha branca, e nos cumprimentamos.

– Só que eu odeio quando me chamam de Jamie – falei, aflito –, então você podia me chamar de Watson.

Holmes sorriu para mim de um jeito meio velado.

– Tá bom então, Watson – respondeu ela. – Preciso ir almoçar.

Eu estava sendo dispensado, se bem entendi.

– Tá – falei, engolindo a decepção. – Eu ia mesmo encontrar Tom, tenho que ir.

– Beleza, a gente se vê.

Ela me contornou com graça.

Eu não podia deixar aquilo assim, então falei atrás dela:

– O que foi que eu fiz?

Holmes me lançou um olhar indecifrável por sobre o ombro.

– O baile anual de boas-vindas é na semana que vem – disse ela secamente, e seguiu seu caminho.

De acordo com as opiniões – e com isso, sinceramente, eu queria dizer de acordo com a minha mãe –, Charlotte era o exemplo típico de uma Holmes. Vindo dela, isso não era um elogio. Seria de se pensar que, depois de todo esse tempo, nossas famílias teriam se afastado, e acho que nos afastamos mesmo. Mas minha mãe esbarrava com os estranhos Holmes nos eventos para arrecadar fundos para a Scotland Yard ou em jantares do Edgar Awards ou, como no caso da tia Araminta, num leilão das coisas do agente literário do meu tataravô, Arthur Conan Doyle. Eu sempre fui encantado com a ideia dessa menina, a única Holmes da minha idade (quando era criança, eu achava que a gente ia se conhecer e sair por aí em loucas aventuras), mas minha mãe sempre me desencorajou sem dizer por quê.

Eu não sabia nada sobre ela, a não ser que a polícia tinha deixado que ela os auxiliasse em um caso quando Charlotte tinha apenas dez anos. Os diamantes que ela ajudou a recuperar valiam três milhões de libras. O meu pai tinha me contado isso em nosso telefonema semanal, numa tentativa de fazer com que eu me abrisse com ele. Não tinha funcionado. Pelo menos não do jeito que ele planejara.

Sonhei com o roubo daqueles diamantes por meses. Em como eu poderia ter estado lá ao lado dela, seu companheiro fiel. Numa noite, eu a descia de uma claraboia para dentro do banco suíço, minha corda a única coisa mantendo-a acima do chão com armadilhas. Na seguinte, corríamos pelos vagões de um trem desgovernado, perseguidos por bandidos com máscaras pretas gritando em russo. Quando vi uma história sobre um quadro roubado na capa de um jornal, disse à minha mãe que Charlotte Holmes e eu iríamos resolver o caso. Minha mãe me cortou, ameaçando:

— Jamie, se tentar fazer qualquer coisa parecida antes de completar dezoito anos, vou vender todos os seus livros, começando com o seu Neil Gaiman autografado.

(Antes de eles se separarem, meu pai gostava de dizer "Sabe, a sua mãe só é uma Watson por causa do casamento", com uma sobrancelha erguida de modo insinuante.) A única conversa de verdade que minha mãe e eu tivemos sobre os Holmes aconteceu logo antes de eu ir embora. Estávamos discutindo sobre Sherringford, bem... *Ela* estava fazendo um monólogo sobre o quanto eu ia gostar da escola enquanto eu fazia as malas em silêncio, me perguntando o que aconteceria se eu me jogasse da janela, se aquilo ia me matar mesmo ou apenas quebrar as duas pernas. Enfim ela me obrigou a falar de algo pelo qual eu estivesse animado e, para provocá-la (e porque era verdade), eu falei que estava empolgado, e nervoso, em finalmente conhecer minha equivalente na família Holmes.

O que não correu bem.

– Deus sabe o quanto o seu tataravô aguentou aquele homem – declarou ela enquanto revirava os olhos.

– O Sherlock? – perguntei. Pelo menos agora a gente não estava falando da Sherringford.

Minha mãe limpou a garganta ruidosamente.

– Sempre imaginei que ele só estivesse entediado. Cavalheiros vitorianos, sabe. Não tinha muita coisa para fazer. Mas nunca me pareceu que a amizade deles era uma via de mão dupla. Esses Holmes, eles são *esquisitos*. Eles ainda treinam os filhos desde que nascem em habilidades de dedução. Desencorajam eles a fazer amigos, ou pelo menos foi o que ouvi. Não posso dizer que seja saudável manter uma criança assim isolada. A Araminta até que é boa pessoa, eu acho, mas é aquilo, eu não moro com ela. Não consigo imaginar como foi para o bom dr. Watson. A última coisa que você precisa é se juntar a alguém como ela.

– Não é como se eu fosse me casar com essa garota – comentei, pegando meu kit de rúgbi no fundo do armário.

– Eu só quero conhecer ela, só isso.

– Ouvi falar que ela é uma das mais esquisitas – insistiu minha mãe. – Não mandaram ela para os Estados Unidos por diversão.

Eu olhei para a minha mala de um jeito deliberado.

– Não, em geral isso não é uma recompensa.

– Bem, espero, pelo seu bem, que ela seja adorável – disse a minha mãe rapidamente. – Só tenha cuidado por lá, meu amor.

É idiota admitir, mas em geral a minha mãe não está errada. Quero dizer, toda a história de me mandar para a Sherringford foi uma péssima ideia, mas no fundo eu entendi. Ela vinha pagando uma boa grana, um dinheiro que a gente na verdade não tinha, para eu frequentar a Highcombe, e tudo porque eu insistira que queria ser um escritor. Alguns romancistas famosos tinham estudado lá... não que algum deles tivesse me impressionado. A Sherringford, apesar de suas óbvias desvantagens (Connecticut, meu pai), tinha um programa de inglês tão forte quanto, ou melhor. E ofereceram me aceitar de graça, contanto que eu bancasse o jogador empolgado de rúgbi de vez em quando.

Mas, na Sherringford, mantive a história de ser escritor para mim mesmo. Um zumbido constante e baixo de medo me impedia de mostrar meu trabalho a qualquer um. Com alguém como o dr. Watson na família, eu não ia querer incitar nenhuma comparação. Fiz o possível para esconder meu trabalho, por isso fiquei surpreso quando ele quase foi revelado naquele dia no almoço.

Tom e eu tínhamos pegado sanduíches e sentado sob uma árvore de freixo longe do pátio com alguns outros caras do alojamento Michener. Tom estava remexendo a minha bolsa procurando um papel para cuspir o chiclete. Normalmente, alguém revirando assim as minhas coisas sem cuidado teria me irritado, mas ele estava agindo como qualquer um dos meus antigos amigos na Highcombe, então deixei.

– Posso arrancar uma folha disso aqui? – perguntou ele, segurando o meu caderno.

Foi só com muita força de vontade que consegui me conter para não arrancá-lo das mãos dele.

– Pode – respondi de forma indiferente, pegando batatinhas de um saco.

Ele deu uma folheada, primeiro rapidamente, depois foi diminuindo conforme avançava.

– Hum – comentou ele, e eu lancei um olhar de advertência que ele não viu.

– O que é? – perguntou alguém. – Poemas de amor? Histórias eróticas?

– Poemas sujos – disse Dobson, meu colega de alojamento.

Tom limpou a garganta, como se estivesse prestes a interpretar uma página do que era, para ser sincero, o meu diário.

– Não, são desenhos da sua mãe. – Peguei o caderno rápido e rasguei uma folha do final, fazendo questão de enfiá-la debaixo do joelho logo em seguida. – É só um diário. Lembretes, esse tipo de coisa.

– Eu vi você falando com a Charlotte Holmes no pátio – comentou Dobson. – Você está escrevendo sobre ela?

– Claro.

Havia uma nota desagradável na voz dele que não gostei, e não queria encorajá-la com uma resposta de verdade.

Randall, o colega de quarto dele, um cara de rosto vermelho que estava no time de rúgbi comigo, lançou um olhar para Dobson e se inclinou para frente como se estivesse prestes a me contar um segredo.

– Faz um ano que a gente vem tentando dobrar ela – confessou ele. – Ela é gata. Usa aquelas calças justas. Mas ela não sai, só praquele jogo de pôquer esquisito, e ela não bebe. Só gosta de coisas pesadas, mas usa sozinha.

– Eles estão tentando a AS – me informou Tom com pesar, e, quando não entendi, ele explicou melhor. – A arte da sedução. Você bota a garota pra baixo, tipo com um esculacho escondido num elogio. O Dobson vive falando pra ela que é o único cara que gosta dela, que todo mundo acha que ela é feia e que parece uma viciada, mas que ele *gosta* de garotas assim.

Randall deu risada.

– Porra, não funciona, pelo menos não pra mim. Eu tô desencanando. Vocês *viram* essas novas calouras? Bem menos trabalho com um resultado bem melhor.

– Eu não. Eu consegui dobrar ela. – Dobson deu um sorrisinho para Randall. – E, sabe, ela pode me fazer alguns favores de novo. Já que eu sou uma companhia tão encantadora.

Mentiroso.

– Cala a boca – murmurei.

– Quê?

Quando fico com raiva, meu sotaque britânico aumenta até ficar idiota e arrogante, igual a um desenho animado. E eu estava furioso. Devo ter soado que nem a maldita rainha da Inglaterra.

– Repete isso e eu te mato, porra.

Lá estava, aquela agitação leve, aquela satisfação profunda que vem de dizer algo que não se pode retirar. Algo que me levaria a quebrar a cara de algum idiota que estava merecendo.

Esse foi o motivo de eu jogar rúgbi, para começar. Era para ser uma "válvula de escape aceitável" para o que o conselheiro da escola chamou de "meus atos de agressão repentinos e inaceitáveis". Ou, de acordo com o meu pai, com uma risadinha, como se fosse uma piada, "seu jeito de ficar meio brigão às vezes". Diferentemente dele, eu nunca olhei com orgulho para as brigas em que tinha entrado na Highcombe e, antes disso, na minha escola pública em Connecticut. Eu sempre me sentia mal depois, envergonhado. Colegas que eu até gostava na maior parte do tempo diziam algo que me tirava do sério e, imediatamente, meu braço se erguia, pronto para bater.

Mas dessa vez eu não ia ficar envergonhado, pensei quando Dobson ficou de pé em um pulo, se agitando. Randall agarrou a camisa dele para segurá-lo, com o rosto em choque. Ótimo, segura *ele,* pensei. *Assim ele não vai conseguir fugir,* e dei o primeiro golpe no maxilar de Dobson. A cabeça dele foi para trás e, quando ele me olhou de novo, estava dando um sorrisinho.

– Você é namorado dela? – perguntou ele, ofegando. – Porque a Charlotte não me contou isso ontem à noite.

Ao fundo, uma gritaria – a voz parecia a de Holmes. Alguém segurou meu braço. No segundo em que me distraí, Dobson se soltou das mãos de Randall e me jogou na grama. Ele era do tamanho de um transatlântico e, com o joelho no meu peito, eu não conseguia me mexer, não conseguia respirar. Inclinando-se para perto do meu rosto, ele falou:

– Quem você acha que é, seu merdinha?

E cuspiu, um cuspe longo e lento, no meu olho. Aí me deu um soco na cara, e mais um.

Uma voz cortou a gritaria.

– Watson – berrou Holmes, do que parecia uma distância imensa –, que porra é essa?

Acho que eu fui a única pessoa a transformar seu amigo imaginário em realidade. Não totalmente realidade, ainda não, ela ainda estava embaçada como num sonho. Mas nós tínhamos corrido pelas tubulações de esgoto de Londres juntos, de mãos dadas e sujas de lama. Tínhamos nos escondido por semanas numa caverna na Alsácia-Lorena porque a polícia secreta estava atrás de nós por roubarmos segredos do governo. Na minha imaginação febril, ela os escondeu num microchip numa pequena presilha vermelha que segurava seu cabelo loiro – foi como eu a imaginei naquela época.

Verdade fosse dita, eu gostava daquele estado borrado. Aquela linha onde a realidade e a ficção se confundiam. E quando Dobson dissera aquelas coisas horríveis, eu parti pra cima dele porque ele tinha arrastado Holmes, à força, para *este* mundo, onde as pessoas jogavam lixo no pátio e tinham que parar a conversa para ir ao banheiro, onde babacas atormentavam uma garota porque ela não dormia com eles.

Precisou de quatro pessoas, incluindo um Tom visivelmente abalado, para tirá-lo de cima de mim. Fiquei ali deitado por um instante, tirando o cuspe dos olhos, até algo se inclinar para escurecer minha visão.

– Levanta – ordenou Holmes. Ela não me ofereceu a mão.

Havia uma multidão à nossa volta. É lógico. Eu oscilei um pouco, corado de adrenalina, sem sentir nada.

– Oi – falei de um jeito idiota, enxugando o meu nariz sangrando.

Ela me encarou por um instante, aí se virou para encarar Dobson.

– Ah, querido, não acredito que você brigou por mim – disse ela em um tom arrastado. Houve um som de risos. Ele ainda estava sendo segurado pelos amigos e eu podia ouvi-lo ofegando. – Agora que você me *ganhou*, acho que vou me deitar e me oferecer pra você aqui mesmo. Ou você só gosta das suas garotas drogadas e inconscientes?

Gritos, zoações. Dobson parecia mais chocado do que bravo; ele relaxou nas mãos dos caras que o estavam segurando. Eu dei um risinho, não consegui evitar. Holmes girou e me encarou.

– E você. Você não é meu namorado – declarou ela de forma calma, a fala arrastada desaparecendo completamente. – Embora o seu olhar vidrado, as suas divagações ridículas e o jeito como o seu dedo indicador fica se mexendo quando eu falo digam que você deseja muito ser. Você acha que tá defendendo a minha "honra", mas você é tão ruim quanto ele. – Ela apontou para Dobson. – Não preciso de alguém pra lutar por mim. Eu posso lutar por mim mesma.

Alguém assoviou, outro alguém começou a bater palmas devagar. A expressão de Holmes não mudou. Alguns professores apareceram e, depois disso, o reitor; eu fui questionado, me deram uma compressa, me questionaram de novo. O tempo todo eu não consegui parar de repassar aquelas imagens na cabeça. Enquanto eu sangrava, na enfermaria, a única coisa que martelava na minha cabeça era saber se eu seria expulso e mandado de volta para casa. *Você é tão ruim quanto ele*, ela tinha dito, e estava absolutamente certa.

Mas eu nunca quisera ser namorado dela. Eu queria algo mais modesto que isso, e muito, muito maior, algo que ainda não conseguia verbalizar.

A vez seguinte que procurei Charlotte Holmes foi porque Lee Dobson tinha sido assassinado.

dois

Estava quase amanhecendo quando a gritaria começou.

De primeira, ela só pareceu parte do meu sonho. Os gritos eram de uma multidão furiosa; alguém tinha armado as pessoas com tochas e forcados e elas me perseguiam para dentro de um celeiro sob um céu estrelado. O único lugar que encontrei para me esconder foi atrás de uma vaca perdida, que ruminava.

Não precisava ser um psicólogo para entender o significado. Depois da minha briga com Dobson, eu tinha ido de desconhecido a famoso. Pessoas que nem me conheciam de repente tinham *opiniões* sobre mim. Dobson não era muito popular. Ele era um babaca, e odioso com as garotas, mas tinha vários amigos bombados que fizeram questão de mostrar que estavam ali quando eu entrava no refeitório. Tom, por sua vez, estava secretamente empolgado. Fofoca era a moeda preferida da Sherringford e, pelos cálculos dele, havia encontrado uma chave para o Tesouro Real.

Mas, para mim, não tinha mudado muita coisa. Eu ainda estava desconfortável na Sherringford, só que um pouco mais. Minha turma de francês começou a ficar em silêncio quando eu entrava. Uma manhã, uma caloura me convidou gaguejando para o baile anual de boas-vindas, do lado de fora do prédio de ciências, enquanto as amigas abafavam risadinhas atrás dela. Ela era bonitinha, loira e magra, mas eu disse a ela que não tinha permissão de ir. Era quase verdade. Eu tinha sido suspenso de todas as atividades da escola por um mês – dos clubes, das idas à cidade e, graças a Deus, do time de rúgbi, embora me garantissem que minha bolsa seria mantida –, mas eles tinham se esquecido de me banir do baile. Era uma punição leve, segundo a enfermeira que examinou meu nariz quebrado. Para mim, não parecia nem um pouco uma punição.

Depois da briga, fiquei prestando atenção para ver se encontrava Holmes, apesar de não saber o que poderia dizer se a encontrasse. Naquela semana, ela cancelou o jogo de pôquer, embora eu não fosse aparecer, de qualquer forma. Ir até lá me faria parecer o *stalker* horroroso que ela já devia estar me achando. Era difícil evitar alguém na Sherringford, com seus quinhentos alunos e o campus pequeno, e, ainda assim, de algum jeito, ela conseguiu. Ela não aparecia no refeitório, ela não aparecia no pátio entre as aulas.

Não acho que eu teria passado tanto tempo pensando nisso, pensando nela, se não estivesse questionando tanto o quanto eu não me encaixava na Sherringford. Até os problemas com Dobson começarem, eu tinha feito amigos, a maioria por meio de Tom, que parecia conhecer todo mundo, desde as meninas bonitinhas nas minhas aulas até o pessoal do terceiro ano que jogava frisbee no pátio. Logo, eu também os conhecia. Mas havia uma fragilidade em todas aquelas amizades, como se um vento forte pudesse levá-las para longe.

Para começar, as pessoas sempre estavam falando de dinheiro.

Não de forma direta, tipo: *Quanto os seus pais ganham?* Mais tipo: *O que os seus pais fazem? A sua mãe era uma senadora? O seu pai administrava um fundo de investimento de alto risco? Ah, meu Deus, eu também vou para os Hamptons no Natal*, escutei uma garota dizer à outra numa voz que dava para ouvir do outro lado da sala. Mais de uma vez, vi os alunos comprando drogas do loiro esquisito da cidade, que espreitava nos cantos das nossas festas e ao redor do pátio à noite. Quando não estavam usando a grana dos pais para comprar cocaína, meus colegas estavam viajando pelo mundo. Escutei as meninas na minha aula de francês trocando figurinhas sobre quem estava construindo orfanatos na África no verão anterior (nunca um país africano específico, só "África") e quem estava mochilando pela Espanha.

A Sherringford não era uma daquelas escolas tipo a Andover ou a St. Paul, cheias de futuros presidentes ou astros do beisebol e astronautas. Claro, a gente tinha matérias eletivas como roteiro de cinema ou língua suaíli, professores com PhD e ternos de tweed, alunos mandados para as universidades menos prestigiadas da Ivy League – mas nós estávamos um ou dois graus abaixo do extraordinário, e talvez esse fosse o problema. Se não estávamos na luta para sermos os melhores, ficaríamos na luta para sermos os mais privilegiados.

Ou *eles* ficariam, pelo menos. Eu tinha acabado de ganhar um lugar na primeira fila para assistir à partida deles. E em algum lugar, nas trevas, rondava Charlotte Holmes, jogando de acordo com as próprias regras.

Na noite em que Dobson foi assassinado, eu tinha ficado acordado até tarde pensando em como consertar as coisas entre nós. Entre mim e Holmes. Tinha quase certeza de que tinha estragado qualquer chance até de sermos amigos e aquele pensamento me manteve acordado até as três e meia. Eu estava dormindo pelo que pareceu um instante quando fui acordado pelo pânico se espalhando pelo nosso alojamento. Tom já tinha se vestido e ido investigar antes que eu sequer tivesse me arrastado para fora da cama. Pensei, confuso, que aquilo devia ser uma simulação de incêndio e que eu, de alguma forma, não tinha escutado o alarme.

Mas havia uma turma reunida no fim do corredor: caras do nosso andar, em sua maioria, mas a nossa matriarca grisalha do alojamento também estava lá, e depois dela estavam a enfermeira da escola e um grupo de policiais de quepe e uniforme. Passei por eles até encontrar Tom, olhando com uma expressão vazia para uma porta lacrada com fita da polícia. Ela estava entreaberta uns dois centímetros e lá dentro estava escuro.

– O que foi? – perguntei a ele.

– Dobson – respondeu Tom. Quando ele enfim se virou para me encarar, eu vi o quanto seu olhar estava amedrontado. – Ele tá morto.

Fiquei chocado de perceber que ele estava com medo *de mim*.

O cara atrás de mim falou:

– Esse é o James Watson, foi ele que bateu no Dobson.

E o burburinho à minha volta aumentou até virar uma algazarra.

A sra. Dunham, nossa matriarca do alojamento, colocou uma das mãos protetora no meu ombro.

– Está tudo bem, James – declarou ela. – Eu vou ficar aqui com você.

Os óculos dela estavam tortos e tinha jogado um robe de seda ridículo por cima do pijama; até então, eu não sabia que ela passava as noites no dormitório ou que sequer sabia o meu nome. Ainda assim, fiquei muito feliz por ela estar ali, porque um homem de camisa social irrompeu do meio dos policiais e foi direto até mim.

– James, certo? – perguntou ele, mostrando um distintivo. – Nós gostaríamos de lhe fazer algumas perguntas sobre esta noite.

– Ah, não gostariam, não – respondeu a sra. Dunham. – Ele é menor de idade e vocês precisam da permissão dos pais dele para interrogá-lo sem a presença de um responsável presente.

– Ele não está preso – insistiu o homem.

– Dá no mesmo. Regras da Sherringford.

– Certo – suspirou o detetive. – Eles moram perto, filho?

Ele tirou um caderninho e uma caneta do bolso da calça como se fosse um episódio de *Law & Order*.

Bom. Meio que era.

– Minha mãe mora em Londres – respondi, e minha voz soou forçada até para os meus ouvidos. A expressão de Tom estava endurecendo e virando algo como um olhar penetrante. Atrás dele, um rapaz que morava no quarto ao lado estava chorando em silêncio. – O meu pai mora aqui em Connecticut, mas faz anos que não vejo ele.

– Você pode me dar o número dele? – indagou o detetive, e eu dei, puxando o celular para falar os dígitos que eu mesmo nunca tinha discado.

Ele disse mais algumas coisas sobre permanecer por lá, dormir um pouco, e depois a respeito de voltar para me ver no início da tarde, e eu concordei com tudo. Eu tinha escolha? Ele me deu o cartão dele: estava escrito *Detetive Ben Shepard* numa fonte séria. Ele não se parecia muito com os outros policiais que eu já tinha visto, nas telas ou em outro lugar. Numa primeira olhada, ele deu a impressão de um cara comum, mas, enquanto eu o encarava, segurando seu cartão, vi que o rosto dele tinha um aspecto ávido, como um cachorro olhando para uma bola jogada arremessada. Ele não parecia ter um passado trágico, tipo uma mãe ou um irmão assassinados que o levaram a se tornar detetive. Ele parecia alguém que jogava videogame com os filhos. Que lavava os pratos sem terem que pedir.

Essa impressão de bondade me perturbou ainda mais do que se ele fosse um vilão virando o bigode para cima.

Porque estava claro que o detetive Shepard achava que *eu* era o cara malvado.

Ele me deu o que era para ser um sorriso tranquilizador. Então saíram, ele e os outros policiais, e todas as outras pessoas ficaram por ali por mais alguns minutos, até a sra. Dunham mandá-las para os quartos. Elas me empurraram ao passar por mim. Todas fizeram isso, Harry, Peter, Lawrence e até Tom, embrulhado em seu onipresente colete de tricô. Os olhares que me lançaram foram iguais. *Excluído*, diziam os rostos. *Assassino, você merece o que te espera.*

A sra. Dunham se ofereceu para me fazer um chocolate quente, mas eu não fazia ideia do que dizer a ela, ou a qualquer pessoa, então falei "obrigado, mas não, obrigado", e que eu só ia dormir. Como se dormir fosse uma remota possibilidade.

Tom não estava no nosso quarto. Provavelmente tinha decidido dormir no chão do quarto de alguém, imaginei. Agora ele estava com medo de mim. Num impulso de raiva, peguei meu travesseiro para bater com ele pelo quarto, e parei congelado. Se alguém me ouvisse num acesso, não ia ajudar meu caso nem um pouco. Para começar, foi essa raiva que me colocara naquela confusão, lembrei a mim mesmo, e esmaguei o travesseiro contra a cama mesmo.

Raiva e Charlotte Holmes.

Quando voltei ao corredor, a fita amarela na porta de Dobson capturava a luz como um espelho, um espelho que eu me recusava a olhar muito de perto. Continuei andando.

Cheguei até o alojamento Lawrence antes de perceber que não sabia o número dela. O número do telefone ou o número do quarto – na verdade, eu só tinha uma ideia vaga de que ela morava naquele dormitório. As fileiras de janelas escuras me olhavam fixamente enquanto eu tentava tomar uma decisão. O céu ia começar a clarear a qualquer momento. Luzes começariam a ser acesas. As garotas que moravam ali iam tomar banho, se vestir e recolher os livros ao sair. Até onde chegariam antes de escutar que um dos colegas tinha sido assassinado? Quanto tempo levariam para começar a acreditar que tinha sido eu?

Eu nem sabia o que ia dizer quando a encontrasse. Que razão tinha para crer que eu era inocente? Na última vez que ela me viu, eu estava brigando com a vítima.

Minha determinação se dissipou como um balão se esvaziando e eu me sentei nos degraus da frente do alojamento Lawrence para botar a cabeça no lugar. O campus estava silencioso e escuro, a não ser pelas luzes dos veículos de emergência que se abarrotavam ao redor do Michener.

– Watson – sibilou uma voz. – Jamie Watson.

Holmes saiu habilmente de trás de um pequeno grupo de árvores e eu não a tinha visto ali. Na verdade, acho que não era para eu ver mesmo, já que ela estava vestida de preto da cabeça aos pés: calça, luvas, um par de tênis escuros, uma jaqueta fechada até o queixo, até a mochila pendurada nos ombros. O rosto dela era uma lua pálida contra toda aquela escuridão, os lábios apertados de raiva, até que ela abriu a boca para dizer algo que, pela sua expressão, eu não queria escutar.

Então falei antes dela.

– Oi – disse do meu jeito idiota de sempre. – Eu tava te procurando.

Os olhos dela se arregalaram, depois se estreitaram, e eu a observei recalcular algo rapidamente na cabeça.

– É sobre o Dobson.

Eu não me dei ao trabalho de perguntar como ela sabia. Ela era uma Holmes. Mas devo ter parecido surpreso o bastante para ela preencher as lacunas.

– Olha, o Tom mandou mensagem pra Lena, e a Lena mandou mensagem pra mim. Relativamente direto. Infelizmente, eu tava usando isso quando fiquei sabendo – ela indicou sua roupa com um gesto frustrado –, aí decidi ficar longe do alojamento pra que ninguém me visse. Não é uma boa estar vestida de assaltante na noite do assassinato de alguém, muito menos de alguém que você odeia.

– Ah! – exclamei. – E o que você tava assaltando?

Um sorriso animado passou pelo rosto dela.

– Pipetas – respondeu ela. – Fui trabalhar no meu laboratório depois da verificação noturna.

– Você é muito nerd – falei, rindo, e o sorriso dela voltou, e ficou. Inacreditável. – Você tem um laboratório? Espera, não. Mais tarde. Porque Dobson tá morto e nós somos tranquilamente os principais suspeitos, e estamos *rindo*.

– Eu sei. – Ela esfregou os olhos com as mãos. – Sabe, primeiro achei que você tinha vindo até aqui pra me acusar.

Minhas sobrancelhas devem ter subido até os cabelos.

– Não, de forma nenhuma...

– Eu sei – ela me interrompeu com um olhar penetrante. Parecia que ela estava me fazendo um raios X. Os olhos dela passaram do meu rosto para os meus dedos e para o meu All Star surrado. – Mas eu falei para o Dobson que eu ia matar ele. Eu devia ser a sua principal suspeita. E não sou.

Havia muitas respostas para aquela não pergunta: *Eu sou um Watson, é geneticamente impossível para mim suspeitar de você* ou *Na minha imaginação, você nunca foi uma vilã, sempre foi a heroína*, mas tudo que eu conseguia pensar soava besta, fofo ou melodramático.

– Como você disse, você sabe cuidar de si mesma – declarei, enfim. – Se você tivesse matado ele, aposto que haveria vinte testemunhas afirmando que viram o Dobson colocar a arma na própria cabeça.

Holmes deu de ombros, mas estava claramente satisfeita. Ficamos lá sentados por um minuto; a distância, passarinhos começaram a chamar uns aos outros.

– Sabe – disse ela –, aquele desgraçado deu em cima de mim de todas as formas desagradáveis possíveis desde o dia em que eu cheguei. Gritou comigo, deixou bilhetes debaixo da minha porta. Ele deu um tapa na minha bunda na fila do café da manhã no fim de semana que o meu irmão estava visitando. – Ela balançou a cabeça. – Precisei ser muito persuasiva para o Dobson não ser incinerado de cara. Ou virar alvo de um ataque de drones. Na verdade, Milo queria que a vingança fosse um prato frio, queria esperar alguns anos e aí desaparecer com ele, como se tivessem sido alienígenas. Pelo menos foi o que ele disse. Ele tava tentando me animar... – Sua voz desapareceu; estava claro que ela havia dito mais do que pretendia. – Eu ainda devia estar brava com você.

– Mas não tá.

– E a gente não devia estar falando do Dobson assim.

Ela se levantou e, depois de um segundo de hesitação, me ofereceu uma das mãos para me ajudar a levantar.

– Não achei que você fosse ter tanto respeito pelos mortos. Apenas algumas horas atrás, ele tava bem vivo, e praticamente pedindo pra ser incinerado.

O sol estava nascendo a distância, puxado por seu fio preguiçoso e invisível, e o céu foi tingido de cor. O cabelo dela foi lavado em dourado, suas bochechas também, e seus olhos estavam tão sábios quanto os de uma paranormal.

Naquele momento, eu a teria seguido a qualquer lugar.

– A gente não devia estar *falando* do Dobson – comentou ela, saindo pelo pátio – porque devia estar inspecionando o quarto dele.

Parei de repente.

– Espera aí, o quê?

Já eram 7:10, e o nosso corredor no alojamento Michener era no segundo andar. Eu não fazia ideia de como íamos passar pela sra. Dunham na entrada sem ela ver, muito menos pelas hordas de garotos mais novos saindo dos quartos para tomar banho antes do café da manhã. Observei Holmes considerar a questão por um instante, franzindo a testa, antes de se esgueirar para a lateral do prédio coberto de hera.

Ela me pediu para me afastar e se jogou no chão, examinando-o centímetro por centímetro. Procurando pegadas, percebi. Se a gente tinha pensado em chegar ao quarto de Dobson por ali, provavelmente alguém mais também tinha. Olhei em volta, nervoso, para ver se estávamos sendo observados, mas estávamos cercados por galhos de freixos. Ainda bem que a Sherringford era tão pitoresca.

— Quatro garotas passaram por aqui em grupo na noite passada — declarou ela, enfim, levantando-se. — Dá pra saber pela debandada de botas Ugg. Mas ninguém vindo sozinho, nem pra fumar. Estranho, esse parece um bom lugar pra isso. — Ela limpou a terra e a grama metodicamente da roupa. — Devem ter entrado pelas portas da frente. O Michener não é conectado pelos túneis de acesso como o Stevenson e o Harris são.

— Túneis de acesso?

— Você realmente devia explorar mais. Vamos cuidar disso, mas não agora. — Holmes deu uma olhada nos peitoris grossos de madeira das janelas do primeiro andar, nos peitoris acima desses, então se curvou para desamarrar os sapatos. — Você pode colocar eles na minha mochila? — pediu ela colocando um pé com meia no peitoril. — Os seus também. E coloque as luvas. Não podemos deixar nenhuma digital. Vamos, rápido, eles podem abrir as cortinas a qualquer momento. Pelo menos o colega de quarto dele tá longe naquele torneio de rúgbi.

— Você não precisa descobrir qual é o quarto deles? — perguntei.

Ela me lançou um olhar como se eu tivesse perguntado se a Terra girava em torno do Sol.

— Watson, só me dê um impulso.

Entrelacei as mãos para ela pisar e, em segundos, ela tinha escalado pelas heras até a janela de Dobson no segundo andar. Agarrando-se ao peitoril com uma das mãos, ela usou a outra para puxar uma extensão de arame do bolso e dobrou uma das pontas num gancho com os dentes. Não consegui ver o que ela fez em seguida, mas dava para ouvi-la cantarolando. Pareceu uma marcha patriótica de Sousa.

— Certo — sussurrei. — Quando eu te encontrei, você só tava indo pro seu *laboratório*.

— Cala a boca, Watson.

Com um leve assobio e um estalo, a janela se abriu. Holmes entrou com cuidado, tão delicada quanto uma dançarina.

A cabeça dela reapareceu.

— Você não vem?

Eu xinguei. Em voz alta.

Felizmente, todo aquele rúgbi que eu vinha jogando significava que eu estava numa forma passável. Eu também era uns bons quinze centímetros mais alto que ela, então não precisava de ajuda para alcançar a hera pendurada. Quando me arrastei para dentro do quarto de Dobson, ela me deu batidinhas no ombro de forma distraída; já estava inspecionando os arredores.

O quarto de Dobson era do tipo que eu tinha visto por todo o alojamento: com um pôster preto e branco de duas garotas se beijando e o chão lotado de roupas emboladas. O lado de Randall não estava nem um pouco mais arrumado, mas pelo menos a cama estava feita. Os lençóis de Dobson estavam uma bagunça, chutados até o fim do colchão. O investigador já devia ter removido o corpo.

Havia uma foto emoldurada dele com o que parecia a irmã na mesinha de cabeceira. Os dois estavam fitando a lente com os olhos meio fechados, com grandes sorrisos no rosto. Senti uma pontada inesperada de culpa.

Holmes não teve tal hesitação.

– Segura a minha mochila – pediu ela e imediatamente ficou de quatro.

Dei um salto de uns trinta centímetros para trás. Do nada, ela surgiu com uma caneta-lanterna em uma das mãos e um par de pinças na outra.

– Você encomendou algum tipo de kit de espionagem online? – perguntei, irritado.

Eu mal tinha dormido uma hora e, para ser sincero, estava tentando com toda força não ceder ao pavor que se espreitava. Qualquer um podia entrar ali a qualquer momento e nos flagrar mexendo na cena do crime de um assassinato que eu meio que quis cometer.

E lá estava Holmes. Enquanto eu ficava parado, tremendo de medo, ela era eficiente, cabeça fria, trabalhando rápido para nos absolver. Pensei mais uma vez em nós dois correndo num trem desgovernado e sufoquei uma risada.

Na realidade, Holmes escaparia com classe, enquanto eu tropeçaria nos meus próprios pés e seria arrastado para um interrogatório com tortura.

– Fica quieto – sussurrou ela de volta. – E tira um desses frascos de espécimes da minha mochila. Encontrei uma coisa.

Peguei um frasquinho de vidro da mochila dela e tirei a tampa, depois me agachei para ela poder colocar a ponta das pinças ali dentro. Pelo vidro, a amostra parecia uma lasca de pele de cebola; enquanto eu a examinava, ela colocou uma segunda peça, e uma terceira. Holmes tirou um pedaço do tapete e colocou em outro pote, e usou o pedaço de arame para cutucar debaixo da cama, expulsando um monte de canetas, uma escova de dentes velha, algumas miudezas. Ela inspecionou um copo de leite ao lado da cama dele e a flauta de êmbolo antiquada logo ao lado. Com um dedo enluvado, traçou uma linha invisível de uma abertura no alto da parede até o travesseiro de Dobson. Depois ela olhou para cima atenciosamente, para o teto, e a escutei contar – por quê, eu não tinha certeza. Cada barulhinho para mim soava como nossa prisão inevitável, e meu coração martelava nos ouvidos.

Ela se inclinou para examinar o travesseiro de Dobson e fez um gesto para que eu fosse até lá. A marca que a cabeça dele tinha deixado ainda estava visível.

– Isso é saliva? – sussurrei, apontando.

– Excelente. – Ela raspou a saliva com a ponta da pinça. Eu só tinha dito aquilo para fazê-la rir, mas fiquei animado com o elogio, de qualquer forma. – Frasco – pediu Holmes, e eu passei um deles.

— Não vejo sangue – comentei, e ela balançou a cabeça.

Não havia sangue algum visível, em lugar nenhum.

Do lado de fora, escutei passos, de mais de uma pessoa, e vozes. Para meu pavor, escutei menção ao meu nome, ao de Dobson. Acima do ruído, uma voz mais velha perguntou:

— É este o quarto do rapaz?

— A gente tem que ir – falei para Holmes e, por um segundo, ela pareceu estar prestes a protestar. – *Agora!* – exclamei, puxando-a para a janela. Juro que vi a maçaneta começar a girar. Sem esperar, me pendurei para fora do prédio, depois pulei o resto do espaço.

No segundo em que os meus pés atingiram o chão, meu medo explodiu em alegria.

Escutei a janela se fechar com um estalo. Holmes pousou atrás de mim e eu a virei para mim pelo braço.

— Você foi vista? – indaguei, sem fôlego.

— É claro que não.

— Holmes, isso foi *incrível*.

Aquele vislumbre de um sorriso apareceu de novo.

— Foi, né? Principalmente pra uma primeira vez.

— Uma primeira... você nunca tinha feito isso?

Ela deu de ombros, mas seus olhos estavam brilhando.

— Você fez a gente invadir uma cena de crime pra roubar evidências, algo que podia fazer a gente parecer ainda mais culpado do que já parece, e você *nunca tinha feito isso antes?* – Se eu soei meio estridente foi porque estava meio apavorado.

Holmes já tinha seguido em frente.

— A gente precisa ir pro meu laboratório — declarou ela, tirando os sapatos da mochila — sem levantar suspeitas de por que estamos juntos. Quer se separar e me encontrar lá em vinte minutos? Prédio de ciências, sala 442. — Ela me jogou os meus tênis num arremesso elegante, com a mão passando por baixo do cotovelo. — E pegue o caminho longo, fazendo o favor. Quero chegar lá primeiro.

A SALA 442 DO PRÉDIO DE CIÊNCIAS ERA TIPO UM QUARTINHO de limpeza.

Um dos grandes, mas ainda assim um quartinho.

Quando entrei, Holmes já estava curvada sobre o seu conjunto de química. Era um espetáculo, do tipo que eu só tinha visto em filmes — provetas altas e robustas, fumaça saindo das substâncias estranhas lá dentro e bicos de Bunsen acesos como uma fileira de luzes de palco. Essa configuração tinha um lugar de destaque no meio da sala, e Holmes tinha amarrado um par de luminárias de escrivaninha numa estante de livros próxima, para garantir a iluminação. A estante estava recheada de uma coleção de livros de aspecto gasto, com tudo desde *A origem das espécies*, de Darwin, e a *Gray Anatomia*, a volumes imensos com nomes tipo *A história da terra* e *Baritsu e você*. Havia uma prateleira inteira só sobre venenos. Na parte de baixo, vi a famosa biografia do dr. Watson, a que minha mãe me falou que era muito escandalosa para ler. (O que significou que a li imediatamente. Pelo jeito, ele era muito, muito... popular com garotas.)

Ao lado dela estava a única ficção de toda a estante: uma bela coleção de couro das histórias do dr. Watson sobre Sherlock Holmes. A série toda, de *Um estudo em vermelho* a *O último adeus*. As lombadas estavam todas rachadas, como se os livros tivessem sido lidos um milhão de vezes.

Se eu tinha dúvidas sobre o meu papel nessa investigação, e, para ser sincero, eu tive algumas monstruosas desde que invadimos o quarto de Dobson, ver aqueles livros bem folheados fez com que me sentisse melhor. *Meu lugar é aqui com ela*, pensei, *se é possível alguém ter um lugar, este é o meu*.

Por mais esquisito que fosse *aqui*.

Porque havia muitas outras coisas abarrotadas naquele espaço e qualquer coisa ali teria transformado Holmes na Suspeita Número 1 de Todos os Assassinatos do Mundo. Uma das paredes era lotada de desenhos de armas, obscurecida por um conjunto pendurado de esqueletos de pássaros gigantes. (Um abutre me examinava astutamente, as órbitas dos olhos como balas negras.) O sofazinho surrado encostado em uma das paredes estava manchado com o que tinha que ser sangue, escorrido, muito provavelmente, dos papos das aves penduradas acima. Havia prateleiras cedendo lotadas de amostras de solo, amostras de sangue, o que parecia um pote com dentes. Ao lado do pote havia um estojo de violino, um bastião solitário de sanidade.

Eu esperava ardentemente ser o único visitante que ela já tinha recebido naquele laboratório. Senão, havia grande chance de ela ir parar na cadeia.

— Watson, sente-se – disse ela, fazendo um gesto para o sofazinho com um conjunto de pinças. Eu fiz uma careta.
– O sangue está seco – acrescentou ela, como se isso ajudasse.

Eu estava tão cansado que obedeci.

– Como está indo isso aí que você está fazendo? O que você encontrou, afinal?

– Doze minutos – respondeu ela, e se ocupou na mesa de química.

Esperei. Impacientemente.

– Não gosto de criar hipóteses antes dos fatos – declarou ela, enfim. – Mas o que *descobri* sugere que o nosso assassino não deu nenhuma chance ao acaso. Ele usou pelo menos dois métodos de envenenamento, talvez três.

– Veneno? – perguntei, incapaz de esconder o alívio na minha voz. Eu não entendia nada de venenos; não tinha chance de eu ser acusado de matar Dobson.

Mas Holmes podia ser.

Engoli em seco.

– Achei que você era uma estudante do segundo ano. Você ainda não teve química.

– Aqui não – comentou ela, segurando uma pipeta contra a luz. – Mas tive aulas particulares quando era mais nova.

Claro que teve. Pensei de novo no que a minha mãe tinha dito, que os Holmes treinavam os filhos desde que nasciam em habilidades de dedução. Fiquei pensando no que mais Holmes tinha aprendido lá no solitário e enorme solar de Sussex.

Ela limpou a garganta.

— Como me defender. Como me movimentar silenciosamente por um cômodo, como localizar todas as saídas possíveis em segundos depois de entrar num espaço. A planta de cidades inteiras, começando por Londres, incluindo os nomes de cada negócio de cada rua, e o jeito mais rápido de chegar a cada um deles. Como, em resumo, estar sempre ciente do que cada um está fazendo ou pensando. A partir daí, é possível concluir por que fazem o que fazem. — Por um instante, os olhos dela ficaram sombrios, mas seu rosto se desanuviou tão rápido que decidi que tinha imaginado aquilo. — E me ensinaram todas as outras matérias que se aprendem na escola, é claro. A resposta é suficiente?

Eu não fazia ideia de como conduzir essas conversas em que as perguntas eram tiradas bem de dentro da minha cabeça.

— Parece incrível — respondi de forma sincera —, mas não sei se eu ia sempre querer saber o que as outras pessoas estão pensando. De onde elas vêm, o que querem. Cadê o mistério nisso?

Ela deu de ombros com uma indiferença em que não acreditei totalmente.

— Acho que poucas pessoas seguram a onda do escrutínio. Mas o negócio da minha família nunca foi manter os mistérios. O lance é resolver eles.

Eu queria fazer mais perguntas, mas estava exausto. Eu me peguei reprimindo um bocejo.

– Que horas são?

– Oito – informou ela, de olho numa substância clara numa lâmina. – A qualquer momento, vai aparecer uma mensagem para todo o campus dizendo que as aulas estão canceladas por causa do assassinato. Tenho certeza de que podemos escapar do aconselhamento opcional.

– Me acorde em duas horas. – Tive que me encolher para caber no pequeno sofá. Enquanto puxava minha jaqueta até o queixo, cruzei com os olhos pálidos e atentos de Holmes por um instante fugaz antes de ela desviar o olhar.

Acordei com um gosto passado na boca e suor esfriando na testa. No meu bolso, o celular soltou o suspiro de três notas que significava que estava morrendo. Por um segundo horrível, eu não tive ideia de onde estava. Olhei para cima, para a extremidade plissada do chicote de montaria de Holmes e lembrei. Não deveria ter sido tão reconfortante quanto foi.

– Já faz uma hora que ele está apitando com pouca bateria – declarou Holmes do outro lado do kit de química. Estava mais desarrumada do que estivera antes: as mangas da jaqueta levantadas até os cotovelos e o cabelo em uma teia de aranha de frizz por causa do calor no cômodo apertado.

– E você não me acordou? Que horas são?

– Você tá usando relógio.

– *Que horas são, Holmes?*

Ela me olhou de forma inexpressiva.

– Sete?

Eu xinguei, pegando o telefone do bolso. Faltavam cinco minutos para o meio-dia. Tinha uma mensagem de texto da escola avisando que as aulas estavam canceladas e que haveria aconselhamento de luto disponível na enfermaria. Eu também tinha treze ligações perdidas. Dez delas eram do meu pai, pelo menos duas da Inglaterra – número desconhecido, segundo o identificador de chamadas – e uma era um número local que eu não reconhecia. Toquei a mensagem no correio de voz.

– Aqui é o detetive Shepard, ligando para James Watson...

Junto ao kit de química, Holmes espiava o fundo de um frasco de Erlenmeyer.

– Amarelo precipitado – anunciou ela, mais para si mesma do que para mim. – Excelente. Absolutamente perfeito.

Cantarolando desafinada, ela entornou a solução num tubo de ensaio e o tampou, enfiando-o no bolso.

Ouvi o fim da mensagem de Shepard com o estômago revirado.

– Tem algum toalete aqui perto? – perguntei, amargurado. – Preciso lavar o rosto.

Ela apontou em silêncio para a pia no canto e me molhei com água fria.

– De acordo com o detetive – contei –, todos eles se falaram e parece que o meu pai está com medo que eu tenha me enforcado em algum galho de árvore e vamos todos nos encontrar no meu quarto em trinta minutos. O que vou dizer a ele?

Era uma pergunta retórica e confusa, mas ela se aproximou para se empoleirar no braço gasto do sofazinho.

– Pro seu pai? – indagou ela, e eu assenti.

Ela torceu as mãos no colo e percebi que a parte interna de um dos cotovelos era marcada por cicatrizes. *Ouvi dizer que ela injeta*, tinha dito a ruiva.

– Eu não vejo ele desde que tinha doze anos.

– Você quer me contar por quê? – perguntou ela.

Estava claro que Holmes sabia que era isso que amigos faziam – demonstravam interesse nas vidas uns dos outros, ofereciam um ouvido disposto quando o outro estava chateado – e que ela estava fazendo o melhor para imitar. Também estava claro que ela preferiria despejar um balde de água num fio desencapado.

Se bem que talvez ela fizesse isso por diversão. Vai saber.

– Me diz você – respondi. – Tenho certeza de que já chegou a algumas conclusões. Leu algumas partes invisíveis do meu passado no meu dedo mindinho.

– Não é um truque de mágica, sabe.

– Eu sei. Mas talvez seja mais fácil. Pra nós dois.

– Mais fácil? – Holmes suspirou e me jogou minha jaqueta. – Vamos, ou a gente vai se atrasar.

Um vento gelado soprava no pátio, mas o céu estava impiedosamente claro. Em todo canto, os alunos se amontoavam em bandos de dois ou três para se proteger do frio. Alguns poucos estavam chorando abertamente, percebi enquanto passávamos; calouros que provavelmente nem conheciam Dobson estavam se abraçando.

Mas quando nos viram – Holmes e eu, todos simplesmente... pararam. Pararam de falar, pararam de chorar, pararam de contar histórias tristes. Um por um, eles se viraram para nos encarar, e então os cochichos começaram.

Holmes apoiou sua pequena mão branca na curva do meu braço e me arrastou em frente.

– Olha só – disse ela rapidamente. – Os seus pais são ingleses, mas você foi criado nos Estados Unidos; eu sei disso pelo que a minha família contou sobre a sua. O seu sotaque não é muito forte, mas a forma com que você pronuncia as suas frases é bem específica de Londres. E você ama Londres; deu pra perceber pela cara que fez quando me ouviu falar pela primeira vez, como se tivesse tido um vislumbre de casa. Você deve ter morado lá, e numa época particularmente impressionável da sua vida. E pelo fato de você ter dito "toalete" e não "banheiro" mais cedo, e pelas outras vezes que você se esquivou de usar qualquer gíria, em vez de tomar uma decisão entre ser inglês ou americano, você deve ter mudado pra Londres mais ou menos com onze ou doze anos. Tô certa?

Eu concordei com a cabeça, tonto.

Era difícil ouvir Holmes falar, perceber que cada uma das minhas palavras e ações insignificantes transmitia o meu passado, se a pessoa apenas soubesse observar. Mas teria sido ainda mais difícil atravessar o pátio em silêncio enquanto o resto da escola bancava o juiz, o júri e o carrasco. Ela sabia disso, acho. Por isso tinha guardado suas deduções para esta caminhada: dois coelhos horríveis, uma cajadada.

– Sua jaqueta nem sempre foi sua. Ela foi fabricada nos anos 1970, a julgar pelo corte e pelo marrom particularmente horrível do couro e, mesmo servindo bem em você, fica um pouquinho grande demais nos ombros. Eu diria que você comprou num brechó vintage, mas todo o resto que você tá usando foi feito nos últimos dois anos. Então ou você herdou, ou foi um presente. – Ela colocou a mão no bolso do meu casaco para puxá-lo para fora. – Manchas de canetinhas – declarou ela com satisfação. – Eu vi isso mais cedo, no sofá. Duvido que você estivesse carregando hidrocor por aí no inverno passado. Não, é mais provável que tenha sido perto da sua casa enquanto você estava crescendo e, ou você ou a sua irmã mais nova usaram a jaqueta, em algum momento, enquanto bancavam o professor de arte.

– Eu não te contei que tinha uma irmã mais nova.

Ela me lançou um olhar de pena.

– Nem precisava.

– Tá bom, era do meu pai. – Não era agradável ser dissecado assim. – E daí?

– Você tá usando ela. Isso é o suficiente pra me dizer que você não odeia o seu pai. Não, não é tão simples quanto ódio. Isso está enveredando pela psicologia e, me desculpe, eu *detesto* psicologia, mas imagino que você use a jaqueta porque, no fundo, sente falta dele. Você foi embora pra Londres aos doze anos, mas o seu pai mora aqui. Você chama ele assim, "meu pai", não chama de "papai". A simples menção a ele faz você ficar tenso e, já que estabelecemos que ele não batia em você, posso dizer, com segurança, que é medo surgido de um longo silêncio. A última peça disso é, claro, o seu relógio.

Já estávamos quase no alojamento Michener e Holmes fez uma pausa, estendendo a mão. Eu não vi outra opção: desafivelei o fecho e o passei para ela.

– Foi uma das primeiras coisas que notei quando te conheci – comentou ela, examinando-o. – Bem mais caro do que qualquer outra coisa que você usa. Um mostrador ridiculamente grande. E a inscrição no verso, sim, aqui está. *Para Jamie, em seu décimo sexto aniversário, com amor, JW, AW, MW e RW.*

Os olhos dela brilharam com a descoberta... Não, com a confirmação do que tinha deduzido. E ali eu entendi como seria odiá-la.

– Continue – falei, para que enfim acabasse.

Ela foi contando os itens nos dedos.

– Apelido desprezado da infância, então ele não te conhece mais. Um presente muito caro para um adolescente? Culpa de muito tempo. Mas a chave está nos *nomes*. Ele não te deu um presente só dele, mas garantiu que você soubesse que era de toda a família. A família *nova* dele. O nome da sua mãe é Grace, minha tia mencionou isso. Então o A é de... Anna, digamos, e MW e RW dos seus meios-irmãos. Até o presente de aniversário dele pra você é uma tentativa tosca de te fazer gostar deles. Vocês não se falam há anos porque, muito provavelmente, ele estava traindo a sua mãe com a... Anna? Alice? Quando os seus pais se separaram, ele ficou nos Estados Unidos para começar uma nova família. Abandonando, pelo menos aos seus olhos, você e a sua irmã.

"Mas a sua mãe não guarda mágoa dele: ela não insistiu que você guardasse um presente ridiculamente caro até que fosse mais velho. Esse relógio vale, pelo menos, uns três mil. Não, ela deixou você usar. Eles estão numa boa, ainda que estejam divorciados; talvez ela esteja aliviada por ele ter seguido a vida, já que ela já tinha feito isso antes de o casamento acabar. De qualquer forma, ela deve ficar nervosa de você não se dar bem com ele, um garoto precisa do pai etc. e tal. Sua madrasta deve ser mais jovem, então, mas não tão jovem a ponto da sua mãe não aprovar."

– Abigail – falei. – O nome dela é Abigail.

Holmes deu de ombros; era um detalhe pequeno. Todos os outros pormenores tinham sido precisos, em cheio, perfeitos.

O vento frio açoitava o meu rosto e bagunçava o cabelo dela, obscurecendo seus olhos.

– Me desculpe, tá? – disse ela, tão baixo que mal consegui ouvi-la. – Não tenho a intenção de... de magoar. É só o que eu observei.

– Eu sei. Foi bem constatado – respondi, e estava sendo sincero.

Eu não a odiava tanto quanto odiava ser lembrado do que o meu pai havia feito. Como eu parecia não conseguir superar aquilo. E eu odiava o medo no meu estômago enquanto olhava as portas pesadas de madeira do alojamento Michener e pensava nas pessoas esperando por mim lá dentro. Meu pai. O detetive. *Eu não sou culpado*, lembrei a mim mesmo.

Eu me perguntei por que sentia como se fosse.

Ela segurou no meu braço de novo.

— Você também usa a jaqueta porque acha que ela te faz ficar parecido com o James Dean — comentou ela enquanto entrávamos. — Os olhos parecem, mas o maxilar é bem diferente e, apesar de você ser bonito, não é nenhum artista torturado. Tá mais pra um bibliotecário magrelo. — Ela pensou por um instante. — Acho que isso não é de todo ruim.

Ninguém mais no mundo ia aguentar essa garota.

— Você é *horrível* — declarei, e mesmo então ela já estava perdoada.

— Sou nada. — Havia alívio estampado no rosto dela. — Sou horrível por quê? Quero exemplos. Me dê uma lista de itens.

— Jamie? — chamou uma voz vacilante atrás de mim. — É você?

Eu me virei para encarar meu pai.

três

TODA A MINHA VIDA ME DISSERAM QUE EU ERA A CARA DO meu pai, e, após alguns anos separados, dava para ver isso mais do que nunca. O cabelo escuro, rebelde – embora o dele estivesse começando a ficar grisalho nas têmporas – e os olhos escuros, e certa teimosia marcada no maxilar. *Os Watson podem ser meio teimosos,* ele me dissera quando eu era mais novo, *mas compensamos com um amor por aventuras.*

Bem, ali estava minha aventura: um idiota misógino morto, eu como principal suspeito e meu pai distante aguardando para participar do meu interrogatório. O detetive Shepard estava alguns passos atrás. Alguém devia tê-lo informado da minha história familiar e ele decidiu nos dar um instante.

Ao fundo, a sra. Dunham estava inquieta, mexendo ruidosamente em uma chaleira elétrica. Uma fileira de canecas descombinadas estava alinhada na mesa da recepção.

– Estou preparando chá – informou ela, desnecessariamente. – Tantos ingleses. Pareceu o mais apropriado a se fazer.

Sinceramente, ela não estava errada.

– Oi – meu pai e eu dissemos ao mesmo tempo. Ao meu lado, Holmes reprimiu uma risada.

Os olhos do meu pai pousaram nela, claramente procurando por algo, qualquer coisa, a dizer.

– E então, Jamie, você não vai me apresentar sua namorada?

A mão dela apertou o meu braço – de pavor, presumi. Não ousei olhar para ela.

– Essa é Charlotte Holmes – falei, baixinho. – Ela não é minha namorada.

Não sei bem que reação eu esperava. A minha mãe teria ficado de boca fechada, guardando munição para me bombardear quando estivéssemos sozinhos. *Ela não é meio pálida?* e *Ela não parece muito amigável, você não acha?* e, por fim, *Sabe, ela só vai te trazer sofrimento.*

Meu pai ficou encantado.

– Charlotte! Que maravilha! – exclamou ele e, para choque de Holmes e meu, a puxou para um abraço esmagador. Ela chegou a arfar. Eu nunca imaginei que ela pudesse produzir aquele som. – Sabe, eu mandei todas as matérias de imprensa sobre você pro meu filho. Você fez um trabalho maravilhoso no caso dos diamantes de Jameson, e tão jovem! Você se lembra da história, né, Jamie? Ela ficou ouvindo às escondidas a Scotland Yard passando informações ao irmão Milo. Detrás de um sofá na biblioteca, não foi assim que aconteceu? E então escreveu uma carta detalhada a eles, com giz de cera, dizendo onde encontrar o produto do roubo. Incrível.

Com isso, ele a soltou e Holmes cambaleou um pouco.

— Eu nunca tive giz de cera – comentou ela, mas ele não pareceu ouvi-la. Soltando um muxoxo, a sra. Dunham enfiou uma xícara de chá nas mãos de Holmes.

— Espera aí. – O detetive Shepard limpou a garganta. – Você quer dizer que é *aquela* Holmes? O que faz de você...

— Sim, sim – disse meu pai, sacudindo uma das mãos. – Aquele Watson. Vamos bater um papo e esclarecer toda essa confusão. Onde é o seu quarto, Jamie? Lá em cima, imagino. – Ele saiu andando para a escada, com o detetive logo atrás.

— Ela tinha *dez* anos? – perguntou Shepard, e a risada do meu pai ecoou escada abaixo.

Holmes apertou sua xícara de chá com descrença.

— Ele me abraçou.

— Eu sei – respondi, indo atrás deles.

— Talvez eu goste dele – declarou ela, infeliz.

Eu voltei e a apressei para subir a escada.

— Não se sinta mal – respondi. – Todo mundo gosta, menos eu.

A PRIMEIRA COISA QUE O DETETIVE DETERMINOU FOI QUE tanto Holmes quanto eu tínhamos álibis para a noite anterior, uma cortesia dos nossos colegas de quarto. A segunda coisa que ele determinou foi que esses álibis não importavam de fato.

— Estamos explorando várias opções – informou ele, empoleirado na minha cadeira da escrivaninha – com base nas evidências coletadas. E não estamos restringindo nossa gama à noite passada. Quero escutar a história completa do que aconteceu entre vocês dois e Lee Dobson. Depois disso, quero ouvir exatamente por quê, apesar de todos os rumores em contrário, vocês dois parecem ser unha e carne. – Ele olhou para Holmes, depois para mim, com os olhos semicerrados. – Eu não tinha intenção de interrogar vocês dois juntos, e não acho que eu possa. Srta. Holmes, como não tenho um responsável presente...

– Verifique seu e-mail – observou ela com delicadeza. – O senhor vai encontrar uma mensagem dos meus pais dando permissão ao sr. Watson para agir como meu tutor.

Enquanto Shepard pegava o telefone, meu pai puxou um caderninho e uma caneta do bolso interno do blazer.

– Não preciso que o senhor tome notas – informou o detetive, confuso.

– Ah, não, elas são pra mim. – Ele sorriu. – Tenho certo interesse em crimes.

Shepard olhou para mim em busca de ajuda e eu dei de ombros, me sentando na cama. Eu não tinha que tomar conta do meu pai.

Não levou muito tempo para Holmes contar o lado dela da história. Como ela tinha chegado ali como caloura e como Dobson tinha caído em cima dela quase que de imediato. (Compreensivelmente, ela deixou de fora a parte de ele chamá-la de drogada, mas eu a observei remexer nas mangas enquanto detalhava o que ele lhe dissera.) Ela não frequentara uma escola antes, por isso não sabia como lidar com o abuso dele, contou ao detetive. Se Shepard quisesse confirmar o relato, outras pessoas tinham testemunhado aquilo. Lena, disse ela, e o irmão dela.

– É importante ficar claro que eu não queria ele morto. – A voz de Holmes era firme. – É óbvio que eu queria que ele parasse. Mas, olha, sinceramente, eu tava bem. O que ele fazia não afetava muito a minha vida por aqui.

Eu me lembrei da cautela que ela teve quando a abordei pela primeira vez no pátio. *Quem te botou pra fazer isso? Foi o Dobson?* Aí chegou a minha vez de contar algumas meias verdades, então achei que não dava para culpá-la.

Sim, era verdade que eu tinha socado Dobson porque ele estava sendo escroto a respeito de uma garota, uma amiga da família, e porque ninguém estava dizendo nada para impedi-lo. Sim, havia formas melhores de resolver meus problemas; sim, se eu pudesse voltar no tempo, usaria palavras em vez dos punhos. (Uma mentira.) Holmes e eu tínhamos brigado, e de forma bem pública, mas contei ao detetive que a tinha procurado no dia seguinte para ter certeza de que não havia mágoas. (Uma mentira.)

Enquanto eu falava, observei meu pai lutar para conter um sorriso de aprovação. Quando descrevi meu gancho de direita no queixo de Dobson, ele fez anotações com um sorrisinho reprimido. Sério, com exemplos como ele, era de se espantar que eu já não estivesse na cadeia.

Da parte dele, o detetive se ateve a nos fazer perguntas simples e remexer no gravador que tinha trazido; a gente tinha dado permissão para ele gravar nossos depoimentos.

Depois de contar a ele que eu tinha saído discretamente do alojamento aquela manhã para ver se Holmes estava bem (uma meia mentira) e que nós havíamos nos isolado no laboratório para evitar nossos colegas (retroativamente verdade), cheguei ao fim.

Shepard fez um espetáculo ostensivo remexendo nas próprias anotações.

– Acho que é isso – declarou ele, e eu fiz menção de pegar meu casaco.

Ele ergueu uma das mãos antes que eu pudesse me levantar.

– A não ser pela parte em que, quando encontramos o corpo de Dobson, ele estava agarrado à cópia de *As aventuras de Sherlock Holmes* da biblioteca da escola. Com uma história em particular marcada. E pela parte em que você teve relações sexuais com ele. Dobson.

Ele estava encarando Holmes, mas seus olhos estavam fixos em mim. Meu pai parou de escrever.

Nada poderia ter me preparado para aquilo.

Fiquei gelado, depois com calor, e achei que podia vomitar no tapete. Então Dobson estava falando a verdade. O imbecil e bombado Dobson, que eu já tinha escutado se gabar de se masturbar no chuveiro comunal. Eu ia matá-lo. Eu ia atrás dele e ia estrangulá-lo com as minhas próprias mãos, mesmo que tivesse que ressuscitá-lo para fazer isso.

Senti Holmes ficar imóvel ao meu lado.

– Sim, isso aconteceu – respondeu ela.

Através do pulsar violento e familiar do meu sangue, escutei o detetive dizer:

— Existe alguma razão pra você ter decidido manter este fato em segredo? E não só de mim. Pelo jeito, o seu amigo aqui também não fazia ideia.

Escondi os punhos debaixo dos joelhos. Será que eu estava respirando? Não dava para saber. E eu não ligava.

— Porque eu estava usando uma quantidade imensa de oxicodona na época – contou ela de forma tranquila –, e se isso tivesse sido descoberto, eu teria sido expulsa. Sua verdadeira pergunta deveria ser se o ato sexual foi consensual. O que, considerando meu estado prejudicado, não foi. – Ela fez uma pausa. – O senhor tem mais perguntas? – A voz dela fraquejou na última palavra.

Naquele momento, tive que sair do quarto.

Andei a passos largos para cima e para baixo do corredor, tremendo. Se eu já não tinha uma reputação de ser um idiota violento, agora definitivamente teria: Peter abriu a porta dele usando um roupão, com o porta-shampoo numa das mãos, mas, depois de me ver socando a parede, voltou para o quarto. Eu o escutei trancar a porta.

Ótimo, pensei. A primeira pessoa a me olhar atravessado ia levar o murro que Dobson merecera.

E quanto à Holmes... doía demais pensar nela. Claro que ela ter usado drogas pesadas não era uma grande surpresa; mesmo sem os boatos, eu sabia da longa e famosa história dos Holmes com cocaína e reabilitação. De acordo com os relatos do meu tataravô, Sherlock Holmes sempre voltava à cocaína quando estava sem um caso. Ele alegava que precisava de estímulo, e o dr. Watson só fizera esforços superficiais para detê-lo. A oxicodona era o veneno particular de Charlotte Holmes. Pelo jeito, era difícil deixar hábitos antigos para trás naquela família.

Mas continuei *imaginando* aquilo, Holmes estirada naquele sofazinho detonado no laboratório dela, com um braço largado sobre o rosto, a algibeira de plástico vazia ao lado. Só aquela imagem já era o bastante para revirar meu estômago – os olhos dela brilhando com uma febre falsa, o suor na testa. E então Dobson na porta, palavras nojentas nos lábios. Como tudo se desenrolou? Será que ele teve que contê-la?

Fiquei ciente então da minha respiração, tão pesada e acelerada quanto se eu estivesse correndo. Pensei naquilo por mais meio segundo. A cara de Dobson. A algibeira vazia. Então soquei de novo a parede de concreto.

Meu pai apareceu no corredor.

– Jamie – disse ele numa voz baixa, e aquilo foi demais para mim e me levou às lágrimas.

Em geral, eu não choro. Brigar não leva a nada de bom, está certo, mas chorar? Por um instante, pode-se sentir um pouco de alívio, mas para mim isso sempre foi seguido de grandes ondas de vergonha e desamparo. Odeio me sentir desamparado. Faço qualquer coisa para evitar isso.

Achava que eu e Holmes tínhamos isso em comum.

Eu meio que esperava que o meu pai me abraçasse, da forma como fez com ela, mas em vez disso ele colocou uma das mãos no meu ombro.

— É a pior sensação, né? — perguntou ele. — Que não tem absolutamente nada que você possa fazer para melhorar as coisas.

— Eu não matei ele, pai — falei, esfregando o rosto com raiva. — Meu Deus, quem me dera ter matado.

— Você não deve culpar ela por isso, sabe — comentou ele. — Imagino que ela mesma já esteja se culpando bastante.

Eu recuei.

— Eu jamais culparia a Holmes. Ela não fez nada.

Meu pai sorriu, embora de forma triste.

— Você é um bom homem, Jamie Watson. Sua mãe te criou bem.

Eu não podia entrar nesse território naquele momento, e ele deve ter visto isso no meu rosto. Esperei que ele insistisse que eu deixasse o campus para ir para casa com ele, o que seria uma sugestão razoável depois de tudo que acontecera, mas ele não fez isso.

— Apareça pra jantar no próximo domingo — disse ele, em vez disso. — Leve a Charlotte. Tenho certeza de que você ainda gosta de torta de carne. — Não havia uma pergunta para poder recusar e, de qualquer forma, antes que eu pudesse encontrar um jeito de protestar, ele acrescentou: — Vamos ser só nós três.

Nada da família dele, foi o que meu pai quis dizer. Eu me vi concordando.

O detetive Shepard apareceu no corredor, acompanhando uma Holmes pálida. A compostura dela estava da finura de uma casca de ovo, mas intacta. Eu admirei a presença de espírito dela, mas, ainda assim, queria estar a quilômetros de distância.

– No próximo domingo, então – disse meu pai, e fitou o detetive com um olhar que afirmava que a entrevista estava definitivamente terminada.

Shepard ficou ali parado por um momento constrangedor.

– Nenhum de vocês dois deixe a cidade sem me comunicar. Nos falamos em breve.

Ele seguiu o meu pai escada abaixo.

Holmes e eu nos olhamos fixamente.

– Você andou chorando – comentou ela, mais rouca do que o normal. Ela levantou a mão para tentar tocar meu rosto. – Por quê?

Eu queria gritar com ela. Não dava para desligar meus sentimentos como se eu fosse uma máquina e, por mais que ela fingisse ser uma – com sua aparência impecável e seu jeito preciso de falar –, eu sabia que ela também não conseguia. Suas emoções tinham que estar rugindo em algum lugar, bem abaixo da superfície, e eu queria exigir que ela as exibisse para minha inspeção. Como se eu tivesse esse direito.

Só que, em vez disso, cobri a mão gelada dela com a minha.

– Não vou te obrigar a falar sobre isso – declarei.

— É – respondeu ela, se retraindo. – Não faça isso.

— Tá bem. – Respirei fundo para me estabilizar. – Você deu a ele aquela coisa que colocou no bolso? Aquele frasco?

— Dei.

Foi como arrancar um dente.

— Você vai me contar o que era?

Ela considerou aquilo por um instante. Considerou a mim.

— Watson – respondeu ela. – Parece que estão armando pra cima da gente.

A SRA. DUNHAM NÃO NOS DEIXOU SAIR SEM ANTES PROMEtermos ir à enfermaria. Os nós dos meus dedos estavam sangrando depois de eu ter socado a parede, os dedos machucados e inchados. Holmes prometeu a ela que iríamos e ficou sentada aguardando pacientemente enquanto a enfermeira me examinava.

— Você está virando frequentador assíduo – comentou ela com desaprovação, e me fez curativos e botou gelo na minha mão.

Holmes foi até a copa preparar uns sanduíches para a gente enquanto eu esperava na porta. Fiquei surpreso de ela se lembrar de comer, já que eu estava muito nervoso para me dar conta de que estava morrendo de fome. Acho que nós dois estávamos muito envolvidos por nossos próprios sentimentos para prestarmos atenção ao que ocorria do lado de fora. Dessa vez, os olhares e cochichos enquanto cruzávamos o pátio não me incomodaram. Como incomodariam? Eu tinha muitas outras coisas com que me preocupar. Na sala 442 do prédio de ciências, Holmes pegou um molho de chaves e abriu a porta.

— Como você convenceu eles a te darem um laboratório? — perguntei, agradecido por um assunto neutro para discutir.

— Os meus pais impuseram essa condição para me colocar aqui — respondeu ela. À nossa volta, o laboratório estava tão estranho e escuro quanto no momento em que saímos. — A Sherringford estava doida para me ter matriculada, então concordaram. Na minha papelada, o trabalho que faço aqui está descrito como um estudo independente.

Dei um sorrisinho malicioso.

— Em quê? Assassinato?

Ela franziu o nariz para mim.

Naqueles poucos minutos, eu tinha me esquecido de Dobson, mas a visão do sofazinho surrado trouxe a lembrança de volta. Eu a observei me observando lembrar e, numa erupção de energia, ela fechou a porta com uma batida forte.

— Não aconteceu aqui — informou ela, objetiva. — Foi no Stevenson. Sim, normalmente uso oxicodona aqui, quando tomo barbitúricos, então foi uma exceção. Sim, foi terrivelmente perturbador; sim, eu fico perturbada. Não, prefiro não te contar os detalhes. Não quero que você *saiba* os detalhes. Eu não matei ele, e não contratei ninguém pra matar. Não tive nada a ver com a morte dele. Como eu já te disse, eu consigo me defender sozinha. Então pare de olhar pra mim como se eu fosse motivo de pena.

— Não sinto pena de você — falei, perplexo.

Ela se virou para a parede, mas eu ainda notei ela fechando os olhos, fazendo uma contagem regressiva de dez em silêncio.

— Não — respondeu ela, sem se virar. — Você só escolhe sentir tudo que eu não consigo ou não sinto. É opressivo. Nós somos amigos há menos de um dia. — Ela fez uma pausa. — Apesar de eu achar que nenhum de nós dois é muito normal.

Antes disso, ninguém tinha me considerado nada *além* de normal. Embora eu tivesse certeza de que não era o caso com ela.

Depois de um longo minuto, eu me sentei no sofá nojento.

— Tá aqui o seu almoço — falei, recolhendo os sanduíches de onde ela os tinha largado no chão. — As pessoas normais almoçam, então, por esses cinco minutos, vamos ser normais. Depois disso, você tá liberada pra me contar quem tá armando pra incriminar a gente de assassinato.

Ela afundou ao meu lado no sofá.

— Ainda não sei *quem* — comentou ela. — Não tenho dados o suficiente.

— Normal — eu a adverti. — Pelo menos tente.

Devorei o sanduíche, apesar de ser só pastrami e alface no pão branco. Sem nenhum molho. Era o tipo de sanduíche que só uma garota rica com um chef particular e o apetite de um passarinho teria feito, por isso talvez eu não devesse ter ficado surpreso. Já ela deu uma ou duas mordidas apáticas, com o olhar perdido.

— Sobre o que as pessoas normais conversam? — ela me perguntou.

— Futebol? — arrisquei. Ela revirou os olhos. — Tá. Você viu aquele novo filme policial?

— Ficção é uma perda de tempo — rebateu ela, puxando um pedaço de alface do sanduíche e beliscando a ponta. Uma lesma. Ela comia como uma lesma. — Estou bem mais interessada em fatos reais.

— Tipo?

— Houve uma série de assassinatos definitivamente fascinante em Glasgow na semana passada. Três meninas estranguladas com o próprio cabelo. — Ela sorriu para si mesma. — Engenhoso. Sinceramente, nem saí do laboratório enquanto o caso se desenrolava, de tão interessada nele. Passei algumas dicas para o meu contato na Scotland Yard e ela queria que eu pegasse um voo pra lá pra investigar. Aí isso aconteceu.

— Que inconveniente.

Ela, claro, ignorou o sarcasmo.

— Foi, né?

— Certo, o almoço normal foi um fracasso retumbante — falei —, então desembucha logo. Por que estão armando pra cima da gente?

— Você está fazendo as perguntas erradas — declarou ela, jogando o sanduíche no chão enquanto se levantava. Eu o recolhi e coloquei na lixeira. – Ainda não chegamos no *quem* ou no *por quê*, Watson, ainda estamos trabalhando no *como*. Não se pode criar teorias antes dos fatos ou todo mundo fica perdendo tempo.

– Eu não compreendo – falei, porque não entendia mesmo.

Juro que ela quase bateu o pé de impaciência.

– Fato um: Lee Dobson me atormentou por um ano inteiro antes de me violentar em 26 de setembro. Fato dois: você e Dobson se envolveram numa briga no dia 3 de outubro. Fato três: Dobson foi assassinado na terça, 11 de outubro, perto o bastante dos dois incidentes para conectar tudo. Quando os exames toxicológicos dele voltarem, vão provar que Dobson foi vítima de envenenamento gradual de arsênico, que começou na noite em que você bateu nele e que as doses aumentaram até a noite em que ele morreu. Tenho certeza que o colega de quarto dele e a enfermaria vão confirmar as dores de cabeça frequentes, náuseas e por aí vai.

– Meu Deus. – Olhei fixamente para ela. – Arsênico? Não me diga que você tem acesso a arsênico.

– Watson – disse ela de forma paciente –, estamos no prédio de ciências, e eu tenho as chaves.

Coloquei a cabeça nas mãos.

– Ele estava segurando uma cópia das histórias do seu tataravô. Eles também vão descobrir que, na noite passada, Dobson foi vítima de uma picada de cascavel, talvez até logo após a morte, enquanto o sangue ainda estava quente.

Lembra a escama que achei no chão do Dobson? – Inclinando-se, ela puxou um livro da parte de baixo da estante e o jogou para mim. Fiquei espantado de ver que era *As aventuras de Sherlock Holmes*. – Não? E do copo de leite na mesinha de cabeceira dele? Ou da abertura acima da cama dele? Vamos, Watson, pense!

Encarei atônito o livro em minhas mãos, mal acreditando no que ela estava insinuando.

– Você não pode estar falando sério.

– Ah, estou falando bem sério. Eles estão recriando *A banda malhada*.

A banda malhada é uma das histórias mais conhecidas do meu tataravô; certamente é a mais assustadora, e também a mais cheia de erros factuais. Assim como muitos de seus contos, *A banda malhada* começa no 221B da Baker Street, com uma mulher nervosa pedindo ajuda. A irmã dela tinha morrido dois anos antes no meio da noite, em circunstâncias misteriosas, e agora Helen Stoner, atual cliente de Holmes, havia sido transferida, semanas antes de seu casamento, para aquele mesmo quarto por seu padrasto obviamente mau. Durante a investigação, Sherlock Holmes e dr. Watson descobrem que a cama naquele quarto está aparafusada ao chão. Ao lado dela, um cordão de campainha desce de um orifício acima que se abre para o estúdio do padrasto, que fica ao lado. Lá, Holmes encontra um pires de leite, uma correia, um cofre e, durante a emboscada deles, uma cobra do brejo indiana, a banda malhada do título, que o Padrasto Mau está usando para matar as enteadas, controlando a cobra com um assobio e escondendo-a no cofre quando termina.

John H. Watson pode ter sido muitas coisas, um médico, um contador de histórias e, pela maioria dos relatos, um homem gentil e respeitável, mas claramente não era um zoólogo. Não existe nenhuma cobra do brejo. E a ideia de que Sherlock Holmes deduziu sua existência por causa de um pires de leite é ridícula; cobras têm zero interesse em leite. Elas também não escutam nada além de vibrações, então não ouviriam um assobio. Mas elas *respiram*, por isso uma cobra não sobreviveria num cofre fechado.

Quando eu era mais novo, meu pai e eu gostávamos de especular a respeito do que tinha acontecido naquele caso para levar o dr. Watson a inventar tanto. Minha teoria preferida ainda era a de que ele dormiu demais naquele dia em Baker Street, perdeu totalmente tanto a cliente quanto a investigação, e não estava prestando muita atenção quando Sherlock Holmes contou tudo a ele mais tarde.

Pelo menos parece algo que eu faria.

– Quem quer que seja, essa pessoa está debochando da gente – Holmes estava dizendo, andando pra lá e pra cá no laboratório como se fosse uma gata enjaulada. – Só o arsênico já teria dado conta de Dobson. A cobra é só um floreio ridículo, para mandar um recado. É claro que o nosso criminoso não conseguiu achar uma cobra do brejo, já que o seu tataravô inventou aquilo. – Revirei os olhos por causa do óbvio desdém dela. – Mas, sinceramente, Watson, por que o Dobson teria um copo de leite? Não tinha um frigobar no quarto dele; ele teria que levar no refeitório depois do jantar. E mesmo considerando possível que Lee Dobson tenha descoberto uma paixão por música folk, ter uma flauta de êmbolo é muito estranho no contexto geral. A presença desses itens é plausível o bastante para a polícia não enxergá-los como significativos, por isso, ao plantar eles lá, o assassino devia saber que nós íamos conduzir nossa própria investigação.

— Estão brincando com a gente — falei. — Mas por que ele ia querer que a gente soubesse que está atrás de nós?

— De *nós*, especificamente. — Ela arqueou uma sobrancelha. — Dobson ficou atrás de mim o ano passado inteiro, e não aconteceu nada com ele. Aí você aparece, e tudo isso começa. Vamos começar investigando pessoas que chegaram no verão ou aqueles que têm algum interesse em particular em derrubar nós dois.

Por que alguém estaria atrás de mim? De Holmes, eu entendia. Ela era tão obviamente mais inteligente, mais rápida, mais corajosa — tinha de haver alguém do outro lado da equação para fazer aquilo funcionar. Talvez eu fosse apenas dano colateral. Talvez tivesse havido algum erro. Porque, não importava o quanto eu quisesse que a minha vida fosse interessante, ela não era. Não havia razão para alguém me ter como alvo.

Mas se Holmes percebesse o quanto meu papel naquilo tudo era irrelevante, ela poderia me dispensar. De volta ao dever de casa de química e às piadas sujas de Tom e a todas as outras ciladas do meu exílio americano. De volta a sonhar com ela à noite enquanto Holmes seguia, inabalável, a vida dela. Mas dessa vez seria pior, porque eu saberia exatamente o que estava perdendo.

Decidi ficar de boca fechada.

Holmes parou de andar para se escorar na parede em busca de apoio. Eu me lembrei de que ela não tinha dormido nada na noite passada. Eu não fazia ideia de como ela ainda estava de pé.

– A polícia não vai deixar a gente ajudar, não se depender do Shepard – declarou ela. – Idiotas. Acho que eles não gostaram de eu ter mexido na cena do crime.

– Nós também somos os principais suspeitos – lembrei a ela. – Isso meio que atrapalha o nosso relacionamento de trabalho com eles.

Ela deu de ombros, como se aquele não fosse o ponto.

– Então é isso.

– É isso o quê?

– Isso é tudo que eu tenho pra te dizer. Vou pensar no nosso próximo passo.

Ela estava me dispensando. Qualquer utilidade que eu tivesse para ela havia terminado e nossa investigação estava acabada por aquele dia. Eu me levantei, pensando se tinha me enganado ao achar que ela estava começando a se importar comigo.

Porque parecia que Holmes já tinha me esquecido. Ela pegou o estojo do violino da prateleira e tirou um instrumento tão vigoroso e elegante lá de dentro que ele quase parecia vivo. Eu me lembrei de ouvir um especial na BBC4, na cozinha de casa, no verão anterior, num mau humor tão profundo por ter que partir que a minha mãe tinha começado uma campanha para me animar. Naquele dia, ela estava fazendo pãezinhos de canela, enrolando a massa em tiras compridas que chegavam nas bordas da nossa pequena bancada, e eu tinha saído do meu quarto atraído pelo cheiro doce. Ela me olhou com mãos enfarinhadas, com um cacho castanho grudado na lateral do rosto, e antes que qualquer um de nós pudesse falar, o apresentador da rádio anunciou uma peça sobre a história do Stradivarius. Ao fundo, uma famosa gravação de Sherlock Holmes tocando um concerto de Mendelssohn em seu próprio Stradivarius para o rei Eduardo VII. A música soava errática e, ainda assim, tremendamente viva através da estática. Eu me aproximei, e minha mãe franziu os lábios, mas não mudou de estação. E assim passamos a tarde, colocando cobertura nos pãezinhos que ela fizera enquanto eles esfriavam, e ouvindo o locutor falar do formato do violino, da densidade da madeira, de como Antonio Stradivari tinha guardado os instrumentos sob os canais de Veneza.

A cor de açúcar mascavo do violino de Holmes me inundou de repente com todas aquelas lembranças e fiquei ali de pé, paralisado, observando-a fazer uma escala antes de começar a tocar. O arco se destacava contra seu cabelo escuro, os olhos dela estavam fechados. A música era ao mesmo tempo familiar e estranha, uma melodia folclórica pontuada por explosões de belíssima dissonância. Apesar de eu estar a apenas alguns metros, a distância entre nós se estendia como os cem anos que separavam Sherlock Holmes tocando para o rei e o dia em que ouvi aquilo – tão remoto quanto, tão distante.

Eu devo ter ouvido por um bom tempo antes de ela parar de tocar e eu perceber que estava congelado com a mão na maçaneta, como um idiota.

– Watson – disse ela, deixando o violino de lado. – Vejo você amanhã.

Ela me deu as costas e recomeçou a tocar.

quatro

Depois que eu passei mais um dia sem atender ligações, a sra. Dunham foi até o meu quarto e me disse educadamente que se tivesse que falar com minha mãe em pânico mais uma vez, ela colocaria fogo em si mesma publicamente. Então, naquela quinta-feira, tive que aguentar as milhares de perguntas histriônicas da minha mãe e da minha irmã, Shelby ("O que aconteceu? Você está bem? Isso quer dizer que você pode vir pra casa?"), um telefonema que se estendeu por horas. Não contei para nenhuma das duas que tinha sido convidado para jantar na casa do meu pai; eu ainda não havia decidido se ia.

As coisas tinham se ajeitado entre mim e Tom. Ou melhor, a natureza generosa de Tom tinha ganhado das suspeitas dele e, depois de um dia de silêncio desconfortável, ele se aproximou da minha escrivaninha enquanto eu escrevia. Eu estava anotando tudo que conseguia me lembrar desde o assassinato de Dobson, horas e datas, nomes de venenos, as coisas de Dobson que Holmes tinha catalogado com as próprias mãos. Eu estava pensando em escrever uma história a respeito e, quando Tom espiou por cima do meu ombro, foi fácil fazer o teste com ele.

Contando a versão que não ia fazer com que Holmes e eu fôssemos expulsos.

A Sherringford tinha liberado uma declaração se referindo à morte de Lee Dobson como um acidente – um "acidente com uma cobra" –, o que soou muito mais bizarro do que assustador. Foi uma tentativa de assegurar aos pais que o nosso campus era seguro, mas os estudantes estavam sendo arrastados para casa em bandos. O nosso alojamento, em particular, parecia esvaziado. Por dois dias consecutivos, não houve fila para o banho, nada de música berrando atrás de portas fechadas.

Naquele silêncio, os repórteres apareceram.

Num dia, eles não estavam lá. No seguinte, estavam em toda parte, rastejando por cada canto do pátio com suas câmeras, flashes e vozes estridentes. Eles ficavam aguardando o fim das nossas aulas, colocando mãos simpáticas nos nossos ombros e apontando as lentes para as nossas caras. A maioria dos alunos os ignorava. Outros, não. Um dia, durante o horário do almoço, assisti à ruiva da minha aula de francês chorar delicadamente para uma câmera. As fotos de close dela, soluçou a garota, estavam em seu site, se precisassem. Acho que não dava para culpá-la por usar a imprensa; a imprensa também a estava usando.

O mesmo repórter cismou comigo.

Ficava me seguindo de aula em aula, murmurando palavras de simpatia antes de lançar perguntas tipo *Você acha mesmo que a morte de Lee Dobson foi um acidente?* e *É verdade que você tem uma cobra no seu quarto do alojamento?*

Pela logo no kit do cinegrafista, eu sabia que eles eram da BBC. Eu teria descoberto, de qualquer forma, pelo sotaque pomposo e o queixo arrogante, a típica figura de um babaca de elite de Oxford ou de Cambridge. Ele tinha sido mandado para o outro lado do Atlântico para cavar algum podre dos Holmes; eu tinha certeza disso pela forma como ficava desviando a conversa de volta à Charlotte. De algum jeito, ele tinha se inteirado dos horários das minhas aulas e, por dias, me esperou nos intervalos, com o cinegrafista sempre atrás.

O pior foi a tarde que achei que tinha escapado deles. Os dois estavam conversando com um local nos degraus do prédio de ciências quando saí pela porta.

– É, cara – o cara estava dizendo aos dois –, também escutei as histórias. Tenho uma porção de, hum, amigos que dizem que Charlotte Holmes é a líder desse culto doido e o James Watson é tipo o capanguinha enfezado dela...

Passei rápido por eles, com a cabeça abaixada, mas o repórter foi atrás de mim, chamando o meu nome, se esticando para puxar meu braço.

Eu me virei de forma brusca, pronto para enquadrá-lo. O cinegrafista deu um passo à frente de um jeito ansioso, metendo a lente na minha cara.

– Tá vendo! – exclamou o local. Dessa vez, dei uma boa olhada nele. Tinha cerca de trinta anos, com traços delicados e maldosos, e um cabelo loiro cheio. Tom tinha me dito que ele era o traficante de drogas do campus, eu já o tinha visto rondando por ali à noite.

Pelo jeito, atualmente ele tinha mais credibilidade do que eu.

– Cai fora – falei baixinho, e levantei minha gola. Eles me deixaram ir embora sozinho, mas todos sabíamos que voltariam no dia seguinte.

Só que não voltaram. Evidentemente, os repórteres nos importunaram tanto que os pais começaram a reclamar. A Sherringford fechou oficialmente o campus ao público.

Quando perguntei à Holmes se ela estava aliviada, ela sorriu educadamente.

– Meu irmão tem um acordo com a imprensa – respondeu ela. – Eles nunca me incomodaram.

Os ânimos estavam baixos, então não foi surpresa a escola decidir seguir em frente com o fim de semana de boas-vindas, apesar de toda a comoção. Nossos estandartes verde e branco se agitavam da capela e da biblioteca; o refeitório anunciou que serviria filé e salmão no jantar. Nos dias que antecederam o baile, as meninas andavam em bandos até a cidade e voltavam com vestidos longos em protetores de plástico. Elas tinham encomendado os modelos meses antes, de Nova York, Boston, e uma até de Paris. Isso de acordo com Cassidy e Ashton, que fofocavam sem parar durante todas as aulas de francês. Mas não eram apenas as garotas se preparando. Tom ia levar Lena, e ele devia ter feito os pais mandarem o terno dele de Chicago. Eu não fazia ideia de que outro jeito ele poderia ter botado as mãos num paletó azul-claro com colete.

Podia ser um desperdício de tempo e dinheiro, mas, daquela vez, eu compreendia. Era melhor se concentrar na pompa do que na morte.

Quando comentei aquilo com Holmes, ela jogou a cabeça para trás em uma de suas raras gargalhadas.

– Para um garoto, você é muito melodramático.

Não dava para discutir com aquilo. Ela tinha muitos dados em que se basear, já que eu passava cada momento livre que tinha na sala 442 do prédio de ciências.

A gente almoçava e jantava lá, ou melhor, eu comia do jeito esfomeado de sempre enquanto ela fazia uma série de deduções sobre o meu dia.

– *Você comeu cereal no café da manhã* – dizia ela – *e experimentou uma nova espuma de barbear que não gostou* – completava, empurrando a comida pra lá e pra cá no prato, para disfarçar o fato de que não estava comendo.

Eu enchia o saco sobre como ela ciscava a comida, e Charlotte dava uma garfada ou duas para me acalmar; dez minutos depois, eu enchia um pouco mais o saco dela. Teve uma noite em que mencionei que a minha música preferida era "Heart-Shaped Box", do Nirvana, e, uma hora depois, brincando com o violino, ela tocou os acordes iniciais de "Smells Like Teen Spirit". Acho que ela não percebeu o que estava fazendo; quando viu que eu estava olhando, pulou uns trinta centímetros e passou direto para a "Allemanda" de Bach. (Aprendi os nomes de tudo que ela tocava. Ela gostava que eu perguntasse e eu gostava de ouvir.)

O nosso jeito um com o outro não teria feito sentido para ninguém se eu tentasse explicar. Eu tinha um hábito de rebater qualquer declaração ridícula que ela fizesse com toda força, e a gente se envolvia em discussões acaloradas sobre besouros, peças de Natal e a cor dos olhos do dr. Watson. A gente brigava por causa de possíveis suspeitos: ela tinha certeza de que o assassino tinha uma ligação com a Sherringford, mas eu não conseguia imaginar por que ele ou ela não teria agido no ano anterior. Eu ainda não conseguia imaginar por que eu seria um alvo. Quando encontrei um ninho de remédios controlados escondido no estojo do violino dela, tivemos uma discussão por ela ainda estar usando oxicodona.

– Não é da sua conta – dissera ela, furiosa, e ficou com mais raiva ainda quando insisti que na verdade era, sim.

Como não seria? Eu era amigo dela. Talvez fosse por isso que as maiores brigas que a gente tinha fossem por nada. Depois de discutir numa noite sobre como ela se esparramava no sofazinho, só me restando sentar no chão, eu saí enfurecido do laboratório e descobri, na manhã seguinte, que ela tinha levado uma cadeira dobrável para lá.

– Pra você – comentou ela, com um gesto displicente; era tudo que de fato cabia naquele espaço pequeno.

Mas a gente não se provocava daquele jeito o tempo todo. Na verdade, o contrário era mais frequente. Em vez de gritar com ela, eu me via capturado no olhar hipnótico e na sequência incansável de pensamento lógico de Holmes, e acabava deixando que ela fizesse algo, como arrancar pelos do meu nariz para uma experiência. (Para ser justo, em troca ela prometeu fazer meu dever de casa de química por um mês.) Ela me ensinou como arrombar uma fechadura básica e, depois que eu tinha, enfim, conseguido colocar os grampos na posição certa, escutado o *clique* característico e me jogado de costas no sofazinho com alívio, ela me vendou os olhos e fez com que eu repetisse tudo. Mais tarde, quando Holmes me contou que não podia comer doces quando era pequena, eu levei um saco lotado deles e coloquei-o em frente a ela como uma oferenda a um rei. Imersa em pensamentos, ela se recusara a provar qualquer um, revirando os olhos só com a simples sugestão. Depois de sair para atender uma ligação da minha mãe, quando voltei encontrei-a tentando, sem muito sucesso, morder uma balinha dura.

Com todo o tempo passado na sala 442 do prédio de ciências, o mundo exterior ficou cada vez mais estranho. Às vezes, passar um dia no laboratório de Holmes fazia parecer que a gente tinha se entocado num bunker para se proteger de um apocalipse nuclear. Quando Tom me mandou uma mensagem perguntando quem eu ia levar para o baile, eu me peguei piscando com força sob a luz fraca do laboratório, tentando me lembrar de que eu podia de fato emergir até o mundo livre de radiação e ir à festa.

Mas eu não tinha uma pessoa para levar, e disse a mim mesmo que não queria uma. Quando eu pensava no baile, imaginava-o acontecendo numa outra Sherringford, onde passar uma noite com a garota mais fascinante que eu conhecia seria em um lugar com globos espelhados e umas músicas ruins, não em um com bicos de Bunsen e manchas de sangue. Uma escola em que me meter em um mar de alunos não fosse tortura absoluta. Não tinha jeito de esquecer que eu era um suspeito de assassinato quando pessoas que eu nem sequer conhecia paravam de falar toda vez que eu entrava numa aula. O quarto de Dobson ainda estava interditado com a fita amarela da polícia. O colega de quarto dele, Randall, ainda tentava me fazer tropeçar nos corredores. Todos os meus professores me tratavam como se eu fosse de cristal ou me ignoravam, menos o sussurrante sr. Wheatley, meu professor de escrita criativa, que me puxou num canto para dizer que ficaria feliz em ouvir se algum dia eu precisasse desabafar. Eu agradeci, embora não tenha aceitado a oferta. Ele só disse aquilo porque era um cara legal. Mesmo assim, foi bom ter alguém reconhecendo, de forma sensata, o que estava acontecendo comigo.

Porque a verdade era que eu estava apavorado. Preferia até não acordar mais. Holmes e eu éramos os alvos de alguém, e não fazíamos ideia de quem. Mais exatamente, *eu* não fazia ideia de quem. Tinha a sensação opressora de que Holmes sabia, mas guardava suas suspeitas com a languidez presunçosa de um gato num travesseiro.

— Eu me recuso a especular antes dos fatos — era a resposta dela.

— Então vamos correr atrás de alguns fatos — disse eu. — Por onde começamos?

Ela levou o arco ao violino, pensando.

– Pela enfermaria – declarou, por fim.

O plano dela era ver se Dobson, sendo envenenado por arsênico, tinha tentado buscar ajuda por causa dos sintomas antes da morte. De primeira, fiquei um pouco surpreso por esse ser nosso próximo passo. Ela tinha feito testes e confirmado a presença de veneno, por que então precisava cavar mais provas de que isso o tinha matado? Nós sabíamos que tinha.

Mas, quanto mais eu pensava naquilo, mais fazia sentido. O detetive Shepard tinha descartado totalmente a afirmação de Holmes de que estavam armando pra cima da gente. Toda vez que eu saía do prédio de ciências, via os policiais à paisana que ele tinha plantado na porta. Eu o flagrei revirando o depósito de lixo fora do meu alojamento. Holmes me contou que um dia ela tinha acordado e visto uma equipe numa escada, examinando a janela do quarto dela pelo lado de fora. Deu para perceber que ela estava mais abalada do que aparentava. Pelas histórias dela, e pelas ligações frequentes que ainda recebia de seu contato na Scotland Yard, eu sabia que Holmes não estava acostumada a trabalhar fora da lei. Apesar de ela não dizer isso com todas as letras, eu sabia que ela queria nos colocar de novo nas graças da polícia. Fazer a enfermeira da escola corroborar nossa prova seria um bom primeiro passo.

– Ela gosta de você – afirmou Holmes, calmamente, enquanto andávamos até a enfermaria, que era um pequeno puxadinho do alojamento Harris, com alguns leitos e uma salinha com remédios. Todas as vezes que eu estivera lá (mãos machucadas, nariz arrebentado), tinha sido atendido pela mesma enfermeira. Nunca achei que ela me tratou com nada além de profissionalismo.

– Acho que ela gosta normal de mim – respondi. – Qual é o plano? Eu finjo algum tipo de machucado, consigo a simpatia e atenção dela e, enquanto ela tá ocupada, você dá uma fuçada nos prontuários?

Holmes me encarou.

– Isso – confirmou ela e abriu a porta.

A sala de espera estava vazia. A enfermeira estava terminando um jogo de Sudoku na recepção.

– Posso ajudar? – perguntou ela sem erguer os olhos.

– Tô de volta – falei como se pedisse desculpas, erguendo as mãos. – Minhas mãos andam doendo, e fiquei meio preocupado de talvez ter quebrado alguma coisa.

– Coitadinho. – Ela tinha um tom de voz estranhamente simpático. – E a sua namorada está aqui pra dar apoio moral?

Dei uma olhada para Holmes, que conseguiu abrir um sorriso choroso.

– Não sei se eu consigo ficar olhando – sussurrou ela. – Tô tão preocupada com ele. Acho que eu vou ter que esperar aqui.

A enfermeira tocou o braço dela de forma tranquilizadora.

— Não vou fazer nada horrível com ele, prometo. Você não pode deixar ele sozinho agora. Venha, venha.

Ela se dirigiu à sala de consultas, onde cutucou minhas mãos (que estavam mesmo doloridas), disse que estavam se recuperando bem, me deu Tylenol, e nos dispensou. A visita completa durou uns cinco minutos.

— Bom — disse Holmes, fazendo cara feia para a porta atrás de nós. — Isso geralmente funciona um pouco melhor.

Eu sorri.

— Pelo jeito você tem que melhorar no papel de namorada preocupada. É isso então? Nada de prontuários?

— Não — respondeu ela. — Eu vou invadir o prédio perto da meia-noite e pegar o que preciso. Só é um saco desarmar as câmeras da segurança de novo.

— Por que você não invadiu logo?

O sorriso dela vacilou.

— Você parecia tão ansioso pra fazer alguma coisa. Achei que podia te incluir.

— Hum, obrigado?

— Mas hoje à noite eu venho sozinha. Você é tão furtivo quanto um elefante capenga. Te vejo mais tarde.

Ela me deu um tapinha no ombro e seguiu em frente sem mim, e fiquei me sentindo encantado e insultado. Os efeitos colaterais de andar com Charlotte Holmes.

Quando cheguei ao laboratório dela no dia seguinte, depois das aulas, o detetive Shepard estava saindo. Eu não sabia que ele podia interrogar um de nós sem um responsável junto, mas ele devia ter encontrado um jeito de falar com Holmes.

– Jamie – cumprimentou ele, gravemente. – Vejo você e Charlotte domingo à noite na casa do seu pai. A gente se fala por lá.

Com isso, ele me lançou um olhar de pena e saiu andando.

– Espera, você vai ao jantar? – gritei atrás dele, mas o detetive não respondeu.

Lá dentro, no sofazinho, Holmes estava embrulhada numa avalanche de cobertores. Ela parecia uma daquelas bonecas matrioskas russas, como se fosse a menor Holmes do conjunto.

O que quer que ela tivesse conversado com Shepard, a deixou de mau humor.

– Por que você deixou ele entrar? Qual foi a desse papo, exatamente?

– Nada.

– Nada – repeti. – Achei que você ia dar os prontuários do Dobson pra ele.

– Ele já tinha os prontuários, é lógico – comentou ela. – Ele me deu uma bronca por invadir a enfermaria e foi embora.

– Então o Dobson foi *mesmo* tratar os sintomas.

– Ele ia à enfermaria com frequência – contou ela. – Na maioria das vezes por causa de algo relacionado ao rúgbi, Shepard comentou. Ele falou que eles testaram o cabelo dele para ver se havia arsênico e deu positivo, e não precisavam da minha prova. Aí ele me pediu pra identificar todos os frascos na minha prateleira de venenos. E depois foi embora, dizendo que a gente ia se ver em breve, numa voz que eu acho que ele pensou ser ameaçadora. Amador.

– Ei, peraí. Você deixou o detetive entrar aqui. Você deixou ele olhar a sua prateleira de venenos.

– Sim.

– Venenos.

– Sim.

– E tem arsênico naquela prateleira?

– Sim.

– E ele vai interrogar a gente de novo no domingo – falei, me sentindo enjoado.

– Sim – repetiu ela, prolongando a palavra como se eu fosse um idiota.

Eu a encarei por um longo minuto. Charlotte só podia saber de alguma coisa que não estava me contando.

– Certo. A gente tem que fazer uma lista de possíveis suspeitos. A gente precisa achar algo que possa dar pra eles. Qualquer coisa pra fazer você, nós, parecermos menos culpados.

Eu me virei e grudei uma folha de papel pardo na lateral da estante dela e escrevi "suspeitos" no alto.

– Watson – disse ela –, você não tem suspeitos.

Eu a encarei, irritado. Ela levou o cigarro aos lábios e deu uma longa tragada. A gente tinha chegado a um acordo não declarado: ela ia largar os remédios e eu ia parar de procurar por eles. Foi como escolhi interpretar a nova e constante presença de um Lucky Strike aceso na mão dela – que ela estava tentando uma droga que não fosse matá-la, pelo menos não tão rápido.

Mas toda aquela fumaça significava que o laboratório sem ventilação estava começando a lembrar alguma sala tóxica do inferno, me deixando sempre a ponto de explodir. E mesmo assim Holmes ficava lá sentada, fumando, sem me dizer nada.

– E a pessoa que pegou aquela cópia de *As aventuras de Sherlock Holmes* da biblioteca? Tem que ter registros.

– Correção. Aquela cópia em particular era nova e nunca tinha sido retirada da biblioteca. Alguém roubou da prateleira – declarou Holmes. – No momento, o banco de dados da biblioteca está com esse livro listado como "desaparecido". E como a cópia física está em poder da polícia, não tenho como examinar.

– E inimigos? A gente podia listar os inimigos do Dobson.

– Vai em frente. Pode botar todas as garotas da escola. – Os olhos dela ficaram sombrios. – Embora eu possa te dizer que, pela pesquisa que fiz no ano passado, eu saiba que sou a única que teve um... desentendimento com ele.

Engoli em seco.

– A gente podia listar os nossos inimigos, então.

– Você não tem inimigos.

– Eu tenho ex-namoradas – rebati. – Inglesas. Americanas. Escocesas. Consigo imaginar a Fiona com algum tipo de caixa de boticário forrada de xadrez para guardar os venenos dela... – Apesar de ser difícil imaginar de fato a Fiona fazendo qualquer outra coisa além de me dar o fora na frente da turma inteira.

Holmes ergueu uma sobrancelha.

– Não – disse ela, e soltou a fumaça.

Eu me contive para não tirar o cigarro da mão dela e amassá-lo no chão.

– Eu não tenho dormido – eu disse a ela – porque estou preocupado com a possibilidade de você ou eu ou alguma tia da merenda inocente batermos as botas agora que temos um fã-clube assassino. Então será que dá pra me ajudar?

Os olhos dela se estreitaram de concentração.

– O marquês de Abergavenny – declarou ela, enfim. – Eu botei fogo nos estábulos dele quando tinha nove anos.

– Ótimo – respondi, e então, numa voz mais baixa: – Dá pra soletrar isso?

Ela me ignorou.

– Acho que dá pra acrescentar Kristof Demarchelier, o químico. O francês, não o dinamarquês. E a condessa Van Landingham... a Tracy nunca foi com a minha cara. Ela também não gostava do meu irmão, Milo, mas, bom, ele partiu o coração dela. Ah, e a diretora da escola Innsbruck, em Lucerna, porque vencia com muita frequência no xadrez. E o campeão de tênis de mesa, o jogador Quentin Wilde. Acho que também dá pra acrescentar os companheiros de equipe dele, Basil e Thom. Thom com um "h", é claro. Apesar de eu não conseguir me lembrar dos sobrenomes deles. Estranho.

— Acabou? Ou tem mais nobres e membros do Parlamento que você esteja esquecendo? Talvez uma família real ou outra?

Ela deu uma baforada que a levou a um ataque de tosse. Quando se recompôs, comentou:

— Bom, tem August Moriarty — disse ela, como se aquele não devesse ter sido o primeiro nome a sair de sua boca.

— Por que você foi inventar de arrumar briga com um Moriarty? — perguntei devagar.

O professor James Moriarty foi o maior inimigo de Sherlock Holmes. Em alguns aspectos, ele foi quase tão famoso quanto o próprio grande detetive. Moriarty foi o primeiro gênio criminoso de Londres, que morreu de forma notória depois de lutar com Sherlock Holmes nas cataratas de Reichenbach, na Suíça. Depois disso, Sherlock fingiu a própria morte para caçar o restante dos agentes encobertos de Moriarty. Até o dr. Watson achou que Sherlock não tinha escapado. Embora a história oficial diga o contrário, tenho informação segura de que quando Holmes retornou ao consultório dele, três anos mais tarde, meu tataravô deu um belo soco no queixo do antigo parceiro.

Como falei antes, eu não tive os melhores exemplos.

Mas Charlotte Holmes também não.

Ela apagou o cigarro no cinzeiro com sua mão delicada e irrequieta.

– É irrelevante. – Havia mágoa sufocada em sua voz, mas eu não podia me dar ao luxo de deixar o assunto pra lá.

– O professor Moriarty ainda tem fãs, Holmes. Seguidores. Sabia que alguns assassinos em série ingleses ainda citam ele como a maior inspiração? E nunca recuperaram todas as obras de arte que ele roubou. Sem falar no resto da família dele tentando fazer jus ao legado. – Sublinhei o nome dele. August. Nunca tinha ouvido falar de um August Moriarty. – Tipo, eu sei que já se passaram mais de cem anos, mas...

– Prefiro pensar – me interrompeu Holmes – que não estamos todos tão inexoravelmente ligados aos nossos passados. – Ela se levantou, deixando os cobertores caírem. Por baixo, estava com uma saia plissada curta, enrolada na cintura para encurtá-la ainda mais, e a blusa branca estava aberta até o quarto botão.

Será que ela tinha se vestido daquele jeito para o detetive? Ou para alguma outra coisa? O que ela estava armando?

Eu limpei a garganta de um jeito constrangido. Em uma de suas mudanças bruscas de humor, ela me lançou um sorriso e puxou uma caixa de debaixo do sofazinho.

Dentro dela havia uma coleção de perucas. Dezenas delas, guardadas em redinhas macias e arrumadas por cor. Holmes tirou um espelho de mão da caixa e se olhou por meio segundo antes de prender o cabelo num coque.

— Então essa conversa acabou — falei, mas era como estar falando com o ar. Não adiantava; eu tinha sido vencido. Ela não queria e não ia falar sobre August Moriarty, e nada que eu dissesse a faria mudar de ideia.

Assistir a ela se transformar ajudou a aliviar o golpe. Ela fez aquilo com toda a eficiência impassível de um violinista afinando seu instrumento. Uma touca de meia cobriu seu cabelo, seguida pela peruca de cabelo loiro comprido, com cachos nas pontas, e pela maquiagem que ela passou com perícia, equilibrando o pequeno espelho entre os joelhos. Eu não conhecia o termo para o que ela fez, mas o rosto que me encarou estava com olhos delineados e cintilantes, as bochechas rosadas, os lábios lambuzados de gloss grudento. Ela se borrifou com perfume. Depois, sem nem um tiquinho de pudor, puxou um par de enchimentos de plásticos de um saco e os enfiou, um de cada vez, no sutiã.

Eu me virei, com o rosto queimando.

— Jamie? — chamou uma voz americana animada, e veio para minha frente. — Você tá bem?

Ela estava a típica chave de cadeia, toda cheia de curvas onde normalmente só havia linhas retas. Eu não tinha percebido que Holmes tinha uma postura perfeita, mas agora eu notava a ausência dela, parada de um jeito indolente com suas... meu Deus, suas meias três-quartos. A peruca loira e a maquiagem iluminavam seus olhos cinzentos, impregnando-os de uma afabilidade que não achei que eles fossem capazes de ter. E o olhar que estavam me lançando era *criminoso*.

— Eu sou a Hailey — declarou ela, com uma pronúncia preguiçosa e californiana. — Eu sou uma... futura aluna? Do ano que vem? A minha mãe tá na cidade, mas eu queria, tipo, ver o campus com os meus próprios olhos. Tem festa hoje à noite? — Ela tocou o meu peito com um dedo. — Você quer me levar?

Nunca fiquei tão desanimado na vida.

Recuei na direção da mesa de química. As provetas tilintaram; uma delas caiu no chão e se espatifou. Então lá estava Holmes de novo, por baixo de toda a embalagem falsa, severa, misteriosa e... satisfeita.

— Ótimo — disse ela em sua voz rouca de sempre, jogando coisas apressadamente numa mochila. — Se você odeia a Hailey, ela vai servir bem ao meu propósito.

— Que é...?

— Seja paciente — respondeu ela. — Prometo que vou te contar tudo mais tarde. — Ela deu uma olhada na lista de suspeitos, no nome no final. *August Moriarty*. — Tudo, Watson. Mas não agora.

— Isso é totalmente injusto.

— É. — Holmes sorriu para si mesma. — A gente pode conversar mais no jogo de pôquer hoje à noite. Eu vou estar lá como eu mesma.

— Ninguém vai aparecer. Todo mundo acha que somos assassinos.

— Todo mundo vai aparecer — afirmou ela, corretamente — porque todo mundo acha que somos assassinos.

— Bom, você vai ter sorte se eu estiver lá.

– Sim. Vou ter.

– Tá bom – falei, jogando as mãos para o alto. Porque ela tinha ganhado, xeque-mate.

Ela já estava na porta, e, com aqueles cinco passos, não era mais Holmes.

Com um aceno tímido por sobre o ombro, Hailey se despediu:

– Tchau, Jamie.

E então fiquei sozinho, com nada a fazer a não ser varrer os cacos da proveta do chão.

NÃO SABIA SE ERA A NOSSA FAMA DUVIDOSA OU SÓ EMPOLGAção efervescente pelo fim de semana de boas-vindas, mas Holmes estivera certa a respeito da multidão. Quando cheguei ao Stevenson às onze e meia, a cozinha do porão já estava lotada de gente. Alguns calouros tinham inventado um jogo alternativo de cinco cartas na sala comunal, e eu tive que passar por um grupo de garotas dando risadinhas para conseguir atravessar a porta da cozinha. Em vez de ficarem em silêncio por causa da minha presença, como todos faziam, elas riram ainda mais alto. Rangendo os dentes, consegui enfim chegar à mesa de cartas ao fundo.

Holmes não estava à vista, mas Lena era o centro das atenções com uma cartola excêntrica. Eu já a tinha visto por aí, mas nunca havia prestado muita atenção nela. Não havia nenhuma dúvida de que era bonita, de um jeito que eu tinha ouvido Tom repetir de forma empolgada até tarde de noite: cabelo liso comprido, olhos pretos, pele negra.

Naquela noite, ela estava corada de animação e de algo mais, provavelmente vodca, e tinha empilhado sua montanha de fichas numa pirâmide perfeita. Quando me avistou, fez um gesto para eu me aproximar.

O cara ao lado dela não era Tom, e ele não pareceu feliz em me ver.

– E aí, matador – provocou ele. Eu o ignorei.

– Oi, Jamie – cumprimentou Lena, ignorando-o também. – Quer jogar? Não temos mais cadeiras, mas posso te incluir se você quiser ficar de pé.

– Na verdade, ele pode ficar com o meu lugar. Preciso de outra bebida. – A garota do outro lado dela, acho que o nome era Mariella, fez um esforço para ficar de pé e foi cambaleando até o balcão, onde avistei uma marca de vodca chamada "Vodca" e um duvidoso suco de abacaxi. A caloura que tinha me convidado para o baile estava bancando a garçonete. Também evitei o olhar dela. Tinha alguém que eu não estivesse evitando?

– Que bom que a Mariella saiu – me falou Lena num tom conspiratório. – Pelo menos cinquenta paus dessa bolada são dela. Eram dela, acho. Ops.

Se ela fosse parecida com os outros alunos da Sherringford que eu tinha conhecido, Mariella não ia sentir nem um pouquinho de falta do dinheiro. Pensei nos trinta e cinco dólares que restavam na minha conta e que eu não podia me dar ao luxo de perder e recusei a oferta de Lena de me incluir no jogo, dizendo que eu não sabia jogar.

– Mas vou tentar aprender – menti. Na verdade, eu só queria garantir o lugar até Holmes chegar, já que eu não conhecia mais ninguém ali.

– Ah, meu Deus! – exclamou Lena, colocando a mão no peito. – Você também é inglês? Vocês dois são uns fofos, eu adoro.

Na Inglaterra, eu era um americano. Ali, era o contrário.

– Na verdade, eu nasci aqui – comentei.

– Você vai jogar ou não? – perguntou o cara do lado de Lena.

– Não – respondeu ela, empurrando a cadeira para trás. – Joguem vocês, pessoal. Eu quero falar com o Jamie.

Ela enfiou as fichas nos bolsos do vestido e me puxou de lado. Eu não me incomodei de corrigir meu nome; já tinha meio que desistido de pedir às pessoas que me chamassem de James.

– Só quero que você saiba – disse ela, enunciando com exagero cada palavra – que eu não acho que você e a Charlotte mataram o Lee. Olha pra você! Você é um fofo, e agora está *corando*, isso é ainda mais fofo. Parece que você foi feito pra fazer ela superar aquele negócio todo do August. Eu me recuso totalmente a acreditar que vocês dois tenham dado uma de Bonnie e Clyde pra cima do Lee. – Ela franziu as sobrancelhas. – De qualquer jeito, ele era um babaca.

– August? – Minha voz arranhou no nome dele e eu fiz uma careta. – Hum. Não conheço nenhum August. Quem é esse?

– Peraí – pediu ela. – Deixa eu tomar outra dose.

Eu podia ser um péssimo mentiroso, mas Lena estava bêbada. – Ah, sabe. *August*. O cara de Londres. Ela tava bem chateada com isso quando chegou aqui no ano passado. Tipo, ela não disse que tava chateada, mas eu ouvi ela falando dele no telefone. Sabe, pela porta? Aí o irmão dela veio visitar e eles ficaram sendo supersecretos com esse assunto o tempo inteiro. Eu sempre ouvia o nome dele, que é um nome esquisito, aí guardei. Enfim, o Milo foi embora, mas, antes de ir, ficou todo *Grrr, vou fazer algo sobre isso*, e ela ficou bem mais feliz depois disso. – Ela cobriu a boca com uma das mãos. – Droga. Ai, droga. Eu provavelmente não devia ter te contado isso. Lei das garotas.

Na verdade, eu queria perguntar o que ela *tinha* me contado, fora talvez um dos ataques de drone de Milo.

– Tudo bem – falei, tirando a ideia do lugar sensato e imaginário na minha cabeça onde ninguém tinha sido brutalmente assassinado lá no alojamento e minha única amiga não deixava de me contar os fatos mais simples da sua vida. – Eu sei de tudo. Amor fracassado. Trágico, na verdade. E aquele incêndio na casa com... com todos os filhotinhos.

– Exatamente! – Ela apertou meu braço. – Vocês vão ao baile, né? Encomendei um vestido de Paris, sabe, a gente vai pra lá todo verão, a minha família, mas ele não caiu bem, e ninguém faz ajustes aqui. Pelo menos não bons ajustes. A Charlotte tem um vestido preto lindo que eu perguntei se podia pegar emprestado, Tom ia pirar, mas ela disse que não, então imaginei que ela tivesse um par.

Provavelmente, Holmes tinha mandado fazer aquele vestido especialmente para algum baile de gala norueguês onde ela derrotou um ministro de Relações Exteriores no xadrez, roubou um tratado franco-iugoslavo, e depois saiu de forma clandestina no carrinho de roupas do hotel para que pudesse escapar pela rampa da lavanderia. Fiquei pensando em como ele seria; tinha que ser bem espetacular para Lena querer tanto. Um vestido longo, imaginei. Preto e provocante, algo que uma Bond girl usaria. Mas Lena estava errada a respeito de Holmes ter companhia. O único garoto que ela consideraria levar era...

Cortei aquela linha de raciocínio. Onde estava ela, afinal? Já passava da meia-noite.

– É – falei, esticando o pescoço para olhar sobre a multidão. – Errr, não, não. Acho que a Holmes não vai a bailes. Tudo bem se eu sair e for procurar por ela? Posso jogar seu copo fora se você tiver acabado.

Lena estava começando a parecer meio enjoada. Conforme eu tirava o copo da mão dela, me ocorreu um pensamento.

– Hum, Lena? Por que a Holmes começou a fazer essas noites de pôquer? Ela não parece gostar... – eu estava a ponto de dizer *de ninguém* antes de me conter – ... de multidões. Não é meio estranho ela receber todo mundo?

– Ah – disse Lena, surpresa. – Sabe, os pais dela não dão nenhum dinheiro pra ela gastar. E a Charlotte torra bastante. Acho que ela compra muito online, sempre chegam uns pacotes pra ela. – Tossi para encobrir minha risada. Eu tinha certeza de que aqueles pacotes continham algo mais sinistro que roupas de grife. Lena era mesmo a colega de quarto perfeita para Holmes, isso eu tinha que admitir. – Enfim. Ela sempre sabe quando as pessoas estão mentindo, então acho que faz sentido pra ela jogar pôquer valendo dinheiro. Acho que é divertido.

Tom apareceu por trás de Lena e a abraçou.

– Meu amor, você tá bêbada – comentou ele, se inclinando para beijá-la na bochecha.

– Amor, para. Eu tenho que ir pro pôquer. A Charlotte não tá aqui e eu tô detonando. Acho que eu vou conseguir uma bolsa Prada.

– Melhor você dividir comigo antes de trocar as fichas. – Tom a beijou de novo e ela franziu o nariz. – Já que eu sou o seu muso inspirador e tal.

– O muso dela do pôquer – falei, o mais sério que consegui.

– Aposto que a Charlotte é a dele – Tom fingiu sussurrar.

– Ai, meu Deus, que *fofo*. – Lena tocou meu rosto e voltou ao jogo, colocando as fichas na mesa aos montes. Quando ela olhou para o outro lado, Tom surrupiou algumas e colocou-as no bolso.

Joguei o copo de Lena no lixo e saí à procura de Holmes.

Como eu já estava no Stevenson, fui dar uma olhada no quarto dela primeiro. Não foi nem um pouco difícil passar pela "mãe" do alojamento, adormecida, usando os braços como travesseiro na escrivaninha da entrada. Logo achei a porta de Holmes no primeiro andar: Lena a tinha forrado de flores de papel e havia um cartão com o nome dela em letras roxas e sinuosas. O nome de Holmes estava rabiscado de qualquer jeito com tinta preta logo abaixo. A porta não estava trancada, culpa de Lena, eu tinha certeza, então entrei.

Diferentemente do quarto que Tom e eu dividíamos, que podia ter ganhado prêmios pela bagunça, o delas estava tão limpo e arrumado quanto apenas um quarto de alojamento de garotas poderia ser. O lado de Lena era uma profusão de cores, travesseiros grandes e tapeçarias alegres, o laptop fechado na mesa coberto de adesivos. Ela tinha fotos de Cary Grant jovem presas no painel de cortiça, no meio de letras de música que ela havia copiado de post-its. Ela deixara as chaves na mesa. Mais ou menos o que eu tinha esperado.

Eu estava bem mais interessado no lado de Holmes, mas parecia que ela tinha eliminado todos os sinais de sua presença do quarto, guardando sua incrível esquisitice para a sala 442 do prédio de ciências. A mesa dela estava limpa e sem nada, fora um relógio digital, e o painel de cortiça acima só tinha um único post-it azul meio torcido pelo tempo com *te amo garota bj Lena* escrito. (Era surpreendentemente bonitinho que Holmes o tivesse deixado ali por tanto tempo.) Na prateleira acima da cama, os livros escolares estavam todos arrumados numa fileira, e na cama em si havia uma colcha azul-marinho – e, embaixo dela, uma Charlotte Holmes adormecida, com a peruca torta, rímel já começando a escorrer abaixo dos olhos.

Fechei a porta com cuidado.

– Holmes – sussurrei e, antes que eu pudesse repetir, ela se sentou como se um tiro tivesse sido disparado.

– Watson – murmurou ela, e esticou a mão cegamente para pegar o relógio. – Eu só queria deitar um instante.

– Tudo bem – falei, sentando na beirada da cama. – Você provavelmente ainda está botando o sono em dia. Não é saudável ficar três dias sem dormir, você vai começar a sofrer alucinações.

– Sim, mas alucinações são sempre fascinantes. – Ela empilhou os travesseiros nas costas. – E aí? – perguntou ela, numa voz "por que você está aqui?".

– E aí, como foi? Você descobriu alguma coisa? Quem era o seu alvo?

Ela soltou um suspiro, tirando a peruca e a touca de meia-calça

– Watson, sério.

– Eu também sou suspeito de assassinato – lembrei a ela – e achei que estávamos juntos nessa. Você se veste com esse *troço* ridículo e depois não me conta como foi? Desembucha.

– Não descobri nada. Nadinha. Devo ter falado com pelo menos quinze alunos homens do primeiro ano. Estatisticamente, é mais frequente que assassinos sejam homens, e de qualquer forma a Hailey é inútil com garotas, que em geral querem afogar ela no rio mais próximo. E nenhuma deles mostrou o menor sinal de ser o responsável – tagarelou ela com pressa, como se quisesse expulsar aquilo tudo do seu sistema. – E tô morrendo de fome. Nunca fico morrendo de fome. Eu comi *ontem*.

– Você tem que ter descoberto alguma coisa – falei, escolhendo ignorar aquela última parte. Na minha curta experiência com ela, Holmes tinha tratado seu corpo como uma inconveniência, na melhor das hipóteses, e na pior, como um apêndice que estava tentando ativamente destruir.

– *Não* – respondeu ela, de forma petulante. – Foi uma tremenda perda de tempo, e eu gastei o final do meu perfume Algodão-Doce Para Sempre. O que significa que tenho que encomendar mais, e só vendem ele no eBay japonês, e não é barato pra um troço que tem um cheiro tão horroroso. E, meu Deus, a humilhação de pegar aquelas caixas no correio. – Ela enfiou a mão debaixo do travesseiro, e surgiram três carteiras. – Fiquei com tanta raiva que bati três carteiras, o que deve pelo menos cobrir o custo, se não o dano emocional.

– Holmes – falei devagar, pegando uma carteira das mãos dela. A carteira em si já valia mais do que o apartamento da minha mãe, e estava cheia de dinheiro. – Você não pode fazer isso, temos que devolver.

Ela ergueu uma das sobrancelhas.

– Foram esses caras que tentaram me deixar bêbada pra poderem abusar de mim.

— Tá bom. — Puxei cinco notas de vinte e as joguei na cama. — Isso é mais do que suficiente pro seu perfume. Sabe o que a gente vai fazer com o resto?

— Devolver tudo pra acalmar o seu repentino ataque de consciência?

— Não – respondi. — Tem uma chave de carro no chaveiro da Lena. A gente vai sair pra tomar um café da manhã à meia-noite. E depois vamos dar o resto pra, tipo, caridade.

— Eu vou querer torradas — pediu Holmes ao garçom, entregando o cardápio a ele. — Duas fatias, pão integral. Sem manteiga, sem geleia.

— Não, ela vai querer o especial do dia, com os ovos com gema mole e... bacon, em vez de salsicha. — Eu a encarei com um olhar severo. — A não ser que ela prefira outra coisa do cardápio. Que não esteja na seção de "acompanhamentos".

Ela bufou.

— Tá bom. Ele vai querer a mesma coisa, só que ele quer salsicha, não bacon, e, por favor, continue dando café descafeinado pra ele em vez do normal. É um erro da sua parte, mas uma vantagem a meu favor. Ele fica muito ranzinza quando não dorme.

O garçom anotou os nossos pedidos e resmungou, dirigindo-se à mesa seguinte:

— Feliz quinquagésimo aniversário.

— Ignora. Faz três anos que ele não tem uma namorada — comentou Holmes. — Você viu os sapatos dele? Cadarços *brancos*. Só isso já devia te dar a pista.

Não consegui evitar; comecei a rir. Holmes me presenteou com um de seus sorrisos vivazes. Ela havia limpado quase todo o rímel de debaixo dos olhos e tirado a peruca, mas ainda estava parecendo uma árvore de Natal. Era desconcertante ser capaz de ver a fina névoa da personagem por cima da personalidade verdadeira.

— Tem pelo menos umas cinquenta pessoas nesse restaurante tomando café às duas da manhã — disse ela, tomando um gole de água. — Todas com menos de vinte anos. Dessas cinquenta, quarenta e oito não tomaram café esta manhã, incluindo Will Tillman, o calouro do outro lado que nunca está no café da manhã e que mais provavelmente está aqui, na verdade, pra comprar drogas. Por que esse lugar é tão popular? Não entendo.

— É porque você é meio robô — respondi com carinho, e ela revirou os olhos. — Então, você é a única que pode passar incógnita, ou posso usar um disfarce da próxima vez?

— Você tem algum em mente? — perguntou ela, claramente se esforçando para me levar a sério.

— Não posso dar uma de Hailey com as alunas novas? Ela bufou.

— Mesmo que eu não tivesse acabado de perseguir estudantes inocentes de catorze anos, você realmente não é bonito o suficiente para usar meias três-quartos.

— Bom, eu faço uma ótima imitação de um jogador de rúgbi sem nada na cabeça.

— Não, não faz não — retrucou ela. — Ainda bem. Você devia avisar pro seu terapeuta que o rúgbi não ajuda em nada a aliviar os seus problemas com a raiva.

— Pro meu terapeuta, não. Pro meu conselheiro da escola.

Ela escondeu um sorriso.

— Dá na mesma. Você devia fazer boxe, ou esgrima...

— Esgrima? De que século você vem?

— ... ou solucionar crimes.

— Você está me prescrevendo a sua companhia, doutora?

— Detetive, você consegue me ler como um livro. — Ela ergueu o copo e brindamos.

Fiquei repleto de uma sensação de bem-estar. O restaurante estava aquecido e calorosamente iluminado. Alguém na cozinha estava fazendo panquecas para nós. E eu estava sentado na frente de Charlotte Holmes.

Eu me senti confortável o bastante para perguntar a ela algo que vinha me incomodando havia um tempo.

— Certo, eu tenho uma pergunta. Me diga se eu tô extrapolando.

Ela inclinou a cabeça.

— Os meus pais... — Levei um minuto para encontrar as palavras certas. — Bom, todo mundo sabe que o meu avô vendeu os direitos que ele herdou das histórias de Sherlock Holmes para pagar dívidas de jogo. Não somos mais importantes. Pelo menos, não estamos mais em evidência com o público. De vez em quando podemos aparecer nos jornais, mas meu pai faz negócios transatlânticos, que são bem mais sem graça do que parecem, e a minha mãe trabalha num banco. Já a família Holmes... tipo, faz gerações que vocês são consultores da Scotland Yard. Então por que eles não estão nos ajudando? Onde eles estão?

– Em Londres – respondeu ela. Antes que eu pudesse protestar pela resposta engraçadinha, ela levantou a mão. – Em Londres, onde vão ficar. Eles não vão interferir.

– Mas por que não? Você pediu para eles não se meterem?

– Não. – Holmes afundou nas costas do banco acolchoado, esfregando a parte interna do cotovelo esquerdo. – Você lembra quando eu te contei que fui educada em casa até vir pra Sherringford? Pra começar, você nunca achou estranho eu vir pra cá?

– Na verdade, não. Imaginei que a sua família tivesse revistado o seu quarto à procura de drogas, descoberto o seu hábito e te mandado pros Estados Unidos como punição. Quando a Lena me contou hoje à noite que os seus pais não te davam dinheiro, eu mais ou menos tive essa confirmação.

Holmes me encarou, atônita. Em seguida, ela começou a rir, um som raro e surpreendentemente inconveniente. O garçom trouxe a nossa comida e tenho certeza de que a gente era uma visão e tanto: Holmes dando risada e eu a encarando, sério.

– Me diz que a parte engraçada não foi a de eu resolver um mistério por conta própria – declarei, espetando uma salsicha.

Ela conseguiu se recompor.

— Não — esclareceu ela. — Tô rindo porque fui idiota de achar que você não ia sacar isso. Você tá totalmente certo, claro.

— E eles não te dão dinheiro porque acham que você vai usar a grana pra comprar drogas?

— Não — repetiu ela. — Eles não me dão dinheiro porque eu não sirvo pra ser filha deles. — Ela mergulhou um dedo na água, mexendo os cubos de gelo. — Aos olhos deles, os meus vícios atrapalharam os meus estudos.

Olhei para ela, tão magra, angulosa e triste, tão surpresa consigo mesma toda vez que ria, e me perguntei como teria realmente sido crescer no lar dos Holmes. Cortinas compridas de veludo, pensei, e bibliotecas recheadas de livros raros. Uma briga silenciosa sempre acontecendo no aposento ao lado. Charlotte e o irmão obrigados a vagar pela casa vendados, escutando nas portas para treinar, repreendidos para não criarem nenhum laço emocional, a não ser um com o outro. Parecia um filme, mas devia ter sido um inferno viver isso na pele.

— Coma — falei, empurrando o prato para ela. Para me agradar, ela deu uma única mordida no bacon. — Você sequer quis ser detetive?

— Essa nunca foi a questão. Eu soluciono crimes desde que era criança. Faço isso bem. Tenho orgulho da minha habilidade nisso, sabe? — Assenti rapidamente. Havia um ardor nos olhos dela. — Mas eu fui a segunda filha. O Milo sempre fez tudo que eles queriam. Não posso dizer que não compensou, ele é um dos caras mais poderosos do planeta, e só tem vinte e quatro anos. Mas eu... – Ela deu um sorriso secreto e satisfeito. – Não estou interessada em fazer nada que não esteja a fim.

– Aí eles te mandaram pros Estados Unidos pra sossegar o seu facho.

Holmes deu de ombros.

– O *Mail* fez um escarcéu daquilo tudo. Você vai procurar?

– Não – assegurei, e era verdade. Sempre tive medo de destruir as minhas fantasias a respeito dela ao pesquisar a vida real. – A não ser... você quer que eu faça isso?

– Nem adianta. O Milo varreu cada palavra sobre o escândalo da rede. E não quero que você fique sabendo disso tudo. Ainda não. – O sorriso dela desapareceu. – Enfim, foi horrível. Eles publicaram o meu nome do meio.

Ela estava tentando mudar de assunto, então permiti.

– Regina? Mildred? Hulga?

– Nenhum desses. E respondendo à sua pergunta original, eu mesma tenho que resolver essa confusão sozinha. Tenho certeza de que se eu ligasse pra minha família e dissesse "Escutem, estou prestes a ser jogada na cadeia, vocês podem me socorrer?", eles ajudariam. Porque não acreditam mais que eu consiga me virar sem eles.

– Eu acredito que você consiga. Embora isso talvez seja apenas uma ilusão necessária. Senão, sou forçado a acreditar que neste domingo o detetive Shepard vai dizer que, depois de uma investigação minuciosa, está claro que nós somos os mais culpados dos assassinos culpados do mundo.

– Não é isso que ele vai dizer. – Ela deu outra mordida. – Como você sabia que eu queria bacon? Você também deduziu isso?

– Eu chutei – respondi, e assisti ao sorriso voltar ao rosto dela. – Experimenta as panquecas, estão boas. O meu pai me trazia aqui quando eu tava no ensino fundamental.

– Eu sei. Você fez o pedido sem olhar o cardápio.

Ficamos sentados num silêncio íntimo por um longo tempo. Eu já tinha acabado minha comida fazia tempo, então observei Holmes cortar as panquecas em fatias minúsculas, afogando cada uma num banho de xarope de bordo antes de levá-las à boca. Era legal me demorar em algum lugar. Eu não me sentia confortável em lugar nenhum da Sherringford além do laboratório de Holmes. Mas eram quase três da manhã quando ela terminou de comer.

– Qual é nossa próxima jogada? – perguntei. – Se nós descartamos os calouros, pelo menos é um começo.

– Licenças de animais exóticos – respondeu ela. – Donos particulares primeiro, depois os zoológicos. Você pode começar a investigar de manhã quem é que tem cobras perigosas aqui por perto. Certamente, uma delas foi roubada. Sem dúvida, a polícia já investigou isso, só que, por outro lado, eu consigo ver coisas que eles não conseguem. E todo mundo vai estar ocupadíssimo com os preparativos do baile amanhã, então vamos ter liberdade para perambular por aí.

Era bom ter um plano concreto. Percebi que tinha relaxado mais um pouco.

Holmes pigarreou.

– Watson – chamou ela, numa voz engraçada. – Você não ia me convidar para o baile, ia?

– Não – respondi, talvez meio rápido demais.

Tentei imaginar Holmes sob uma bola espelhada, pulando ao som de alguma música das paradas de sucesso. Era mais fácil imaginar uma baleia dançando, ou Gandhi. Então pensei numa música lenta, uma que não fosse horrível, e as luzes baixas, e como seria tê-la nos meus braços, e bebi meu copo de água de uma vez só.

– Você queria que eu convidasse? Porque eu fiquei com a impressão de que você não queria.

– Watson – repetiu ela. Eu não sabia se era uma advertência ou um sinal de afeto. Se bem que, com ela, eu nunca sabia a diferença.

Esse era um assunto do qual eu não me aproximaria sem armadura completa e uma lança bem longa. Ela tinha me avisado para não tocar no tema na primeira vez que falamos disso.

– Certo – falei, pegando as chaves de Lena. – Melhor a gente ir logo, antes que a sua matriarca do alojamento acorde do cochilo de mil anos dela.

Segurei a porta para Holmes. O estacionamento estava quase vazio. Estreitei os olhos, esperando que minha visão se ajustasse, e foi bem então, do lado oposto do estacionamento, que ligaram um sedã preto.

O carro manteve os faróis apagados enquanto arrancava para sair do estacionamento.

– Holmes? – perguntei, paralisado. – Isso aconteceu porque ele nos viu?

Ela já estava correndo para o carro de Lena.

– Vem! – exclamou ela.

Eu me atrapalhei para abrir a porta, depois para dar ré para fora da vaga, e ainda para manobrar e sair do estacionamento. Holmes estava com os olhos se revirando de impaciência, mas, para meu alívio, ela não disse nada. Eu não tinha exatamente dirigido muito em Londres. Quer dizer, havia atravessado um estacionamento com o carro da minha mãe. Uma vez.

Só que o meu destino era pegar a estrada pela primeira vez no meio de uma perseguição. Não era como nos filmes, pensei amargamente, enquanto saía para a rua. O sedã era só um par de luzes ao longe, correndo para a cidade. Era quase impossível ficar na cola dele. A escuridão era despida por uma sequência de postes de luz e, adiante, o sedã furou um sinal vermelho e depois mais outro, nos levando para longe da Sherringford, em direção à costa.

Holmes tinha tirado binóculos dobráveis sei lá de onde. Ela se inclinou para frente, espiando pelo para-brisa.

– O motorista tá sozinho. Tá vestindo um casaco preto e tem um chapéu preto que cobre as orelhas. Cabelo louro escapando por baixo. Não consigo ver o rosto. Tem... tem uma pasta no banco da frente, do tipo que o meu antigo traficante usava para carregar...

— Traficante? – perguntei, secamente.

Ela me lançou um olhar por detrás dos binóculos.

— Sim.

Pensei no homem de rosto espremido falando com o repórter da BBC. *Charlotte Holmes é a líder desse culto doido, e James Watson é, tipo, o capanguinha enfezado dela.*

— Acho que eu sei quem ele é. Mas, se ele é traficante, por que tá fugindo da gente?

— Watson – advertiu ela enquanto eu voava atrás do sujeito. Passamos de cento e dez quilômetros por hora. Cento e vinte.

— Você não vai me mandar reduzir, vai? – perguntei, agarrando o volante.

— Não. – Percebi o sorriso na voz dela. – Eu ia mandar você acelerar.

Passamos voando por campos e bosques escuros, por sinais de civilização; uma loja de pesca, um motel vagabundo. Meu cérebro girava rápido como o carro. Se a polícia nos parasse e nos levasse de volta à escola, seríamos expulsos por fugir escondidos depois do toque de recolher. Se o carro à nossa frente freasse ou reduzisse a velocidade...

Estaríamos mortos.

Minhas mãos apertaram o volante. Eu não ia desistir, não tão perto assim de finalmente descobrir algo de concreto. *Nos dê uma pista,* pensei, *uma pista de verdade. Nos deixe chegar só um pouquinho mais perto.*

No cruzamento seguinte, ele deu uma guinada para a direita, tentando nos pegar de surpresa. Foi aí que ele perdeu o controle. Sob as fortes luzes dos postes, o carro dele girou pelo centro da estrada, encalhando finalmente num meio-fio diante de um posto de gasolina fechado.

Pisei forte nos freios e nós derrapamos atrás dele. Os binóculos voaram das mãos de Holmes e bateram no para-brisa com um estalo.

Paramos a meio metro do sedã.

Se eu já não soubesse disso antes, ficaria sabendo naquele momento. Eu não era igual à Charlotte Holmes. Jamais seria. Porque enquanto eu desafivelava meu cinto de segurança com dedos trêmulos, tentando me lembrar de como se respirava, ela já tinha se soltado, saído do carro e estava escancarando a porta do sedã preto.

Enquanto ele escapava pelo lado do carona.

– Holmes! – gritei, enquanto cambaleava porta afora. – *Holmes!*

A gente estava no meio do nada. Árvores e uma mata densa cercavam a estrada de duas pistas, e eu vi Holmes se atirando atrás dele na floresta escura como breu, gritando para ele parar.

Saí correndo atrás deles.

Era como um pesadelo. Galhos me chicoteavam enquanto eu corria, deixando marcas ardidas no meu rosto e braços. Mais de uma vez, meu pé prendeu numa raiz e eu me espatifei no chão e, ao me levantar, eles estavam ainda mais longe. Eu me lembrei, de repente, de ser um menino numa floresta parecida com aquela, brincando de pique no escuro. Eu tinha me escondido dentro de um tronco queimado, e me lembrei da mão estendida para me tocar, um clarão branco naquela treva toda. Eu gritara até ficar rouco.

Aquela noite não parecia muito diferente. Holmes se distanciava cada vez mais à minha frente. Ela não tropeçava. Ela não caía. Ela se movia como um gato na noite.

E então eu a perdi de vista.

– Volta! – gritei, finalmente parando de correr. – Desiste! – Eu ouvia o sujeito, de leve, ainda se atirando pelos arbustos. Nós não íamos pegá-lo. Além disso, o que nós faríamos se o pegássemos? Eu não tinha nenhuma arma. Não sabia como ameaçar alguém sem nada além do meu punho.

Muito ao longe, ouvi sirenes.

– Holmes! – gritei de novo. – Alguém chamou a polícia!

– Jesus, Watson – respondeu a voz dela logo à minha frente. – Tô bem aqui.

Ela tinha parado para recuperar o fôlego. Na penumbra, a aparência dela era tão terrível quanto me sentia, arranhada e carrancuda, mas vi que os olhos brilhavam com a emoção da caçada.

– A gente tem que voltar pro carro – falei. – Agora.

Quando chegamos de volta à estrada, os policiais ainda estavam fora de vista, mesmo que as sirenes ficassem cada vez mais altas. Estávamos muito longe de qualquer coisa, por ali.

Enquanto eu ligava o carro de Lena, Holmes vasculhou rapidamente o sedã do traficante, tirando fotos com o celular, usando o tecido da camiseta para tocar nas coisas. Tomando cuidado, eu sabia, para não deixar impressões digitais.

– Vamos logo – sibilei.

Quando ela entrou de volta no carro, guardou alguma coisa pequena no bolso.

– Dê a volta até os fundos do posto de gasolina. Estacione ao lado da picape do dono, desligue o carro e se abaixe.

Eu fiz o que ela mandou, e bem a tempo. Luzes vermelhas e azuis inundaram o carro pelo vidro de trás. Prendi a respiração enquanto o carro de polícia circundava o posto de gasolina, desacelerando atrás da gente. Uma porta se abriu, se fechou. Passos perto da janela traseira do nosso carro.

Se ele jogasse a luz da lanterna para dentro, se desse uma simples olhada, ele nos veria. Achei que eu ia vomitar.

E então o barulho de algo grande batendo em metal, como se ele tivesse largado a bolsa no capô do nosso carro.

– Preciso pegar minhas luvas – disse o policial, com a voz abafada. – Sei que elas estão aqui em algum lugar.

– Bom, anda logo – respondeu o outro.

– Minhas mãos estão geladas, cara. Me dá um segundo.

– Temos um único carro batido e um bêbado perambulando pela mata, Taylor. Melhor irmos logo.

Taylor deve ter encontrado as luvas, porque os passos soaram de novo. Afastando-se. O carro-patrulha voltou à estrada, e os policiais saltaram de novo para olhar o sedã.

Holmes me encarou com uma expressão de satisfação mórbida. Ela estivera certa. Não tínhamos sido descobertos. Agachado no volante, esfreguei as mãos no rosto. De um jeito ou de outro, aquele ano ia me matar.

Dava para ouvir a dupla de policiais conversando enquanto examinava o carro preto, só que eu não entendia as palavras. Uma hora sem fim se passou enquanto eles discutiam sobre alguma coisa. As luzes continuavam piscando; eu lutei para manter os olhos abertos. Holmes tinha se encolhido no chão em frente ao banco, ainda alerta, de alguma forma. Nossa perseguição selvagem não tinha sido exatamente sutil e, se alguém tivesse ligado para a polícia, eles saberiam que havia outro carro. E se dessem outra volta, procurando por nós? Cravei as mãos no assento, tentando acalmar meus nervos.

Então, enfim, *enfim*, nós ouvimos. O grunhido inconfundível de um reboque levando o sedã. E o carro-patrulha seguindo atrás.

Quando fechei os olhos, ainda via as luzes coloridas pulsando contra as trevas.

Levou mais meia hora para Holmes decidir que estava tudo bem.

– A gente deveria esperar mais – observou ela, mais rouca que o normal. – Mas o posto de gasolina vai abrir a qualquer momento, e não quero que a gente seja flagrado aqui atrás.

Todas as juntas do meu corpo rangeram quando voltei ao banco do motorista. Tive um vislumbre do meu rosto no espelho retrovisor, riscado aqui e ali pelos dedos afiados dos galhos.

– Caramba – falei, nervoso. Holmes estalou o pescoço.
– Tudo isso por um traficante de campus. Algum esquisitão paranoico que provavelmente só fugiu porque a gente tava perseguindo ele.

– Não era um traficante – respondeu ela. – Coisa pior.

Meu coração batia acelerado.

– Tipo o quê?

– Não faz sentido. Se ele gosta de consumir o próprio produto, como parecia ser o caso pelo pó espalhado no banco do carona, então como está numa forma tão boa? Por que ele calçava sapatos de quatrocentos dólares e corria como um atleta olímpico? Se ele é um traficante, é diferente de todos que já conheci. Eu ficaria chocada se fosse o Lucas, o local que vende no campus.

– Por quê?

Holmes fez uma careta.

– Ele corria como um dos homens do meu irmão.

– Você viu o rosto dele?

Ela negou com a cabeça.

– Então como... não, espera. Seu irmão tem *homens*?

– Vários milhares, na última contagem. É a explicação mais racional. Ele coloca um ou dois para me seguir quase o tempo todo. Acho que esbarramos em um deles, que entrou em pânico.

Deixei a ficha cair.

– Tudo isso aconteceu porque seu irmão queria ficar de olho em você? Seu irmão. Que é um dos *mocinhos*. Não faz sentido.

– É provável que o Milo quisesse avaliar você. Descobrir qual é sua lealdade. Meus amigos... bom, eu nunca tive um amigo de verdade antes.

– Ah.

Ela me analisou por um momento, com olhos vermelhos.

– Não quero meu irmão na sua cola. Você não merece isso. Não fez nada de errado.

– E você fez – respondi baixinho. *Os meus vícios atrapalharam os meus estudos.*

Nós nos entreolhamos. Ela mordeu o lábio, respirou fundo; estava prestes a dizer alguma coisa, e então me deu as costas.

– O que você descobriu? – perguntei, finalmente. – O que era aquela coisa que você colocou no bolso?

Ela não me olhou.

– Vamos embora – pediu ela. Tentei não fitar o contorno quadrado da coisa no casaco, e liguei o carro.

Não conversamos. Em vez disso, liguei o rádio enquanto Holmes olhava pela janela em silêncio. As luzes dos postes deixavam o rosto dela inexpressivo e brilhante.

Não poderia dizer o que se passava na cabeça dela. Não poderia nem deduzir. Mas comecei a perceber que gostava daquilo, de não saber. Era capaz de confiar nela mesmo assim. Se Holmes era um lugar em si mesma, eu podia estar perdido, vendado, xingando minhas indicações ruins de direção, mas acho que eu via mais daquele lugar do que qualquer um, de qualquer maneira.

cinco

Passei a noite do baile fazendo o dever de casa atrasado.

Depois que Tom terminou de falar como estava horrorizado com a minha decisão – coisa que levou várias horas –, ele se aprontou. De canto de olho, observei enquanto ele se enfeitava diante do espelho. Tom conseguiu ficar bem com o terno azul-bebê por pura força de vontade; acho que eu teria ficado a cara do primo maluco de Buddy Holly. Depois de me perguntar mais uma vez se eu queria ir ("Mariella não tem um par, e nem acha que você é um assassino!"), ele finalmente saiu para buscar Lena, enquanto eu fiquei escrevendo um poema para a aula do sr. Wheatley. Troquei as lentes de contato pelos óculos com armação de tartaruga numa tentativa de entrar no clima certo.

Com a caneta pairando sobre a página, me perguntei, não pela primeira vez, o que eu estava fazendo.

Para começar, eu costumava gostar de ir a bailes. Isto é, eu gostava de levar garotas a bailes. Bem. Acho que eu simplesmente gostava de *garotas*. Gostava dos olhares tímidos que elas me lançavam nas aulas, e do perfume de flores do cabelo delas, e da sensação de caminhar às margens do Tâmisa numa tarde nublada, conversando sobre os professores que elas odiavam, os livros que elas liam e o que fariam depois de se formar. Mas, na minha cabeça, todas essas memórias tinham começado a se misturar. Eu não conseguia lembrar se éramos eu e Kate na lanchonete na noite que nevou, ou Fiona; se Anna era alérgica a morangos; se era Maisie que minha irmã Shelby tinha adorado. Até Rose Milton, a menina dos meus sonhos, com o cabelo levemente ondulado e a sequência infinita de péssimos namorados... Não posso dizer que eu teria deixado meu quarto, naquela noite na Sherringford, mesmo se ela tivesse me convidado para ir com ela.

Mesmo se Holmes tivesse me convidado para ser o par dela.

Eu me perguntei se a misantropia dela estaria começando a me contaminar.

Eu tinha deixado Holmes na sala 442 do prédio de ciências, depois de um dia longo e cansativo. A guerra de mensagens espetacularmente grosseiras que ela promoveu com o irmão nem tinha sido a pior parte. Ela não me mostrou a mensagem original que mandou a ele, mas vi as que ela recebeu em resposta. *Não, você não descobriu meu espião*, insistiu Milo. *Ele obviamente ainda está à solta. Por exemplo, posso te dizer agora mesmo que você está toda vestida de preto, e que Jamie Watson está irritado com você. Tenho olhos vigiando você agora mesmo.*

ISSO NÃO É ESPIONAGEM, É DEDUÇÃO TOSCA E AMADORA E ESTÁ ERRADA, respondeu ela furiosamente.

Holmes estava, claro, vestida toda de preto.

— Podemos começar a pesquisar, por favor? — indaguei, enfim, tentando esconder a irritação na minha voz.

Tínhamos desperdiçado uma tarde listando donos de cascavéis em Connecticut. Mesmo depois de estendermos nossa busca a Massachusetts, e depois a Rhode Island, não encontramos nada. Ninguém tinha perdido a cobra de estimação; pelo menos ninguém disposto a admitir o fato para mim, sob o disfarce de um repórter animadinho pesquisando um livro sobre animais perigosos e seus donos que, puxa vida, os amavam mesmo assim.

Holmes, ainda furiosa depois da conversa com o irmão, sentou-se e ficou olhando enquanto eu trabalhava.

Risquei o último nome da lista.

— Talvez a gente devesse começar a ligar para os zoológicos...

— Isto é insuportavelmente tedioso — retrucou Holmes. — Sabe, se eu tivesse meus recursos da Yard, já teria resolvido este caso. Nossa, na Inglaterra, bastaria meu *nome* pra nos abrir portas. Em vez disso, tô aqui sentada enquanto você tenta determinar pelo telefone se esses idiotas tacanhos com pumas de estimação estão *mentindo* pra você, coisa que você não sabe como fazer. — Ela se atirou no sofazinho, abraçando o violino com força como se fosse um ursinho de pelúcia.

— Certo, então — falei enquanto me levantava. — O que era aquele troço que você tirou do carro ontem à noite? Que você não quis me mostrar?

Ela me fitou de maneira inexpressiva.

Joguei as mãos para o alto.

– Beleza. Vou arrumar minhas malas. Você sabe. Pra cadeia.

Quando ela percebeu que eu ainda esperava uma resposta, Holmes pegou o arco e começou a serrar um concerto de Dvořák com tanta selvageria que me fez sair porta afora, literalmente. Não tínhamos pistas, nem informações reais, e no dia seguinte teríamos que lidar com qualquer coisa que o detetive Shepard tivesse arrumado para nos indiciar.

E, se eu não fosse preso, ainda tinha o dever de casa.

O que me manteve no quarto, com uma página de diário em branco na minha frente. Tentei afastar o resto da mente e começar a trabalhar. Nossa tarefa para a aula de segunda-feira do sr. Wheatley era compor um poema que nos fosse difícil de escrever. O enunciado não me ajudou muito, já que para mim todos os poemas eram difíceis de produzir. Eles eram como espelhos refletindo um buraco negro, ou pinturas surrealistas. Eu gostava de coisas que faziam sentido. Histórias. Causa e efeito. Depois de uma ou duas horas agonizantes riscando tentativas frustradas, baixei a cabeça e me deitei na minha escrivaninha.

Alguém bateu à porta.

– Jamie? – Ouvi a sra. Dunham chamar. – Eu trouxe uma xícara de chá. E alguns biscoitos.

Eu a deixei entrar. Ela parecia meio avoada, como sempre, com os óculos tortos e o cabelo frisado, mas os biscoitos eram com gotas de chocolate, e ainda estavam quentinhos.

— Você é o único que ficou no alojamento hoje – comentou ela, enquanto me entregava a caneca fumegante. – Pensei em vir dar um oi. Sei que as coisas têm sido difíceis para você ultimamente.

— Obrigado – respondi, constrangido. – Eu precisava terminar o dever de casa. *É um* poema.

Ela fez um muxoxo de solidariedade.

— Algum progresso?

— Nada. – Ela me trouxera chá English Breakfast, e o vapor embaçou meus óculos. Naquele momento, eu não sabia quem era o maior clichê, eu ou ela. – Alguma sugestão?

Ela fez um murmúrio, pensando.

— Sempre gostei daquele poema do Galway Kinnell. "Espere, por agora. Desconfie de tudo, se for necessário. Mas confie nas horas. Elas não o levaram a todos os lugares, até agora?" – Ela tinha uma boa voz para recitar poesia, lenta e com timbre grave. – Isso não faz tudo parecer melhor?

— Faz sim – respondi, e desejei que fosse verdade.

Atrás dela, na porta, apareceu uma garota.

— Você tá pronto, Watson? – Era a estranha e fantástica voz dela, mais rouca do que nunca, e Holmes entrou no quarto.

Pisquei rapidamente. Ela tinha feito alguma coisa com o cabelo. Em vez do liso brilhoso de sempre, estava despenteado em cachos que pareciam inacabados. O vestido não era nada como o que eu tinha imaginado. Na verdade, ele parecia o céu noturno. Dava para entender por que Lena o cobiçara: a modelagem levava meus olhos a certos lugares que eu tentara evitar encarar.

— Você tá muito bonita — falei. Era verdade. Ela estava perturbadoramente parecida com uma garota. Hailey tinha sido feita de plástico e sonhos molhados, e Holmes cotidiana era só ângulos retos, mas isso... o que quer que fosse, era algo completamente diferente. Não sabia bem se eu gostava. Pelo jeito que ela trocava o peso do corpo de um pé para outro, Holmes dava a impressão de não ter certeza também. O que será que ela estava planejando?

— Oi, Charlotte — cumprimentou a sra. Dunham. — O Jamie não me falou que você vinha.

— É, tenho certeza de que ele esqueceu — comentou ela. — Estamos meio com pressa. Já perdemos metade do baile.

— Estamos mesmo, e eu... ah... — Eu estava de óculos e com uma calça de moletom da Highcombe.

Com um suspiro expressivo, Holmes começou a revirar minhas gavetas.

— Suspensórios — murmurou ela. — Sei que você tem esse troço ridículo. Aqui. — Ela os jogou para mim, e continuou procurando.

— Então você quer que eu use? Ou não?

— Ah, use sim, é o seu lance, com a jaqueta de couro e a... sim, aqui está, uma gravata preta fininha, e a sua camisa boa, e a calça que você usou no quarto dia de aula, mas que não reapareceu desde então. Escura. Aqui. Meias, e os seus sapatos sociais.

A sra. Dunham saiu da frente enquanto Holmes me enterrava numa pilha das minhas próprias roupas.

Olhei para baixo.

— Você está tentando me transformar num hipster.

— Não preciso tentar. — Holmes tocou o punho onde ficaria um relógio. — Olha a hora, Watson.

— Você não pode ficar aqui enquanto ele troca de roupa — advertiu a sra. Dunham.

Holmes pôs uma das mãos sobre os olhos.

— Vou fazer uma contagem regressiva de cem.

— Obrigado pelo aviso — comentei, pegando as roupas que ela tinha me dado.

— Noventa e nove. Noventa e oito.

Saímos pela porta quando ela chegou no três.

Do outro lado do pátio, dava para ver o centro acadêmico todo iluminado para o baile. Cada vez que a porta se abria, eu escutava um pedaço de uma música que eu não conseguia saber direito qual era. Num banco, um garoto e uma garota de mãos dadas; ele sussurrava no ouvido dela. Lá perto, um grupo de garotas com frio admirava o vestido uma da outra.

— Você vai me contar por que estamos aqui? — perguntei à Holmes, segurando a porta aberta para ela passar.

Ela fez uma pausa na soleira.

— Ainda não — respondeu Holmes, e entrou.

Sherringford era uma escola pequena o suficiente para que todos os alunos coubessem no salão de baile do centro acadêmico dos ex-alunos. (Aparentemente, os bailes de formatura eram maiores e mais chiques. Tom tinha certeza de que o desse ano ia ser num iate.) O tema tinha algo a ver com Las Vegas; a primeira coisa que vi quando entrei foi uma fileira de mesas de vinte e um, com jogadores que davam as cartas em cassinos de verdade, vestidos com uniforme verde e branco. Holmes se aproximou, mas fez um ruído ofendido quando viu que eles estavam jogando com dinheiro do Banco Imobiliário. Eu estava mais interessado na fonte de chocolate que borbulhava no canto, lotada de gente segurando marshmallows no espeto. Fora isso, toda a pompa que era de se esperar: uma mesa com ponche, luzes estroboscópicas, um DJ. Professores com ar entediado "vigiavam", o que queria dizer que basicamente ficavam batendo papo em duplas. Na pista de dança, garotas dançavam com vestidos das cores de enfeites de Natal. Tínhamos ganhado o jogo de futebol americano mais cedo, então o clima era de vitória. Enquanto eu absorvia tudo aquilo, Cassidy e Ashton, da minha aula de francês, passaram por nós. Cassidy estava linda, e Ashton estava igualzinho a um Thundercat. Eu nunca tinha visto um bronzeado tão radioativo.

O que mais reparei foi quantos alunos tinham sido arrastados para casa. Não havia mais de uma centena de nós na pista de dança. Mesmo assim, todo mundo parecia estar se divertindo, ninguém pensando no assassinato, na própria segurança ou em nada mais além da música do Abba que tinha acabado de começar.

Era como se, de uma forma desconcertante, eu estivesse com um dos pés num romance literário e o outro num shopping. Eu até podia me encaixar ali, mas Holmes, não. Eu me virei para perguntar qual era o plano dela exatamente quando a peguei balbuciando a letra de "Dancing Queen".

– Ai, meu Deus – falei e ela se assustou. – Ai, meu *Deus*. Você só queria vir aqui pra...

– Há oportunidades excelentes para observação e dedução por aqui – justificou ela, apressadamente. – Olha a variedade de espécimes! Todo mundo com a guarda baixa, provavelmente vários deles bebendo, a garota do seu lado tá com uma garrafinha de bebida de pêssego naquela bolsinha dela, e talvez aquele traficante esteja aqui, em algum lugar, e...

– ... dançar. – Eu estava tentando, com muita dificuldade, não gargalhar. – Quer ir lá?

– Quero – respondeu ela, e me arrastou com delicadeza para a pista.

Mesmo com todas as suas estranhas e incontáveis habilidades, Holmes provou ser uma péssima dançarina. Mas o que lhe faltava em destreza ela compensava numa entrega absoluta. Sob as luzes do caleidoscópio, o cabelo dela ficou azul, depois vermelho, depois azul de novo, a música tão alta que a minha cabeça pulsava na batida, e ela jogava os braços para o alto quando chegava o refrão, pendendo a cabeça para trás para cantar. Ela também sabia a letra da seguinte, e da música depois daquela, e cantou todas elas com os olhos fechados, arrastando os pés como um vovozinho. Por gloriosos doze minutos, orbitei em volta dela, e quando ela agarrou minha mão e pediu "me gire", eu a rodopiei enquanto ela ria.

Começou uma música lenta, uma interpretação melosa de uma boy band inglesa que a minha irmã mais nova gostava. Por toda a nossa volta, as pessoas caíram nos braços umas das outras. Do outro lado do salão, eu vi o Tom, resplandecente em seu terno ridículo, inclinar a Lena enquanto ela dava uma risadinha.

Holmes e eu ficamos lá parados, no meio da pista, tentando não olhar um para o outro.

Lutei para encobrir o meu pânico. Pelo canto dos olhos, dava para ver que as bochechas de Holmes ainda estavam coradas de dançar.

– Hum – falei.

Alguém deu um tapinha no meu ombro. A garota magra e loira que tinha me convidado para o baile estava ali parada, com um vestido de um vermelho dramático.

– Oi – cumprimentou ela, de forma tímida. – Pensei que você não tivesse permissão pra vir.

Observei Holmes rapidamente catalogar a minha reação. Depois de um instante, a garota se virou para olhar para ela também.

– Ai, meu Deus, me desculpa. Eu tô te atrapalhando.

Apareceu uma pequena linha entre as sobrancelhas dela e, por um momento, achei que ela fosse chorar. Eu tinha certeza de que Holmes também notara aquilo. O cérebro dela era que nem uma armadilha para ursos: nada escapava com vida.

Aquilo só podia ser um pesadelo. Eu olharia para baixo, estaria nu, a pista de dança ia se transformar na minha aula de matemática e aí eu ia acordar.

Não acordei.

– A gente não tá... eu não tô... preciso beber alguma coisa – consegui dizer, e saí em disparada como o covarde que eu era.

O lance era que eu não sabia se queria dançar uma música lenta com ela. Com Holmes. Ou talvez a imagem me viesse muito depressa, de como seria ter as minhas mãos nas costas dela, ter seu hálito quente no meu pescoço. Sua risada suave enquanto a boy band cantava *Quero te beijar, garota*. Como eu ia deixar minhas mãos deslizarem até a cintura dela, puxá-la ainda mais perto.

Mas se eu me concentrasse, também podia facilmente ver aquela garota loira nos meus braços. Sinceramente, não era muito justo com nenhum de nós. Eu me conhecia muito bem; era fácil eu ser levado pelo momento, sem pensar muito no depois. Mas com Holmes, tudo em que eu conseguia pensar era no depois. Passeios de carro silenciosos ao amanhecer, conversas inflamadas, entradas furtivas em quartos trancados para roubar provas para o nosso pequeno laboratório – eu queria essas coisas. Eu queria que nós dois fôssemos complicados juntos, que fosse difícil, atraente e cegamente incrível. O sexo era um tipo comum de complicado. E nada a respeito de Charlotte Holmes era comum.

Nem o jeito com que ela preenchia o vestido.

Não. Eu não ia pensar nisso. Nosso histórico provava que éramos muito volúveis para sobreviver a esse tipo de mudança. Naquela manhã mesmo, ela tinha me afugentado do laboratório brandindo o violino como uma arma. Na noite seguinte poderíamos estar dividindo uma cela. Mas esta noite?

Esta noite eu ia me encher de ponche.

O sr. Wheatley, meu professor de escrita criativa, estava cuidando da mesa de bebidas com uma mulher bonita mais ou menos da idade dele. Ele parecia mortalmente entediado, mas se animou um pouco quando cheguei à frente da fila, que não estava longa. Não havia muitos alunos idiotas a ponto de não ter ninguém com quem dançar uma música lenta.

– Jamie – disse o sr. Wheatley, embora eu mal pudesse ouvir a voz dele acima da música. – O que vai ser?

– Como está o ponche? – perguntei.

– Horrível. – Ele se inclinou para a mulher ao seu lado. – Esse é um dos meus melhores alunos – comentou, apontando para mim. – Jamie, essa é minha amiga, Penelope. Ela está me fazendo companhia esta noite.

Eu nem sabia que o sr. Wheatley gostava da minha escrita. Tudo que eu tinha entregado, em especial os poemas, tinha voltado para mim com uma confusão de tinta verde. Mas vinha trabalhando duro para transformar os textos em algo melhor, e era bom saber que meu esforço estava valendo a pena.

– É um prazer te conhecer. – Apertei a mão de Penelope. Tinha um tipo de visual padrão de professora de arte, com cabelo cacheado e um vestido solto. Bom para contrabalançar o sr. Wheatley, pensei, que sempre abotoava as camisas até o colarinho.

– Ela é uma amiga escritora de New Haven – contou ele. – Uma poeta. Dá aulas em Yale. O Jamie pode ser alguém que você gostaria de ter no seu workshop de calouros, num futuro não muito distante.

– Ah, era dele que você estava me falando? – perguntou ela ao sr. Wheatley, que ficou um pouco pálido. – Da investigação de assassinato? O descendente do dr. Watson? E então, você escreve textos de mistério também, Jamie?

– Não exatamente – menti, enquanto processava o resto do que ela havia mencionado. Ela havia ouvido falar das suspeitas da polícia a meu respeito. – Você tem visto a cobertura da imprensa?

O sr. Wheatley puxou o colarinho.

– Ah, a imprensa já superou o assunto a essa altura – respondeu ela. – Mas Ted está por dentro. Ele sabe de detalhes que ainda nem revelaram aos meios de comunicação!

Enquanto eu tentava entender aquilo, Holmes apareceu com um par de marshmallows cobertos de chocolate em espetos de fondue. Uma oferta de paz, pensei. Ela parecia ter perdoado minha bizarrice, então peguei o meu com um sorriso de agradecimento.

— Oi — disse ela aos adultos. Fiz uma rodada de apresentações.

— A Penelope estava falando que o sr. Wheatley tá sabendo daquela história toda do Dobson — declarei, um tanto direto. Eu queria que a gente tivesse gestos para esse tipo de situação, ou que ela usasse mesmo telepatia. Havia uma bela chance de que ela deduzisse minhas suspeitas só de olhar para mim, mas eu não queria correr o risco.

— Ah é? — indagou ela, com o rosto perfeitamente inexpressivo.

— É, ah — o sr. Wheatley limpou a garganta —, é melhor eu dar outra volta pelo recinto. Penelope? — Ela sorriu educadamente para nós, com o interesse já desviado, e os dois se foram.

— Bom, você estragou tudo espetacularmente. — Holmes voltou para a pista de dança. A oferta de paz não tinha adiantado muito. Puxei o segundo marshmallow do espeto e dei uma mordida com raiva.

Fiquei vagando um tempo pelo salão, e por fim desabei numa mesa vazia. O baile estava acabando, e o DJ tinha colocado uma longa sequência de músicas lentas para fechar a noite. A pista estava forrada de casais que seriam oficializados nas redes sociais pela manhã. Fiquei surpreso, depois menos surpreso, de ver Cassidy e Ashton dançando juntos, tão juntos que as testas se tocavam. Randall, o colega de quarto de Dobson, dançou a sequência toda com a caloura loirinha. As mãos dele tinham descido bastante, agarrando o tecido do vestido vermelho dela. Nos braços gigantes dele, ela parecia tão pequena e insignificante quanto um pedacinho de bolo.

Eu me senti vagamente nauseado.

– Tá. – Lena surgiu do meu lado. – Jamie. Voce tá, tipo, digno de pena.

– Cadê o Tom?

– Jogando pôquer. – Ela franziu os lábios. – Vai falar com ela.

– Ela tá dançando com o Randall – respondi, sendo rabugento de propósito.

– Pelo amor de Deus. A Charlotte tá sentada lá fora, sozinha. Vocês dois são *tristes* um sem o outro. Tem, tipo, esse óbvio espaço vazio do seu lado. – Para Lena, era poético. Ela se levantou e me ofereceu a mão.

– Você tá me convidando pra dançar? – perguntei.

Ela ergueu uma sobrancelha. Deixei que ela me puxasse para eu ficar de pé. E ela me arrastou pelo salão e porta afora, onde me deu um empurrão sem cerimônia para a noite aberta.

– Tchau – trinou Lena, e desapareceu.

Holmes estava sentada num banco na entrada, olhando para um grupo de árvores específico do outro lado do pátio escuro. Percebi que era onde eu tinha trocado socos com Dobson. Foi a última vez que nos falamos antes de ele morrer.

Ela estava tremendo. Tirei minha jaqueta e cobri os ombros dela.

– Obrigada – disse, sem olhar para mim.

Ela estava com um caderninho aberto no colo, com os dedos passando pelas páginas.

– Foi isso que você pegou do sedã na noite passada?

Holmes assentiu.

– E trouxe pra cá? – Sentei ao lado dela com cautela, do jeito que uma pessoa sentaria ao lado de uma bomba. Eu tinha perguntas. Não queria que ela escondesse o caderninho antes que eu tivesse a chance de fazê-las.

Mas, para minha surpresa, ela não fez isso.

– Eu não achei que ia ficar folheando – respondeu ela, e continuou, com a voz estranha (será que Holmes estava *nervosa*?): – Joguei algumas rodadas de pôquer, mas não foi suficiente para me distrair. Éramos eu, Tom e uma das supervisoras da escola, a enfermeira. Tom passou o jogo inteiro olhando pra bunda da Lena do outro lado da sala. Tão óbvio. Todo mundo é tão óbvio. Por exemplo, aquela enfermeira da escola? Queria ser médica. Ela sente saudades do namorado, que é loiro e usa brinco, com quem ela tá desde o ensino médio, e que não gosta tanto dela quanto ela gosta dele.

– Como é que você...

Holmes deu um tipo de sorriso aliviado. Imagino que era melhor ficar fazendo deduções do que respondendo às minhas perguntas.

— Ela não conseguia tirar os olhos da pista de dança, e eles ficaram marejados quando tocou "I Luv U Girl". Por que alguém reagiria assim? Principalmente a *essa* música? A única resposta é: nostalgia. Ela é bem atraente, mas não é um arraso... quer dizer, não atraente o bastante para ter sido popular e querer reviver aqueles tempos. Toda vez que um garoto alto e loiro passava, os olhos dela o seguiam de um jeito meio bizarro. Ela usa uma pulseira feia no punho esquerdo que só pode ter sido escolhida por um homem, mas não por alguém que se importe o bastante para valorizar o gosto dela. E ela queria ser médica porque tentou diagnosticar a causa da tremedeira das minhas mãos três vezes durante o jogo.

— Por que suas mãos estavam tremendo?

— Exaustão. Não durmo desde aquela soneca da qual você me acordou. Primeiro, ela achou que fosse pneumonia, depois sugeriu que era doença mental, a vaca. E o tempo todo eu tive que fingir que *gostava* dela, caso tivéssemos de fazer novo interrogatório. Então, depenei ela. Foi ótimo, mesmo sendo só dinheiro de Banco Imobiliário.

Eu ri. Não consegui evitar.

— Você é uma pessoa horrível.

Aquilo a desarmou totalmente.

Ela se retesou e levou as mãos à boca. Num reflexo, eu olhei para baixo, para onde elas tinham estado, cobrindo as páginas do caderninho.

Então eu entendi. Por que ela estava nervosa.

No colo dela estava o diário de um louco. As páginas estavam preenchidas por palavras escritas à mão, as mesmas cinco palavras rabiscadas repetidamente. Em cada linha, estavam escritas num estilo marcadamente diferente, como se um grupo de meninos de escola tivesse sido obrigado a copiar uma linha do quadro-negro no mesmo caderno. Num ponto, eram letras de forma duras e pretas como as de um general. Em outro, letras arredondadas de uma menina do ensino médio. Em outro, os rabiscos elegantemente tracejados de um cavalheiro vitoriano.

Toda linha dizia a mesma coisa.

CHARLOTTE HOLMES É UMA ASSASSINA
CHARLOTTE HOLMES É UMA ASSASSINA
Charlotte Holmes é uma assassina
CHARLOTTE HOLMES É UMA ASSASSINA

Tomei o caderninho do colo dela. Charlotte não tentou me impedir. Ela assistiu num silêncio dolorido enquanto eu virava uma página, e outra, e outra, cada uma delas desgastada com as mesmas cinco palavras.

Enquanto eu lia, sem compreender, as portas se escancararam com um estrondo. O baile tinha acabado.

— Holmes — falei, com a voz quase abafada pelas pessoas passando —, que merda é essa?

— Eu tenho o mesmo caderninho em casa — murmurou ela. — O meu é verde. É um caderno de falsário. Me fizeram praticar nele até que eu conseguisse imitar a letra de qualquer um. De pessoas reais, de arquétipos, de personagens que eu inventara. Te dão uma frase com a qual trabalhar, uma que represente a maior parte do alfabeto. Mas esse... esse aqui é horrível. – Ela estendeu a mão para tocar as palavras. – Ele usa muitas das mesmas letras.

– Aqui diz que você é uma assassina. Uma *assassina*. E aquele traficante estava com ele – comentei. – Ele não pode trabalhar pro seu irmão. É outra pessoa, algum tipo de maníaco que escreve coisas malucas no escuro. Provavelmente não é traficante coisa nenhuma. Ele tem que ser o responsável por Dobson, por armar pra gente, meu Deus, e a gente deixou ele escapar...

– Como é que a gente sabe que aquele homem escreveu isso? A gente não sabe. Pode ter pegado de alguém, ou alguém pode ter dado a ele.

– Por que você não me mostrou isso? – exigi saber.

Algo se apagou atrás dos olhos dela.

– Holmes...

– Sabia que procurei digitais nele? É, e está sem nada. Sabia que o professor Moriarty carregava um livrinho vermelho de memórias? Pois é; eu vi. O meu pai guardou numa gaveta. Sabia que dá pra comprar esse exato modelo que estou segurando de 72 lojas online, sem falar das incontáveis livrarias e lojinhas de presentes? Dá. Verifiquei a placa daquele sedã preto. Ela não existe. O carro foi roubado numa rua do Brooklyn cinco anos atrás. Por que reapareceu agora? Watson, não existe um *padrão* aqui. Não consigo entender. Eu não sei. Você sabe o que é não saber?

Eu sabia. Era ela quem tinha me mantido na ignorância.

— Você podia ter mostrado pra mim — observei, ficando de pé.

Do outro lado do pátio, uma garota soltou um grito longo e gargalhante quando um garoto a agarrou pela cintura e a jogou por cima do ombro.

— E se estivesse escrito Jamie Watson é um assassino? Você teria mostrado pra mim?

Ela baixou o rosto, evitando meus olhos.

— Você não se preocuparia, nem por um instante, que eu pudesse acreditar nisso?

A voz dela transparecia um tremor desconcertante. Olhei para ela, seus ombros estreitos, as linhas escuras do vestido por baixo da minha jaqueta. Na noite passada, eu jurava que a conhecia melhor do que qualquer um no mundo.

O que será que Charlotte Holmes tinha feito de fato para ser mandada para os Estados Unidos?

— Você não matou o Dobson — afirmei.

— Não — sussurrou ela. — Eu não matei o Dobson.

— Mas então... — Engoli em seco. — Você... o August Moriarty ainda tá vivo?

Com isso, ela se levantou e saiu em disparada para o pátio.

Recolhi o caderninho e fui atrás, empurrando, para passar pela aglomeração de garotas escandalosas, os garotos em volta delas que nem moscas-varejeiras com seus ternos. A voz de algum supervisor gritou para que voltássemos aos nossos quartos, que a verificação noturna seria dali a dez minutos, mas Holmes se lançou pela multidão, não na direção do alojamento Stevenson, mas para o prédio de ciências. Como se ele fosse o local seguro dela. Seu quarto do pânico.

O local em que podia se esconder de mim.

Chamei por ela, rouco, enquanto Charlotte cortava pelas árvores no meio do pátio, e embora as pessoas se virassem para olhar, ela continuou seguindo em frente. Eu apertei o passo e, com um bote, a segurei pelo braço e a girei para mim.

Ela repeliu minha mão e me repreendeu:

– *Nunca* mais toque em mim sem a minha permissão explícita.

– Olha, eu não tô dizendo que você matou – expliquei. – Tô dizendo que alguém quer que eu pense isso. Quer que o mundo pense. Por que você não pode simplesmente me falar se ele tá morto? O August tá morto?

– Você achou – respondeu ela. – Eu vi você achar. Que eu matei August.

– Por que você não pode simplesmente me *falar*...

Eu devo ter chegado para a frente. Ela deve ter chegado para trás. Eu a estava levando cada vez mais para cima das árvores, como se cada passo me deixasse mais perto da resposta. Eu estava tão concentrado em *descobrir* que não percebi o que estava óbvio no rosto dela. Eu estava tão acostumado ao destemor de Holmes, que não consegui reconhecer seu medo.

Mas ela estava com medo. De mim.

Dobson também tinha pressionado ela.

Holmes deu outro passo para trás e tropeçou no corpo da caloura.

seis

Ela tinha sido descartada lá na grama escura como um nada. Esticada de barriga para cima, com o vestido vermelho numa poça ao redor do sangue também vermelho.

Meu Deus, pensei, *está começando de novo.*

Eu estava tão acostumado que Holmes assumisse o controle que parei e esperei pelas ordens dela. Mas não veio nenhuma. Os olhos dela estavam fixos num ponto acima dos meus ombros, as mãos dela tremiam. *Exaustão*, eu me lembrei dela dizendo, embora agora eu achasse que era outra coisa. Angústia, talvez. Incerteza. O que quer que fosse, ela não sabia como dominar aquilo.

Então eu tinha que tomar a frente.

De forma gentil, me agachei ao lado da caloura. Os olhos dela estavam semicerrados, como se ela estivesse caindo no sono. *Ela não pediu por isso,* pensei. *Nenhum de nós pediu.*

Eu me dei conta de que nem sequer sabia o nome dela.

Preparando-me para o pior, pressionei os dedos na garganta dela. Lá estava. Uma pulsação.

– Ela ainda está viva – afirmei, me inclinando para ouvir a respiração da menina. Ela saía em ruídos agonizantes.

— Mas está com dificuldade para respirar. Precisamos de ajuda.

Holmes assentiu, mas não fez nenhum sinal de se mexer.

— Ei – falei de modo suave. – Preciso ficar de olho nela. Pode chamar uma ambulância?

Ela fechou os olhos por um instante, se recompondo. Um instante bem longo. Sob mim, um tremor perpassou o corpo da garota.

Eu tinha que conseguir ajuda de outra pessoa.

— Ei! – gritei para algumas meninas que cruzavam o pátio voltando para os alojamentos. – Aconteceu um acidente! Há uma pessoa ferida! Liguem pro 911!

Elas correram até lá. Uma garota tirou o celular da bolsa e discou. As outras viram ao lado de quem eu estava ajoelhado e começaram a berrar.

— Elizabeth – soluçou ela. A garota se colocou entre mim e a menina no chão, como se para protegê-la. – É a minha colega de quarto! Elizabeth! O que você *fez* com ela?

— Eu não fiz nada – garanti, chocado. Não tinha me dado conta do que aquilo ia parecer: a escuridão, o corpo, nós dois. – Eu encontrei ela assim. Ela tava dançando com o Randall e depois... a gente achou ela aqui. Charlotte e eu. A gente tava... a gente só tava andando.

Estávamos atraindo uma multidão. Atrás de mim, murmúrios. Raivosos. O som de pés correndo na nossa direção.

A colega de quarto da Elizabeth virou o rosto coberto de lágrimas para mim e disparou:

– Assassino. *Assassinos*.

Atrás de nós, os murmúrios aumentaram até virar um rugido raivoso.

Acho que aquela palavra foi o limite. Como fora apontada para Holmes, e para mim, nas semanas seguintes à morte de Lee Dobson. Como ela estava escrita milhares de vezes no caderninho no meu bolso, cada golpe de caneta preciso e condenatório. Como, bem lá no fundo, eu sabia que havia a possibilidade de que fosse verdade. De que Holmes tivesse sido mandada para lá por matar Moriarty. E ela leu meus pensamentos só com uma olhada rápida.

Não importa o motivo, Holmes reagiu como se tivesse sido atingida por um choque elétrico.

Ela se ajoelhou ao lado da Elizabeth.

– Você precisa ir chamar um adulto – disse ela à colega de quarto, que ficou tensa. – Olha, acredite no que você quiser sobre os meus motivos, mas, de qualquer forma, essa multidão vai garantir que eu não machuque a sua amiga. Certo? Então vá buscar ajuda e me deixe agir. Eu fui treinada pra esse tipo de situação.

– RCP? – perguntou a menina, indecisa.

O sorriso de Holmes foi melancólico.

– Algo do tipo.

– O que você precisa que eu faça? – indaguei.

– Preciso que você mantenha a boca da Elizabeth aberta. – Ela inclinou a cabeça da menina para trás. – Segure firme. Tá vendo ali, na garganta dela?

A pele do pescoço de Elizabeth estava inchada e estriada, um sinal inconfundível de que havia um objeto preso ali. Com mãos delicadas, puxei o queixo dela para baixo até os lábios se entreabrirem.

A garota que tinha me convidado para o baile. Talvez ela até tenha querido fazer algo assim: meus dedos tocando seus lábios, a respiração superficial, nós dois juntos no escuro. Meu estômago se revirou. Tudo aquilo... tudo aquilo estava tão errado.

– O corpo dela está em choque – observou Holmes, calmamente, colocando os dedos como pinças na cavidade da garganta de Elizabeth. Fechei os olhos. A caloura se agitou e gargarejou sob as minhas mãos.

– Boa menina – sussurrou Holmes –, boa menina.

E quando abri os olhos de novo, ela estava segurando um diamante azul reluzente contra o luar.

Ele cintilava porque estava coberto com o sangue da Elizabeth.

Engoli bile. Atrás de mim, alguém vomitou na grama.

– É *O carbúnculo azul* – murmurou Holmes.

– Eu sei – afirmei, enquanto Elizabeth respirava de um jeito trêmulo.

– Você. – Holmes jogou o diamante pra um garoto na multidão. – Segura esse troço. É de plástico, então nem se dê ao trabalho de roubar, mas tenho certeza que a polícia vai querer ver isso, de qualquer forma, e como vocês todos estão tão loucos para jogar as suspeitas sobre mim, prefiro não ser responsável por guardar esse negócio. Cadê o Randall? Você. Traz ele aqui. Vocês não conseguem enxergar que essa menina foi maltratada por um jogador de rúgbi? Olhem pra essas pegadas. Olhem pro *vestido* dela. Eu vi eles dançando. *Encontre ele*. Preciso saber se foi consensual. O sexo, seu idiota, não a imitação de diamante enfiada na goela. Sim, é óbvio que ela transou, ou, no mínimo deu uns pegas bem atléticos. Olhem pras marcas no chão, vocês são cegos? E onde, caramba, estão os supervisores? Cadê aquela maldita enfermeira?

– Aqui – disse uma voz desolada.

Era a primeira vez que eu via a enfermeira Bryony fora da enfermaria; o vestido de festa dela era tão colado que parecia pintado no corpo. Ela sorriu de um jeito tranquilizador para mim, mas eu desviei o olhar. Eu não merecia ser tranquilizado.

– Cuide dela, tá? – pediu Holmes à enfermeira, se endireitando. – *Cadê* a ambulância? – Ela protegeu os olhos da luz inexistente.

– Holmes.

– Agora não, Watson. – Ela arrancou o celular das mãos de outro garoto, discando 911 enquanto ele gaguejava um protesto. – Você fala, então – disse ela para ele, devolvendo o telefone. – Vê se serve pra alguma coisa.

– *Holmes* – repeti, com mais urgência.

Eu tinha visto de relance, lá no fundo da multidão, o cabelo cheio e loiro do traficante de drogas.

Ela seguiu o meu olhar e fez um som espantado.

– Não achei que a gente fosse ver ele de novo.

– Bom. – Fiquei de pé. – E agora?
– Não olhe pra ele diretamente.

Mas era tarde demais. Enquanto ela falava, ele se virou de um jeito que deve ter achado discreto, começando a se misturar à escuridão.

– Vamos ter que perseguir ele de novo – falei. Meu Deus, minhas pernas doeram só de pensar.

Ela abriu um daqueles sorrisos vivazes e disse:
– Se prepara!

O traficante lançou um rápido olhar para trás e saiu em disparada.

Nós disparamos pelo meio da aglomeração. Algumas pessoas saíram da nossa frente, outras tentaram nos segurar, achando que estávamos fugindo da cena do crime. Nós estávamos, mas não do jeito que eles pensavam. Lá estava: ele ia a toda pelo gramado, diretamente para o alojamento Stevenson. Muitas das calouras e das garotas do segundo ano moravam lá – Holmes, Elizabeth também, e eu não conseguia imaginar nenhum motivo para ele estar indo para aquele lugar a não ser para causar mais estrago. Pessoas culpadas saíam correndo. Ele tinha que ser culpado. Fiz um esforço para correr mais rápido, mas eu já estava no meu máximo. Sirenes gritavam, a trilha sonora da minha vida ridícula, e o vestido de Holmes na minha frente refletia a luz vermelha e azul, de um jeito estranhamente lindo. Ela era mais rápida que eu, menor, mais magra. E estava quase alcançando-o quando três radiopatrulhas e uma ambulância saíram da estrada para o pátio gramado ao nosso lado.

— Ajudem aqui! — gritou Holmes enquanto um grupo de policiais saía do carro. Os paramédicos já estavam tirando uma maca da ambulância.

— É a Charlotte Holmes? — Parecia o detetive Shepard. Dei uma olhada e avistei um homem sozinho sem uniforme. — Parem! O que vocês estão fazendo? James! Jamie Watson!

Nenhum de nós dois diminuiu o passo. Então o Shepard foi atrás de nós.

Os policiais começaram a segui-lo, confusos, xingando e ofegando pesadamente. Lá na frente, o traficante deu a volta no alojamento Stevenson e desapareceu de vista.

— Os túneis de acesso — disse Holmes. — Tem uma entrada ali, é aquela portinha, ela tem um código...

Empurrei o emaranhado de hera da frente enquanto ela digitava o código.

— Você tem tipo dois segundos e meio antes que a brutalidade policial comece.

Ela me lançou um olhar selvagem.

— Eu só precisava de um.

A fechadura deu um clique e abriu. Ela me empurrou para dentro. A porta se fechou com estrondo atrás de nós.

Quando Holmes mencionou o sistema de túneis da escola pela primeira vez, tive dificuldade de imaginar aquilo. Uma rede de caminhos abaixo do campus, conectando os prédios da Sherringford no subterrâneo? Eu pesquisei para descobrir mais a respeito.

Por pesquisar eu quero dizer que me virei na minha escrivaninha e perguntei ao Tom, minha fonte pessoal de informações inúteis, qual era a daquele negócio.

Reza a lenda que os túneis foram construídos no fim do século XIX, quando Sherringford ainda era um colégio de freiras. Quando a terra ficava debaixo de vários centímetros de neve, as freiras usavam essas passagens aquecidas para ir de seus quartos aos locais de oração ao amanhecer e ao anoitecer. Atualmente, disse Tom, os túneis eram usados pelo pessoal da manutenção que cuidava dos nossos alojamentos. Lá embaixo havia caldeiras e armários com suprimentos. Cada entrada aos túneis só era acessível por códigos e eles mudavam a cada mês. Eu tinha dito ao Tom o quão decepcionado estava pelos túneis não terem sido usados como abrigos contra bombas na Guerra Fria ou por contrabandistas de bebidas ou para algo tão interessante quanto, e ele me lançara um sorrisinho. Era melhor ainda, comentara ele. Os códigos mudavam com tanta frequência porque os alunos estavam sempre subornando os zeladores para conseguirem os números: os túneis de acesso eram os únicos lugares reservados em que dava para transar no campus.

Holmes, eu sabia que usava os túneis para praticar esgrima.

— É o único espaço grande e discreto o bastante nessa escola — comentara ela, com as bochechas avermelhadas —, e se você continuar rindo, juro que vou dizer pro seu pai que você quer combinar almoços semanais pra falar dos seus *sentimentos*.

Naquela noite, o túnel à nossa frente estava vazio. Nosso homem não estava à vista. Enquanto eu me arrastava por baixo do alojamento atrás dela, as luzes acima de nós tremeluziam. Os sapatos de Holmes clicavam no chão, soando como um inseto batendo as pernas. Os pelos da minha nuca se arrepiaram.

– Ele tem que ter se entocado aqui em algum lugar – comentou ela, baixinho.

– Vamos começar a testar as portas?

Ela balançou a cabeça negativamente, levantando um dedo. Passos arrastados ecoaram à nossa frente. A gente tinha mudado o passo de uma perseguição a uma espreita lenta, deliberada, e eu a seguia enquanto Holmes espreitava, com os olhos fixos no chão.

Ela estava seguindo os rastros que ele tinha deixado no chão de linóleo; um rastro que eu não conseguia distinguir da poeira deixada pelos homens que trabalharam ali durante a semana, das linhas desiguais de carrinhos de mão e carregadores. Pensei no que ela estaria observando, estreitando os olhos para tentar enxergar, e então lembrei. *Por que ele calçava sapatos de quatrocentos dólares?*, perguntara ela na outra noite. Olhando de novo, vi a sola estreita de um sapato social no chão.

Em silêncio, seguimos o rastro dele pelo labirinto de passagens. A gritaria da polícia do lado de fora se tornou um eco surdo. Eu sabia que logo eles conseguiriam o código para entrar e estariam na nossa cola. Holmes também sabia disso. Ela percorria os corredores como um cão de caça. Agora estávamos embaixo do pátio. As paredes de concreto estavam marcadas pela umidade, e havia um cheiro no ar que eu conhecia dos treinos de rúgbi. Lama. Terra molhada. Minha cabeça voltou para a escola Highcombe e seu campo de rúgbi, para o cabelo brilhoso de Rose Milton na arquibancada, suas mãos juntas, minhas travas rasgando a grama, e a sensação de que pelo menos daquela vez eu estava fazendo o que todo mundo queria que eu fizesse, e fazendo *direito*...

Holmes apoiou uma das mãos no meu peito.

– Ali – murmurou ela.

A porta no fim do corredor, onde as pegadas acabavam.

Atrás de nós, o som inconfundível de uma porta de aço se fechando com estrondo. A voz do detetive berrando o nome de Holmes.

– Você primeiro – disse ela, com o sorriso de uma caçadora se aproximando da presa.

Ela não tinha como saber o que haveria atrás daquela porta.

Ela não tinha como.

Eu entrei e Holmes me seguiu de perto. Ela deixou a porta se fechar atrás de nós, cortando a pouca luz que tínhamos. Eu tateei para tentar encontrar um interruptor, um fio, qualquer coisa que me ajudasse a enxergar melhor, mas tudo que achei foram prateleiras, fileiras de prateleiras, e a fria laje de concreto da parede dos fundos.

Saquei meu celular e o acendi, usando a luz fraca para varrer a sala.

Estávamos sozinhos.

De alguma forma, eu soubera desde o instante que entrei na sala que o nosso homem não estaria ali. Talvez, inconscientemente, eu estivesse prestando atenção tentando ouvir a respiração dele através da porta, algum movimento; talvez eu soubesse o bastante sobre como a nossa sorte funcionava. Qualquer que fosse o caso, éramos só Holmes e eu ali, e não fiquei surpreso de nos ver naquela situação. Não fiquei surpreso, mas também não fiquei aliviado. Não exatamente.

Estávamos sozinhos na toca do assassino.

Fotos de Dobson, antes e depois da briga que tivéramos – alguém havia tirado uma foto dele do outro lado do pátio com uma daquelas câmeras de paparazzi, tão nítida que dava para ver os machucados que eu tinha deixado nele. Um mapa do sistema de túneis, plantas dos alojamentos Michener e Stevenson. Os horários das aulas de Dobson com turmas destacadas e outras riscadas, pequenas anotações escritas ao lado delas com a letra cursiva raivosa e difícil de entender de Holmes e, nossa, fotos de Elizabeth espalhadas pelo chão, um arquivo grosso com o nome dela na frente. Eu me inclinei para pegá-lo, mas me detive; Holmes tinha me treinado muito bem para não deixar impressões digitais.

– Holmes. É a sua letra.

– Eu sei.

Por baixo do tecido do seu vestido, ela pegou uma camiseta da pilha de roupas no colchão solitário no chão. Percebi que eu a reconhecia; ela a reconhecia também.

– É sua – afirmei.

Ela concordou.

– É uma cópia de uma das minhas.

– Isso aqui é a sua... sua...

– Minha toca? – Ela ainda segurava a camiseta. – Alguém certamente quer que você pense isso, não é?

Eu tinha perguntas para fazer a ela. Perguntas para as quais eu, na verdade, não queria uma resposta. Perguntas que eu teria que fazer depois, porque, enquanto ficávamos lá parados, a polícia estava arrombando portas pelo corredor. Em um minuto, eles nos encontrariam.

E estavam gritando o nome de Holmes o tempo inteiro.

Fomos arrastados para a delegacia, com a bênção explícita da Sherringford.

– Bela proteção de menores. Mas acho que encontrar um covil de assassino que parece coisa de filme muda as coisas – disse Holmes ao meu lado, no banco de trás do carro da polícia. Ela usava as algemas com um tipo de desdém elegante, levantando as duas mãos para colocar o cabelo atrás da orelha. – Vai ficar tudo bem, Watson. Você confia em mim?

Não falei nada. Eu não queria mentir.

O detetive Shepard limpou a garganta no banco da frente.

– Normalmente eu não aviso as pessoas disso depois que leio os direitos delas, mas vocês são crianças, então... Vocês não vão querer falar nada que as incrimine. – Uma pausa. – Não que algum de vocês me escute.

Quando chegamos à delegacia, Shepard nos separou. Eu fui colocado numa sala de interrogatório parcamente iluminada, com um espelho que, por causa dos filmes, eu sabia que era falso. Havia uma cadeira, um copo d'água e um pedaço de papel e lápis. Para a minha confissão, imaginei.

Na verdade, era igualzinho aos filmes, só que nos filmes eles não te mostram a espera. E houve muita espera. Por quase duas horas, fiquei sentado na minha cadeira desesperadoramente desconfortável, dando umas cochiladas, esperando alguém entrar e me pedir para falar sobre o que tinha acontecido.

O que eu ia contar para eles? Bom, seu guarda. Primeiro, aquele idiota morreu depois de eu socar ele, mas não *porque* eu soquei ele. Ele foi envenenado e uma cobra também pegou ele. Uma cobra que, aparentemente, apareceu do nada, porque ninguém na costa leste deu falta de uma. Depois, um traficante de drogas seguiu a gente até o restaurante e fugiu da gente na mata. Eu fui para um baile, e pensei em beijar a minha melhor amiga, mas não fiz isso e outra garota queria que eu dançasse com ela e quem sabe a beijasse, mas alguém enfiou um diamante de plástico pela goela dela abaixo, então ninguém beijou ninguém, a não ser talvez ela e Randall. Numa sala embaixo da escola, eu encontrei um monte de sinais de que a minha melhor amiga, que eu não beijei, é uma assassina psicopata. E agora acho que o senhor está me interrogando a respeito de todos esses crimes malucos que eu não cometi, mas que alguém quer que o senhor ache que eu cometi, e essa pessoa fez um trabalho tão bom que eu também quase acredito que cometi.

Isso tá ótimo, pensei, exausto, e comecei a anotar tudo.

No alto, uma caixa de som ganhou vida. Pisquei olhando para o par pendurado bem alto no canto. Eu não tinha reparado nelas. Agora não dava para ignorá-las: elas estavam transmitindo a voz de Holmes.

– O ano passado inteiro, eu comprei de um veterano chamado Aaron Davis – ela estava contando.

– Ei! – gritei. – Tem algo errado com o seu sistema de som!

Sem resposta. Nada além da voz de Holmes ecoando.

– Ele entregava em pacotes no meu dormitório e eu colocava o dinheiro na caixa de correio dele. Era bem direto assim, quando eram comprimidos. Mas, em maio passado, eu quis algo mais forte, e ele me levou praquela sala pra... pra eu usar na frente dele. Pra ele ter certeza de que eu não tava comprando só pra armar pra cima dele.

Então a voz de Shepard:

– Então aquele traficante, aquele que você perseguiu...

– Nunca vi ele antes. Na verdade, eu ainda não vi a cara dele direito, e só por esse motivo achei que ele trabalhava pro... – Eu a escutei a ponto de dizer *Milo*, ou *meu irmão*, ou talvez até *Moriarty*. – Sei lá. Sei lá o que eu pensei. – *Não foi a sua melhor desculpa*, pensei com um tremor, e depois me lembrei de que eu não estava do lado dela. Não naquela noite.

– Nós encontramos as suas impressões digitais lá, Charlotte.

– O Aaron *traficava* lá naquela sala. Por que vocês não estão me escutando? Se vocês encontraram as minhas digitais lá, em qualquer lugar, eu tenho certeza de que foi no interior da porta ou na parede, não em qualquer uma daquelas coisas de serial killer falso grudadas na parede. E aposto que as digitais são de, no mínimo, vários meses atrás.

– Então era por isso que você estava lá embaixo? Tentando destruir as coisas que esqueceu de tocar usando luvas? Normalmente, pessoas inocentes não dão tantas desculpas quanto você.

– Você tá me perguntando por que me encontrou naquela sala pra onde eu fui direto, sabendo que vocês estavam me seguindo. Uma sala que só os alunos mais desprezíveis da Sherringford têm motivo pra saber da existência. A sala que eu resolvi decorar que nem um diretor de arte de televisão. Pra que eu pudesse destruir *arquivos de papel* que eu deixei lá com a minha própria letra. – Ela soltou um riso irônico. – Eu não vou insultar a sua inteligência, detetive Shepard, lembrando ao senhor quem é a minha família. Não por causa da minha linhagem, mas do meu treinamento. Eu não sou uma idiota. E eu não matei o Lee Dobson, nem ataquei a Elizabeth Hartwell. Tenho certeza de que quando ela estiver bem pra falar, ela vai te dizer exatamente isso.

— Ela sofreu uma lesão cerebral traumática — informou Shepard de forma grave. — Ainda não sabemos do quanto ela se lembra. Mas com todo o seu *treinamento*, tenho certeza de que você sabia que esse seria o resultado quando atacou ela com aquele galho.

— Beleza. Liga pros meus pais. Liga pra Scotland Yard. Eu tenho contatos lá. Eles vão te dizer que eu *ajudo* as pessoas.

— Você deveria ter ligado para nós, Charlotte. — O som de uma cadeira sendo empurrada para trás. E então um golpe final. — Aliás, qual foi a participação de Jamie Watson em tudo isso? Seu cúmplice? Ele claramente não é o cérebro por trás da operação.

— Ei! — gritei de novo. Eu *não* queria ouvir aquilo. — Ei! Alguém!

— Não alimente a minha vaidade — rebateu ela. — Você vai descobrir que eu mesma já faço isso bem o bastante.

— Seu cúmplice — repetiu ele, mais alto — até você precisar de um bode expiatório. Alguém para ficar e pagar por tudo isso quando a sua mamãe e o seu papai ricos tirarem você de fininho do país num avião particular.

Naquele momento, fiquei na horrível posição de pensar em algo em que eu, desesperadamente, não queria acreditar.

Raciocínio: a polícia armava aquilo, aquela escuta esquisita, "acidental", para que quando Holmes admitisse que vinha me usando todo aquele tempo, eu surtasse e confessasse que ela tinha feito tudo. Eu tinha visto no *Law & Order*. Sabia como aquilo funcionava, como eles dividiam os suspeitos para fazê-los falar um do outro. Mas eles estavam enganados. Não havia nada a contar.

A não ser.

E se a polícia estivesse certa?

E se ela tivesse mesmo matado a porra de Lee Dobson e decidido, só de sacanagem, me arrastar para aquilo, fingindo solucionar o crime que ela cometeu? E se Holmes tivesse ficado tão irritada por alguém chamá-la de assassina porque ela era, de fato, uma assassina? E se, no tempo entre se afastar de mim e do sr. Wheatley, na mesa de ponche, e nosso reencontro no banco, ela tivesse atacado Elizabeth Hartwell e enfiado aquela joia de plástico na garganta dela? E se ela apagou mesmo Dobson de forma elaborada num ato de vingança a sangue-frio? E se, ai, meu Deus, a nossa amizade fosse só uma nota de rodapé doente na reencenação doente dela dessas histórias? Holmes e Watson, juntos novamente, encenando *O carbúnculo azul* no pátio escuro da Sherringford. Só que, em vez de esconder a gema roubada no papo de um ganso, nós a enfiamos na garganta de uma menina para fazê-la engasgar até a morte.

— Jamie Watson — disse a Holmes, calmamente — é muito mais inteligente do que você acha. Ele não é meu cúmplice. Ele não é cúmplice de ninguém. E ele não é culpado de nada.

Ele não é, disse ela. Não nós dois.

Não me senti nem um pouco melhor. Nem quando a porta foi escancarada para permitir a entrada do meu fatigado pai, que deu só uma olhada para o meu rosto e falou:

— Certo, vamos para casa.

Na saída, meu pai me contou que nem Holmes nem eu estávamos sendo acusados de nenhum crime. A polícia não tinha provas o bastante para nos deter; tudo que eles tinham no momento era circunstancial, então o melhor que podiam fazer era nos interrogar.

— Foi bom eles não terem feito isso com você — comentou ele, depois olhou de forma dura para mim e me falou, como se estivesse compartilhando uma grande sabedoria, para sempre me lembrar de solicitar um advogado.

Normalmente, eu odiava que o meu pai não agisse como um pai. Na maioria dos dias, eu teria trocado ele e sua empolgação pela figura mais entediante de autoridade do quarteirão, mas naquela noite eu só estava feliz por ser poupado de um sermão e de lágrimas.

Meu pai está me buscando na delegacia no meio da noite, pensei, *e ele parece no máximo um pouquinho animado.*

— Vou trazer o carro — disse ele na entrada. — Quando a gente chegar em casa, você vai precisar dormir. Eu só consegui um dia de folga pra você. Eles querem que você volte depois do jantar para mais interrogatório. O Shepard manteve o encontro de domingo à noite.

Eu me balancei um pouco nos pés, sem pensar em nada específico. Até senti-la se aproximar de mansinho atrás de mim. Eu me recusei a me virar.

Quando o meu pai encostou o carro, Holmes abriu a porta do carona e entrou sem nenhuma palavra. Irritado, entrei e me sentei no banco traseiro, empurrando uma pequena avalanche de brinquedos e embalagens vazias de salgadinhos que, sem dúvida, pertenciam aos meios-irmãos que eu nunca conhecera. Tentei lutar contra o sentimento de que eu era um coadjuvante na minha própria vida.

Enquanto seguíamos, meu pai manteve o papo rolando com Holmes respondendo em monossílabos. Eu não conseguia responder nada. Meu cérebro tinha voltado à ativa, furioso e nervoso. Quando meu pai parou num posto Shell fora da cidade, encostei a cabeça na janela fria e tentei estabilizar a respiração. Em algumas horas, eu seria preso por um crime que não tinha cometido. Desejei nunca ter voltado aos Estados Unidos. Desejei *ter* matado Dobson, só para ter algo a confessar. Um jeito de aquilo tudo terminar. Pensei de novo na minha fantasia patética, nós dois naquele trem em fuga. Talvez essa fosse a sensação dele batendo.

Sem uma palavra, Holmes estendeu a mão para trás, procurando pela minha e, quando a encontrou, a segurou firme. Pensei em me afastar. Lembrei a mim mesmo que talvez estivesse segurando a mão de uma assassina, mas decidi que estava cansado demais para me importar. Nós três fizemos o resto da viagem em silêncio.

Na verdade, eu tinha ficado tão distraído pelo que acontecera na delegacia que me esquecera de temer todo o resto. E então a avistei, a casa da minha infância no campo, e aí me recordei de tudo ao mesmo tempo: eu aprendendo a andar de bicicleta descendo a rua, o meu pai segurando no banco mesmo depois de eu dizer que podia soltar. Ele soltou, uma hora, com uma grande gargalhada como um grito, e andei tipo um metro antes de bater contra algo e voar por cima do guidão.

Naquele dia, apesar do tempo frio, havia uma bicicleta caída de lado no jardim. Não era minha. Percebi meu pai notar aquilo, e seus olhos me buscaram no banco de trás. Reparei na preocupação, na dose de medo dele. Foi a primeira vez que tive pena do meu pai.

– A Abbie e os meninos foram passar o fim de semana na casa da mãe dela – comentou ele com uma animação falsa enquanto estacionávamos na garagem. – Então temos a casa para nós. Fiz uma torta de carne que vou botar no forno para o jantar. Mas, agora, vocês dois precisam descansar um pouco.

Holmes entrou cambaleando na casa e assim seguiu até o sofá da sala. Sem tirar os sapatos, sem dizer uma palavra para nenhum de nós, ela se espreguiçou em seu vestido de baile e caiu no sono imediatamente.

– Tem um quarto de hóspedes – comentou meu pai, enquanto eu me enrolava na poltrona ao lado dela.

– Eu sei – respondi. – Eu morava aqui.

Ele não teve resposta para aquilo.

A verdade era que, por muitas, variadas e contraditórias razões, eu não queria perder Holmes de vista. Mesmo quando caí num sono sem sonhos, mantive um ouvido aberto. Para escutar, caso ela fugisse e me deixasse lá sozinho.

Quando acordamos, estava escuro de novo, aquele tipo de escuridão do início das noites de outono. O relógio na parede marcava 18:07. Eu tinha dormido o dia inteiro e, pelo estado do sofá, Holmes também.

Havia um ruído na cozinha. Lá dentro, estava tão bem iluminado quanto eu lembrava, e a mesa e as cadeiras eram as mesmas. Mas os armários escuros tinham ganhado uma cobertura branca, e as paredes tinham sido pintadas de um azul de casa de fazenda. Um galo de cerâmica ocupava uma posição de destaque em cima da pia. Acréscimos de Abigail, eu tinha certeza. Quando meu pai ofereceu uma volta pelo resto da casa, eu recusei.

Holmes tinha se levantado e se acomodado num dos banquinhos do balcão, e ficou lá sentada, balançando as pernas enquanto seus olhos vagueavam pelo cômodo. Eu a observei juntando as peças da história dessa casa, da minha infância, do jeito que um soldado monta uma arma no escuro. Pelo menos um de nós sabia se comportar normalmente, embora, para ficar registrado, aquela devesse ter sido a primeira vez que era ela, e não eu.

– Oi – falei para ela.

– Oi – respondeu Holmes. – Dormiu bem?

– Dormi.

Nós evitamos os olhos um do outro.

— Bom – começou meu pai enquanto o forno esquentava. – Vamos direto ao ponto. Aquele Shepard chega daqui – ele consultou o relógio – a uma hora. O que vocês têm pra ele? Pra limparem as suas barras?

— Nada – respondeu Holmes. – Bom. Pra começar, o fato de que não matamos ninguém.

— Você não matou ninguém – repeti. Era a primeira vez que ela admitia aquilo.

Ela ergueu uma sobrancelha.

— Não atacamos nem uma única pessoa naquela escola. Nunca matamos ninguém.

Ela estava escolhendo as palavras com cuidado, dava para ver.

— E aquela... aquela toca de serial killer não era sua.

— Aquela toca de serial killer não era minha. – Inesperadamente, ela abriu um sorrisinho. – Não era sua, era? É um pouco grosseiro não compartilhar.

Franzi o nariz, e ela me deu um soquinho no braço. Deus me ajude. Eu não conseguia ficar bravo com ela, mesmo que Holmes se revelasse uma assassina a sangue-frio. Eu já estava muito envolvido.

— Certo – disse meu pai, confuso. – Eu meio que pensei que tudo isso era óbvio. Vocês têm alguma prova de verdade que livre vocês?

— Testemunhas o bastante que provam que não fomos nós que atacamos a Elizabeth. A própria Elizabeth quando ela acordar. Mas isso é inútil, de qualquer forma. Em cerca de uma hora e quinze minutos, terei o que precisaremos para limpar os nossos nomes e fazer o Shepard nos envolver na investigação dele.

Eu não sabia nada sobre aquilo.

– O quê?

Ela botou o cabelo atrás da orelha e não falou nada. Na nossa frente, juro que os olhos do meu pai estavam cintilando.

Eu olhei fixamente para ele e perguntei:

– Você não deveria estar, tipo, preocupado?

Mas ele já estava tirando uma garrafa de champanhe da geladeira.

– Acho que isso merece um brinde. Uma tacinha não faria mal, a essa altura.

A rolha estourou e a espuma saiu. Holmes e eu trocamos um olhar espantado. Ela não esperara que ele acreditasse nela. Bem poucas pessoas tinham a capacidade de surpreendê-la, mas, aparentemente, o meu pai era uma delas. Eu não me importava. Tomei uma taça de champanhe, provavelmente a minha última como um homem livre. Suguei a espuma do topo.

Holmes sendo Holmes, olhou para o meu pai e decidiu investigar.

– Ah, isso é muito gentil, muito obrigada. Mas nos conte por que estamos comemorando! Você não pode acreditar em mim *tanto* assim. Tem que haver algo mais. – Ela se inclinou em uma das mãos, derramando as vastas reservas de charme que mantinha escondidas para aqueles momentos. – O cheiro da torta está maravilhoso – acrescentou ela.

— Não consigo me lembrar da última vez que provei uma bela comida caseira.

Se o meu pai percebeu a atuação – e, sério, como ele não perceberia? –, não deu a mínima.

— Receita da avó do Jamie. Faz tempo que não tenho a oportunidade de fazer. – Ele sorriu. – Fico feliz que isso tenha funcionado para vocês dois. Eu temia que não desse certo.

— O que funcionou? – Para onde quer que a conversa estivesse indo, eu tinha certeza de que era um lugar bem ruim. – Se você estiver prestes a me contar que matou o Dobson pra me proporcionar um pouco de treino como detetive, eu juro por Deus...

Ele me cortou com um aceno.

— Jamie, não seja tão melodramático. É claro que não.

— É claro que não – disse Holmes, baixinho. A engrenagem na cabeça dela estava ganhando vida. – Começou antes disso.

— Sim – confirmou meu pai, encantado. – Continue.

Ela me avaliou da forma como se fazia com um cavalo. Eu me mexi desconfortavelmente na cadeira.

— E esporte. Tem a ver com rúgbi.

— Excelente. – Ele ergueu a taça para ela. – Desculpa, Jamie, mas eu ainda não acredito que você caiu nessa. Uma bolsa de estudos por causa do rúgbi? Sim, você é um jogador perfeitamente adequado, sem dúvida, e certamente bom o bastante para o time deles, mas você tem que admitir que a ideia era um pouco forçada. – Ele deu um gole pensativo. – Não, foi tudo algo que a gente planejou no último verão.

– A gente?

– Você e o meu tio – concluiu Holmes para o meu pai, me ignorando completamente.

– Quê? – balbuciei fracamente. Eu ainda estava processando o fato de, na verdade, não ser um gênio do rúgbi e de ninguém ter contado isso para o nosso pobre capitão. – Peraí. Você vai resolver *este* mistério. Não o mistério Dobson-Elizabeth-traficante-de-drogas. Este aqui. E vai resolver agora. – Reprimi uma gargalhada semi-histérica. – Quando eu nem sabia que tinha um mistério. Meu Deus, o que eu posso ter feito numa vida passada pra ficar preso a alguém como você?

– Vá em frente – meu pai disse, animado. Que bom que um de nós estava se divertindo. – Me conte como você sabe.

Ela listou as deduções nos dedos.

– Você nasceu em Edimburgo, como o resto da sua família, mas tem um toque de Oxbridge nas suas palavras. Quando abriu o armário pra pegar essas taças, vi uma caneca, no alto da prateleira, com o escudo da Universidade Balliol. De Oxford, então.

Meu pai esticou as mãos, esperando que ela continuasse.

– Você me abraçou de um jeito surpreendentemente familiar quando nos conhecemos, mas não abraçou seu filho. Mesmo com o seu relacionamento difícil – o sorriso do meu pai vacilou por um instante –, se você fosse tão inclinado a abraços, teria tentado com ele. Não, você sentia que me conhecia. Então deve ter ouvido falar de mim, e não pelos jornais, senão teria havido reação educada por pena e não abraço, mas por alguém que se referisse a mim de forma muito boa, e com carinho. Falar muito bem de mim já elimina os meus pais; com carinho, a maioria dos meus parentes. Meu irmão Milo não acredita em ter amigos, e, de qualquer maneira, você não teria motivo para conversar com um gênio dos computadores atarracado e discreto que só sai de seu apartamento em Berlim à força. Minha tia Araminta é simpática o suficiente, o que significa que é muito fria pelos padrões da sociedade. A prima Margaret tem doze anos e a tia-avó Agatha está morta, e essa é a *tour de monde* dos efusivos membros da minha família.

"Exceto, é claro, meu querido velho tio Leander, da turma de 1989 da Balliol, que me deu meu violino, e é o primeiro Holmes conhecido por dar uma festa de livre e espontânea vontade. É claro que vocês são amigos." Ela olhou para ele por um segundo. "Ah. E dividiram uma casa. Por pelo menos um ano, não mais que três."

Servi outra taça de champanhe e virei de um gole só.

Meu pai, inteligentemente, afastou a garrafa.

– Você é tão esperta quanto ele, Charlotte, e muito mais rápida. Embora o Leander, abençoado seja, seja preguiçoso o bastante para resolver um crime e se esquecer de informar aos clientes por meses.

"Ele veio à sua festa de aniversário de sete anos", me disse meu pai. "Você não se lembra?" A minha festa de sete anos tinha acontecido num daqueles parques com pista de kart e meia dúzia de jogos de fliperama. "Ele te trouxe um coelho de presente. Um troço gigante. Com orelhas caídas enormes. Sua mãe, sendo a sua mãe, o mandou imediatamente para uma bela casa no campo."

– O Harold – falei, juntando as peças. Era o nome do coelho. Eu tinha uma lembrança de um homem imenso com cabelo puxado para trás e um sorriso indolente.

– Eu dividi uma casa com ele antes de conhecer a sua mãe – explicou ele. – Tempos de solteiro, antes de eu ser atraído para Londres. Leander tinha se estabelecido como detetive particular, e eu... bom, eu estava bem entediado. Fomos apresentados num evento de ex-alunos num pub; tenho certeza de que você já percebeu o quanto todo mundo fica ansioso para apresentar um Holmes a um Watson. Ele estava flertando com o barman. Acho que ele o levou para casa no final. Leander ativava seu charme, quando a situação pedia.

Ele ergueu uma sobrancelha para Holmes, que não corou, mas pareceu que estava quase.

– E vocês ainda são amigos? – perguntei.

– Sim, é claro – respondeu meu pai. – Nós dois somos o melhor tipo de desastre. Tão diferentes quanto a água do vinho. Bom, mais como o vinho e uma taça. – Ele estudou meu rosto por um instante. – Achei que uma sacudida na sua vida seria boa, Jamie. Aquela escola em Londres era muito cara para a porcaria de fábrica de mauricinhos que era e, mesmo com o que eu podia contribuir, não dava para manter você lá. Eu comentei as minhas frustrações com o Leander, e ele mencionou que a Charlotte aqui tinha acabado de ser depositada, sem amigos e sozinha, a apenas uma hora da minha casa. Você achou mesmo que isso era uma coincidência, vocês dois acabarem aqui, nos Estados Unidos, no mesmo internato?

Eu estava de saco cheio de todas aquelas surpresas bombásticas e das perguntas retóricas.

– Sim – falei, de propósito. – Além disso, a sua torta está com cheiro de queimada.

Holmes farejou o ar.

– Está com um cheiro muito bom, isso sim – comentou ela, e a tirou do forno para esfriar. Olhei irritado para ela. Ela fez um gesto impotente.

– O valor da escola... bom, o Leander se ofereceu para pagar. Quando eu recusei, ele me disse que se não fosse isso, ele ia simplesmente comprar outro Stradivarius. Tentei dizer a ele que ia ter que colocar uma cidade inteira na Sherringford para chegar perto do preço de um Strad, mas ele se manteve firme. Eu cedi. E aí o Leander mexeu os pauzinhos com o conselho administrativo e te ofereceu uma "bolsa". Você não se perguntou por que não perdeu a bolsa quando foi suspenso do time de rúgbi? – Ele sorriu. – Foi por isso. A coisa toda foi muito engraçada. Acho que ele se divertiu bastante.

– Sim – falei, pensando em todo o meu ressentimento violento por ser mandado para longe, tendo que deixar Londres, os meus amigos, a minha irmã. – Engraçado.

— Muito bem. — Meu pai juntou as mãos. — Vocês se conheceram! Vocês são amigos! Arrumaram um assassinado! Eu não poderia ter pedido mais nada. Vamos lá, vamos comer antes que o detetive chegue.

O telefone de Holmes vibrou.

— Eu preciso atender, com licença.

Ela saiu pela porta dos fundos e eu a observei pelo vidro enquanto ela andava de um lado para outro, ainda de vestido, falando rapidamente com alguém.

— Quem será? — eu me perguntei em voz alta. — Deve ser o irmão dela.

Meu pai continuou cortando a torta.

— Espero que você não esteja terrivelmente bravo comigo.

— Não tô — respondi. — Tô furioso.

— Mas parece que tudo deu bastante certo, você tem que admitir. — Ele me passou um prato lotado. Desejei não estar morrendo de fome.

— *Bastante certo?* Isso deu bastante certo? — Engasguei. — Meu Deus, não tenho que te dar crédito nenhum.

— Jamie. Por favor, não seja assim. — Ele estava evitando os meus olhos. — Você não está feliz de ter conhecido a Charlotte? Ela é um amor, não é?

— Dá pra parar de disfarçar? Não se trata da Holmes, se trata dos pauzinhos que você mexeu pra me trazer pra cá. Caramba, você nem me conhece! Fazia anos que eu não te via! Como é que você não entende que estar entediado não é uma desculpa pra chegar e cagar a minha vida por diversão?

– Olha o jeito de falar – advertiu meu pai.
– Você não pode fazer isso. – Eu me ouvi aumentando a voz. – Você não pode se desviar de cada resposta que não gosta. Eu tô numa tremenda confusão que você, sei lá por qual motivo, resolveu achar *engraçadinha*.

Com as mãos tremendo, ele abaixou a faca. Fiquei chocado de ver os olhos dele brilhosos de lágrimas.

– Você está certo, Jamie. Eu não te conheço mais. Deus que me perdoe por querer que isso mude.

A campainha tocou.

– Ele chegou adiantado – comentou meu pai, e serviu correndo um pouco de torta para Holmes. – Eu atendo.

Quando ele saiu da cozinha, soltei o ar que eu nem sabia que estava segurando, trêmulo.

Holmes voltou para dentro de casa.

– Nossa, aquilo pareceu bem brutal – comentou ela, me olhando. Era uma observação, não uma tentativa de ser empática, então eu não precisava responder.

– Senta – falei, puxando um banquinho. – Quem te ligou?

Meu pai entrou com o detetive Shepard atrás dele. Holmes leu algo nas expressões deles que eu não percebi, porque a postura dela, sempre impecável, ficou completamente dura.

– Jamie. Charlotte. – Notei que Shepard estava com olheiras. – Gostaria de conduzi-los de volta à delegacia. Agora.

– Do que você está nos acusando? – perguntei.

— Gostaria de conduzi-los de volta à delegacia — repetiu ele, deliberadamente sem responder.

— Você vai ter que esperar pelo meu advogado — informou Holmes, de maneira tranquila. — Ele vai representar nós dois, mas, como o escritório dele é em Nova York, pode levar várias horas até ele chegar. Se importa se eu ligar pra ele?

O detetive assentiu, e ela fez a ligação ali mesmo.

Senti uma onda de alívio. O pior possível estava acontecendo. Eu podia, enfim, parar de temer que acontecesse.

O meu pai, sendo o meu pai, escolheu aquele momento para começar a se preocupar.

— Você se importa se, enquanto isso, eles comerem? — perguntou ele, com um apelo na voz. — Não sei quanto tempo eles vão ficar na... na delegacia, e o jantar está na mesa. Você está convidado a se juntar a nós, claro.

Shepard hesitou. Ele prestou atenção na figura magrinha de Holmes, no prato saindo fumaça na minha frente, e percebi-o ceder.

— Certo. Eles podem comer, já que vamos ter mesmo que esperar pelo advogado. Mas sejam rápidos.

Ele colocou a bolsa no chão e se sentou.

Fiz um esforço com a torta, mas a deixei de lado depois de algumas garfadas. O escrutínio de Shepard me deixou muito desconfortável para comer. Da parte dela, Holmes resolveu criar apetite. De forma lenta e meticulosa, ela tirou as cenouras da crosta, uma por uma. Depois de removidas, ela as cortou em quatro, depois cortou ao meio de novo. Após espetar cada pedaço com o garfo, mergulhou-as no purê de batatas e levou-as até a boca. Ela mastigava cada garfada dezessete vezes. E então repetiu o processo. Do outro lado da mesa, meu pai a observava, com uma das mãos segurando a mesa com força.

Eu me perguntei se ele ainda estava se divertindo.

O silêncio reinava. Depois de vinte minutos, Holmes ainda nem tinha chegado ao bife, e o detetive começou a se remexer na cadeira, incomodado. Aproveitei a oportunidade para catalogá-lo, para tentar delinear algumas deduções holmesianas. Decidi que ele tinha trinta e tantos anos. Bem barbeado, mas com roupas amarrotadas. Ele claramente não fora para casa para se trocar ou tomar banho desde o interrogatório de Holmes na noite passada. Ele usava aliança na mão esquerda. Não dava para saber se tinha filhos, mas a decisão de nos deixar jantar me fez pensar que sim. O que eu não conseguia explicar era a relutância que irradiava dele, a forma como projetava inquietude na postura, no olhar, com a testa enrugada. Como o meu pai, ele tinha perdido a avidez.

– Eu entendo por que você fez aquilo. Com o Dobson – comentou ele, baixinho, observando Holmes comer. Ela não ergueu os olhos. – Todo relato que chega aos meus ouvidos diz que o garoto era um imbecil, e ele tinha fixação por você. Mas o que não compreendo é por que você não contou à escola sobre o abuso e pôs um fim nisso. E não entendo por que vocês dois atacariam Elizabeth Hartwell. Bryony Downs, a enfermeira da Sherringford, me contou que você, Charlotte, se comportou de forma estranha a noite inteira no baile...

– Belo jeito de fazer amigos – eu disse a ela.

– ... e depois os dois saíram perseguindo aquele cara naqueles túneis subterrâneos dos quais eu nem nunca tinha *ouvido falar*, onde encontramos vocês numa sala saída diretamente de um programa de TV de detetive, só *esperando* por nós. Achei isso lá. – Ele tirou uma calça e uma camisa preta da bolsa, e as sacudiu para que ela as inspecionasse. – São suas?

As roupas no colchão.

Ela olhou de forma desinteressada.

– Sim – respondeu ela. – Embora, se as tiver examinado, vai ver que nunca foram usadas.

Shepard concordou. Ela não estava dizendo nada que ele não soubesse.

– Eu as examinei, Charlotte. Dei muitos telefonemas essa manhã. Um deles foi para a sua mãe.

Meu pai se inclinou para a frente.

– E?

Shepard esfregou a testa, pensando, e em seguida tirou uma pasta da bolsa, abrindo-a na mesa.

– Jamie, você se importa de identificar esse suposto traficante de drogas para mim?

Afastei meu prato. Os doze homens na minha frente eram todos loiros e feios. A idade deles variava entre alguns anos mais velhos que eu e quarenta. Um deles ostentava uma cicatriz na sobrancelha. Outro sorria, sem dentes.

O terceiro de cima era o que mais se aproximava ao que eu lembrava. Puxei pela memória.

– Ele – falei, soando levemente mais confiante do que me sentia.

– Esse homem se entregou esta manhã – informou ele, tocando a foto. – Contou que a Charlotte vem traficando para ele faz anos. Me deu um registro, com a letra dela, das transações que ele disse que ela tinha feito para ele. Pediu desculpas, falou que tinha enxergado seus erros, que ele só queria que a garotada agora ficasse a salvo *dela*. – Shepard fechou os olhos por um instante dolorido. – Os registros são impecáveis, sabe. Eles batem perfeitamente com a amostra da sua letra, Charlotte, que consegui com a sua professora de biologia.

– Qual é o nome dele? – perguntou Holmes, demonstrando um tiquinho de interesse.

Shepard ergueu uma sobrancelha.

– Ele disse que era John Smith.

Sem falar nada, Holmes saiu da cozinha, voltando um segundo depois com o caderninho vermelho. Ela o folheou na mesa até chegar a uma página perto do final. Estava escrito CHARLOTTE HOLMES É UMA ASSASSINA, com a própria letra pontuda dela.

– Acredite ou não – declarou ela –, a gente encontrou isso no carro do John Smith.

Ela voltou ao seu jantar.

– Vamos dar sequência conversando com os alunos para quem a Charlotte vendeu – nos disse o detetive. – Então vamos descobrir a verdade.

— Ele forjou esses registros — falei, olhando para ela. — Todos eles. Aqueles naquela sala...

— Olha — interrompeu Shepard. — Uma das minhas ligações essa manhã foi para a Scotland Yard. Todos por lá atestam o seu bom caráter, Charlotte. Tá, alguns podem não gostar muito de você, e eles não se surpreenderam que estivesse envolvida num crime, mas juraram o tempo todo que você não machucaria ninguém. Que irritasse alguém até a morte, talvez.

Um dos cantos da boca de Holmes se elevou, mas ela permaneceu em silêncio. O detetive esfregou os olhos.

— Também me asseguraram que se você *tivesse* feito isso, eu não estaria com você na minha lista de suspeitos de jeito nenhum. — Ele se virou para o meu pai. — Aparentemente, ela é muito competente. Então conversei com a polícia da Filadélfia sobre Aaron Davis, o traficante anterior da Sherringford, e parece que o moleque está cumprindo pena por lá por traficar oxicodona na Universidade da Pensilvânia. Tenho um colega por lá que me deve um favor, e ele fez algumas perguntas ao Aaron. Ele se lembra da Charlotte. Confirmou a história dela, que ele vendeu drogas para ela naquela sala ano passado. Também falou que ela não tinha amigos ou paciência suficientes para traficar por conta própria. Vamos dar sequência, como falei. O Aaron é um presidiário, então a palavra dele não é lá muito confiável, mas... — Shepard encolheu os ombros de forma expressiva. — Mas um garoto morreu. Outra está no hospital. Vocês dois parecem perfeitos para isso. Charlotte tem um laboratório particular de química onde ela guarda uma porção de venenos. E você – ele apontou para mim – poderia ter entrado facilmente no quarto de Lee Dobson à noite. Você estava flertando com Elizabeth Hartwell. Para o mundo todo, parece que vocês dois estão envolvidos em algum tipo de pacto amoroso que deu errado. Pode ser que alguém esteja fazendo o melhor para armar para cima de vocês, possa estar jogando absolutamente tudo na parede para ver se algo cola, mas a resposta bem mais *racional* é que Charlotte Holmes não seja nem a metade tão capaz quanto todos pensam que ela é. Posso não gostar disso, mas até que eu tenha uma resposta melhor...

Holmes ergueu os olhos e, um pouco depois, o telefone de Shepard tocou.

– Só um segundo. – Ele o colou na orelha. – Shepard. Mais devagar. Ela *o quê*? Não. Não, tudo bem. Tá. Ela está... bem. Certo, vou para lá assim que puder. – Olhando para nós com alívio, ele concluiu: – Só preciso terminar algo aqui.

– A torta tá uma delícia – Holmes elogiou o meu pai. Ele a encarou, impotente. – Tem mais?

Alguém tinha tentado matar Lena.

Foi o que o Shepard nos disse. Sem se incomodar com a ausência de Holmes, Lena passara o dia seguinte ao baile na cama, lendo revistas e comendo um pacote de biscoitos que tinham mandado para ela de casa. Ela estava ouvindo música tão alto que, quando bateram na porta, de início ela não teve certeza se tinha só imaginado. Mas quando ela enfim se levantou para verificar, lá estava na entrada: um embrulho, e dentro do embrulho, uma caixinha de joias de marfim.

Embora tenha tirado o papel do embrulho, Lena não abriu a caixa. Com a colega de quarto que tinha, ela já tinha se acostumado a ver algumas coisas esquisitas e, no passado, quando pacotes misteriosos tinham chegado, eles sempre eram para Holmes. ("Eu faço muitas compras online", Holmes contou ao detetive Shepard sem nem piscar.) Então ela colocara a caixinha na mesa da colega e tirara uma soneca.

Ela acordou vinte minutos depois com um homem de máscara de esqui inclinado sobre ela, com uma das mãos no seu pescoço, como se estivesse prestes a verificar seu pulso ou estrangulá-la. Lena gritou. O homem saiu correndo. E, imediatamente, ela chamou a polícia, entregando a caixa misteriosa para eles. Enquanto falávamos, eles a estavam examinando na delegacia.

Algo sobre aquilo era estranhamente familiar, mas eu não conseguia precisar o quê.

– Quando isso aconteceu? – quis saber Holmes, com as mãos tremendo. Eu não tinha percebido que ela gostava tanto de Lena. – Agorinha? Eu falei com ela não faz nem vinte minutos.

O detetive pegou um bloquinho e papel.

– Sobre o quê?

Holmes apertou os lábios.

— Ela tinha derramado ponche em mim no baile e queria saber se eu ainda estava brava. Eu falei que não e que a gente ia mandar meu vestido pra lavanderia. Sem ressentimentos.

Então era Lena no telefone mais cedo. Eu nunca tinha visto Holmes atender uma das ligações da colega de quarto. Ela sempre as mandava, e as de todo mundo mais, direto para a caixa de mensagens para ouvi-las quando quisesse.

— Ela sabe que você foi à delegacia? Ela sabia onde você estava hoje? – perguntou ele.

— Não – respondeu ela. – A única pessoa com quem eu converso mesmo é o Jamie. Duvido que alguém na escola saiba que eu sumi, a não ser que eles tenham visto você nos arrastar na radiopatrulha. Mas estava escuro.

Meu pai estava tomando notas no canto.

— Escuro – murmurou ele para si mesmo.

— Mas a Lena tá bem? – perguntou Holmes. Seu lábio inferior tremia. – Desculpa, eu só... isso parece horrível, mas eu realmente acho que aquele homem estava lá pra me ferir, e não a Lena. E aquela caixa bizarra... Jamie, isso não te faz lembrar de algo também?

Charlotte não estava agindo como ela mesma. Ela estava agindo de forma *normal*. Como se ela não fosse entrar em alerta total ao escutar que tinha perdido um crime no próprio quarto. Como se não estivesse...

Eu me dei conta num segundo.

Ah, ela era brilhante. Como um cometa para o qual não era possível olhar diretamente sem queimar as retinas.

Como um lago bioluminescente. Ela era uma detetive/cientista de dezesseis anos que só de te olhar saberia contar a história da sua vida, que enchia caixinhas-surpresa esculpidas com molas envenenadas numa manhã cedo de sábado quando todos, incluindo eu, estavam dormindo em suas camas.

Ela havia armado para ser o alvo de um falso crime para nos fazer escapar de sermos suspeitos do crime de verdade. E havia usado Lena, e algum cara misterioso, para fazer isso.

– Culverton Smith – falei, juntando as peças em voz alta por causa de Shepard. – É de uma história do Sherlock Holmes. Estão armando pra cima da gente. Caramba, fala pros seus policiais usarem luvas quando manipularem aquela caixa. Luvas grossas.

Pelo menos ele me levou a sério.

– Ligando agora mesmo. Mas quero uma explicação assim que voltar. – Ele saiu da casa.

– Você é uma gênia – falei para Holmes.

Do outro lado da mesa, Holmes foi de falsa preocupação a uma satisfação bem real.

– É uma bela história, sabe. "A aventura do detetive moribundo." Pena que o dr. Watson tenha encoberto o que deveria ter sido um exercício de lógica em todo aquele lixo sentimental sobre seu parceiro.

Para mim, *A aventura do detetive moribundo* sempre foi a história de Sherlock Holmes mais difícil de ler, e não porque não fosse brilhantemente escrita. É de 1890.

O dr. Watson, que está morando longe de Baker Street com a esposa, é chamado com urgência ao leito de morte de Sherlock Holmes. O detetive pegou uma doença altamente contagiosa e rara que, conforme conta ao dr. Watson, só pode ser curada por Culverton Smith, um especialista em doenças tropicais que vive nas redondezas. A pegadinha: Smith odeia Holmes porque ele o acusou, corretamente, de assassinato. A vítima dele tinha sido infectada, e morrido, da mesma enfermidade. Mas Holmes insiste que Watson traga Smith assim mesmo, pois ele é a única esperança. Enquanto Sherlock Holmes repete uma série de ordens ridículas sobre como Watson deve ir buscar esse especialista, Watson pega uma pequena caixa de marfim à toa que estava ali na mesa. Sem explicação, Holmes insiste que Watson a largue e não toque nela de novo.

O tempo todo, Watson pensa que o melhor amigo está morrendo. É devastador de ler, e ainda mais conforme vemos Watson seguir as ordens de Holmes – fruto claro de uma mente alucinada – à risca. Por confiança, afeição ou velho hábito, não se tem certeza, mas, de qualquer forma, a última dessas orientações insanas é para que Watson se esconda no armário como preparação para a chegada de Smith. Smith entra. A iluminação está fraca. Holmes está suando numa agonia febril no sofá. O especialista começa a tripudiar, achando que ele e o detetive estão sozinhos. Aquela caixinha de marfim? Ele a tinha enviado, contaminando-a com uma mola de metal infectada, esperando pegar Holmes desprevenido com ela. Depois de Smith confessar tudo a Holmes, que ele acredita ser um homem morto, Holmes pede que ele aumente o lampião. É um sinal: irrompem o inspetor Morton, da Scotland Yard, que estivera aguardando na porta, e Watson, que testemunhara toda a conversa do armário. Smith é enviado para a cadeia.

E Sherlock Holmes? Nem um pouco doente. Ele fingiu os sintomas. Privou-se de comida por três dias até ficar pele e osso, depois aplicou uma cobertura convincente de maquiagem para teatro para se fazer passar por moribundo. E quanto à caixa, bem. Ele não correu perigo. Ele lembra a Watson que sempre examina sua correspondência com cuidado.

Charlotte Holmes tinha desfiado os detalhes do "Detetive moribundo" e os rearrumado para criar sua própria narrativa, colocando Lena em seu plano para vender a história. Quem seria o homem com a máscara de esqui? Tom? Improvável. Ainda assim, era bem o tipo de história que o nosso assassino obcecado por Sherlock Holmes teria aproveitado e usado contra nós.

A parte que eu não conseguia superar, que me distraía daquela exibição dos poderes de Charlotte Holmes, era lembrar o quanto o meu tataravô tinha confiado no dela. Ostras, eu me recordei. Entre as instruções que ele dera ao dr. Watson, Sherlock Holmes ficara falando de forma extravagante, em suas "alucinações", sobre ostras.

E o parceiro ainda tinha seguido exatamente suas orientações.

Pensei no interrogatório vazando som na delegacia. No caderninho que ainda estava aberto entre nós na mesa. Em como minhas próprias dúvidas a respeito da inocência de Holmes andavam juntas à dúvida de que ela pudesse nos tirar daquela enrascada.

Ela havia *acabado* de nos tirar daquela enrascada. E não importava o que a minha cabeça quisesse dizer, eu tinha certeza de que ela não era uma assassina.

– Desculpe não ter acreditado em você – eu disse baixinho à Holmes.

Ela balançou a cabeça.

– Eu precisava que o seu choque fosse autêntico pra ficar convincente.

– Não tô falando dos detalhes. Não preciso ouvir os detalhes. – Estiquei o braço pela mesa para segurar as mãos dela. – Eu quis dizer que não vou mais duvidar de você.

Observei-a me catalogar. As superfícies do meu rosto, a inclinação da minha cabeça, como eu estava sentado na cadeira, o calor dos meus dedos e a bagunça do meu cabelo: ela absorveu tudo, fez uma dedução a partir do que viu e, no fim, chegou a uma conclusão inesperada.

– Você não vai – disse ela com clara surpresa. – Você não vai mesmo, né?

Ao meu lado, meu pai limpou a garganta. Nem olhei para ele.

Quando Shepard voltou da conversa com sua equipe, contamos a ele a história de Culverton Smith. E ele nos disse o que já sabíamos. Eles tinham mesmo encontrado uma mola na caixa de marfim, pronta para atacar quando fosse aberta. A mola estava coberta com uma doença tropical infecciosa; o laboratório da polícia não estava certo da origem exata, mas eles chutavam Ásia. Amostras daquele tipo eram rigorosamente controladas e, até então, a busca deles a cientistas locais que tinham requisitado acesso a elas tinha sido infrutífera.

(Bem mais tarde, perguntei Holmes como ela havia botado as mãos na amostra. Ela falou algo sobre Milo, uma ex-namorada no Centro de Controle e Prevenção de Doenças, e "contagioso até não poder mais".)

– Isso aumenta muito minha lista de suspeitos – comentou Shepard. – Então voltamos à opção um. Alguém tentando de tudo para armar pra cima de vocês. Vamos ter que conversar sobre quem quer pegar vocês. E vou ter que notificar a delegacia de que não vou precisar de um par de celas. Pelo menos não hoje à noite.

Então o plano dele *tinha* sido nos prender.

– Deixa a gente ajudar vocês – pediu Holmes. – Sou uma informante oficial da Scotland Yard, e o Watson e eu – fiquei grato por voltar a ser tratado pelo sobrenome – somos especialistas no *modus operandi* do assassino. Histórias de Sherlock Holmes? Somos a escolha óbvia. Sem falar que podemos fazer perguntas informalmente a qualquer um na Sherringford sem levantar suspeitas, e vocês ainda levam uma excelente química e um relativamente destemido boxeador. Não somos uma pechincha. Somos artigos de luxo.

– Não – respondeu ele. – De jeito nenhum.

Holmes deu de ombros; tinha previsto essa resposta.

– Então eu vou conduzir minha própria investigação e lidar com o culpado, depois que pegar ele ou ela, como achar mais adequado.

– Você acha mesmo que ameaçar bancar a justiceira vai me fazer aceitar vocês dois? – quis saber Shepard. – Você é uma *criança*. Não sei o quanto a polícia do outro lado do Atlântico é desesperada, mas por aqui a gente segue as regras. Já não é o bastante vocês não serem mais suspeitos? Não vejo nenhuma razão para colocar você e o Jamie na linha de tiro.

– Realmente. Então talvez ligue para a Scotland Yard de novo e pergunte a eles o que aconteceu depois que tive essa mesmíssima conversa com a inspetora Green. Se ela ficar relutante em falar com você, diga a ela que sabe tudo a respeito do freezer, do gancho de carne, e de como a encontrei dois minutos antes de o assassino voltar. Sinceramente, eu podia ter chegado lá antes se ela não tivesse sido tão idiota. Logo no ano anterior eu tinha recuperado três milhões de libras em joias e dado todo o crédito a ela. – Holmes bocejou. – Mas faça isso de manhã. Tô acabada.

– Mas...

– Sr. Watson, o jantar estava uma delícia. O senhor se importaria de nos levar pra casa agora? – Sem esperar por uma resposta, Holmes desapareceu em direção à garagem, com o vestido longo se arrastando atrás dela.

Em sua saída teatral, ela havia deixado a minha jaqueta e o celular dela para trás. Eu os recolhi, tentando não me sentir seu empregado.

– Essa menina é uma figura – observou Shepard, admirado e, ao mesmo tempo, desesperado.

– Os Holmes. – Meu pai gargalhou, e pegou a chave do carro. – Dá para acreditar que ela é uma das mais simpáticas?

sete

Levou menos de um dia para Shepard concordar com os termos de Holmes.

– Vocês têm até o feriado de Ação de Graças – ele nos disse; eu estava com ele no viva-voz. O detetive tinha passado aquela manhã inteira investigando o quarto de Holmes e Lena e saído de mãos vazias. Não fiquei surpreso. Holmes, lógico, fora perfeita. – Pouco menos de um mês. Vamos compartilhar informações. *Compartilhar*, me entenderam? A inspetora Green me advertiu sobre como você gosta de bancar a mágica para poder fazer a grande revelação no final. Isso não vai colar aqui. – Uma pausa longa e ruidosa. – O único motivo pelo qual estou permitindo essa história de vocês bancarem os detetives é porque não quero que mais nenhum jovem se machuque. Incluindo vocês dois. Por isso, Jamie, preciso que você fique de olho nela. Ouvi dizer que você é bom de briga. Por mim, tudo bem.

– Você acha mesmo que eu não consigo me cuidar sozinha? – perguntou Holmes, esparramada no sofazinho que nem uma gata molenga. – Pois saiba que sou especialista em luta com bastão e baritsu.

— É, e às vezes um par de punhos é bem mais útil – falei –, mesmo que menos dramático. Vou ficar de olho, detetive. O senhor vai nos inocentar publicamente?

— Péssima ideia – expressou Holmes. – Isso pode levar o assassino a intensificar suas ações, se achar que precisa convencer a polícia de novo de que somos culpados. Não, fale com a escola em particular, mas não deixe que ninguém libere um comunicado.

— Certo. – Mais ruídos. – Vou enviar o que já sabemos a respeito da cobra.

— E uma cópia de *As aventuras de Sherlock Holmes* – falei.

— Certo. Só para vocês saberem, encontramos a máscara de esqui que o invasor usou numa lata de lixo fora do alojamento Stevenson, mas não conseguimos recolher digitais dela.

— Essas pessoas são muito profissionais – afirmou Holmes. Eu tossi. – Mas, sim, mandem o que vocês têm sobre a cobra. E quero acesso aos arquivos pessoais de todos os alunos e funcionários da Sherringford, incluindo qualquer informação de imigração da União Europeia.

— Eu perderia o meu emprego.

— Você perderia o seu emprego de qualquer maneira quando descobrirem que está nos deixando ajudar.

Estática.

— Feito – respondeu ele, enfim. – Charlotte, Jamie, fiquem de boca fechada.

— Claro, claro – Holmes assegurou. – Obrigada. – E desligou.

Era segunda-feira na hora do almoço. Eu havia me escondido no laboratório de Holmes numa tentativa de acabar o poema para a aula do sr. Wheatley naquela tarde. Já estava indo mal, mas aí vi Holmes terminar a série de problemas de cálculo nos dez minutos entre concluir uma experiência espumante e fedorenta e pegar o violino para passear pela sonata a Kreutzer de Beethoven como se fosse "Brilha, brilha, estrelinha".

Ela largou o arco.

— Tenho que esperar até o dia de aulas acabar para investigar. Duas horas! — exclamou ela. — Você acha que se eu botar fogo no prédio de matemática...

— Não.

— Mas...

— A resposta ainda é não. Por que você não me ajuda com esse poema? — perguntei, numa tentativa de distraí-la. Tem que ser "difícil para mim escrever", o que quer que isso signifique.

— O que você já tem? — quis saber ela.

— "O". Ou talvez "Um". Não tenho certeza.

— Sou ruim com palavras. — Ela sentou ao meu lado. — Muito imprecisas. Muitos tons de significado. E as pessoas as usam para mentir. Você já ouviu alguém mentindo pra você ao violino? Bem. Imagino que possa ser feito, mas seria necessário muito mais habilidade.

— Por falar em mentir... Quem bancou o seu mascarado na outra noite?

— Um dos peguetes da Lena. Eu sabia que precisava de algo seguro, e Lena estava disposta a entrar na onda. A gente montou a base uma semana atrás. Tudo o que ela precisava era de um sinal para seguir em frente. Ela ficou comentando com ele que adorava filmes de terror, e que sentir medo a excitava, e ficava perguntando se ele tinha uma máscara de esqui, esse tipo de coisa. Tudo o que ela teve que fazer foi mencionar que eu não estaria lá no domingo à noite. Ele não questionou nadinha quando ela gritou e botou ele pra correr e, depois, eu fiz ela jogar uma máscara nova que eu tinha pegado no depósito de atletismo na lixeira do lado de fora. Sério, é ótimo que ela seja completamente doida. Significa que ela se safa de tudo.

— E como ela está depois do "susto"?

— Ah, tá ótima – respondeu Holmes, distraída. – Acho que tá contando os dias pra bolsa nova dela chegar pelo correio.

Baixei a caneta.

— Achei mesmo que você teria que pagar ela por isso. Com que dinheiro?

Ela mordeu o lábio.

— Ela não aceitou dinheiro. O que, pra ser sincera, me deixa nervosa.

— O fato de ela gostar de você o suficiente pra te ajudar de graça? *Isso* te deixa nervosa?

— Eu preferiria negociar transações quantificáveis – respondeu ela. – Mas ela falou que tinha arrasado no pôquer e me lembrou de que a mesada dela é inacreditável.

Depois disso, ela me sentou na frente do laptop dela e me fez ajudar a escolher algo chamado *minaudière*. Parece um sapo cravejado de joias.

— Ah — falei, pensando no que significava Holmes nunca ter se oferecido para me pagar.

— Eu tenho um fundo para dias tempestuosos — comentou ela, sem me encarar diretamente. — Até recentemente, vinham caindo... muitas tempestades. Mas eu... eu tenho tentado usar um guarda-chuva.

— Viu, e você diz que é ruim com as palavras. Vou roubar isso.

Anotei aquilo.

Ela foi até a estante de livros e acendeu um cigarro. Com a ponta do sapato, cutucou a cópia de *A inquilina de rosto coberto e outras aventuras de Sherlock Holmes* antes de se agachar para pegá-la. Dava para ver que eu a tinha perdido para seus pensamentos.

Parecia um momento tão bom quanto qualquer outro para fazer o que eu vinha evitando.

Os corredores do hospital estavam vazios quando cheguei, carregando um buquê de flores. Não foi difícil encontrar a enfermaria certa. Estava vigiada como um forte. Felizmente, o detetive Shepard teve meios de colocar o meu nome na lista de visitantes e, depois de mostrar minha identidade para dois guardas diferentes, tive permissão de entrar no quarto dela.

Tinham me dito que ela estava acordada, mas os olhos estavam fechados quando entrei. Ela estava com uma aparência péssima. O cabelo loiro estava grudado na cabeça de tanto suor, os braços envolvidos por tubos e esparadrapo. E, estranhamente, ela estava segurando um quadro branco junto ao peito como se fosse um ursinho de pelúcia. O mais silenciosamente possível, coloquei as flores na mesinha ao lado da cama e fiquei na dúvida se escrevia um bilhete. Era para isso que servia o quadro?

Enquanto eu estava ali, Elizabeth abriu um dos olhos, depois o outro.

– Oi – falei. – Espero que não se importe de eu ter vindo.

Ela balançou a cabeça negativamente, embora eu não tivesse certeza se era um *Não, eu não ligo*, ou, *Não, na verdade, vá embora*.

– Posso me sentar?

Um aceno com a cabeça.

– Quanto tempo até você recuperar a voz? – perguntei. Quando o detetive Shepard comentou que Elizabeth não fora capaz de falar com a polícia, eu não achei que ele queria dizer literalmente.

De forma lenta e dolorosa, ela tirou um marcador das dobras do cobertor e rabiscou algo no quadro. Dei uma espiada no que ela estava escrevendo. Dizia *Não sei*.

Eu não tinha a intenção de interrogá-la. Não foi para isso que eu tinha ido. Além do mais, Shepard tinha nos contado que os pais de Elizabeth pediram à polícia que esperasse alguns dias. Disseram que ela já tinha passado por muita coisa sem ser forçada a reviver tudo aquilo.

— Sinto muito — eu disse Elizabeth, olhando para as minhas mãos. Eu tinha ido para me desculpar. Por isso não levara Holmes. Desculpar-se era o tipo de coisa que a deixava doida.

Um som de rabiscos. *Pelo quê?*

— Pelo que te aconteceu. Você não merecia. Nada disso. Sinto muito.

Eu não me lembro de tudo. Mas o detetive me contou que você me encontrou e pediu ajuda. Obrigada. Os olhos exaustos dela encontraram os meus. Exaustos e gentis. Eu não merecia aquela gentileza.

— Espero que você melhore logo — falei, me levantando para ir embora.

Rabiscos de novo. *O detetive falou "carbúnculo azul" pros meus pais. Ele achou que eu tava dormindo. Explica?*

Voltei a me sentar.

— Você conhece a história?

Uma negativa com a cabeça. Ela apagou o quadro com a camisola do hospital e escreveu *Fale rápido. Meus pais foram pegar comida. Eles não me contam nada, mas eu preciso saber.* Ela sublinhou as últimas três palavras furiosamente.

Eu entendia a sensação de ser mantido na ignorância.

— É uma história de Sherlock Holmes — comecei — sobre um raro diamante desaparecido. Um carbúnculo azul. Que um policial encontra na garganta de um ganso de Natal morto na rua. Holmes e Watson rastreiam a origem do ganso até seu criador e, de lá, ao irmão do criador. Ele tinha roubado a gema de uma condessa e escondido no papo do ganso.

Era uma versão rápida e sórdida, a chata, só os fatos, sem nada interessante. Deixava de fora todos os detalhes que faziam da história algo que eu amava. Mas as estratégias de Sherlock Holmes e as observações do dr. Watson não tinham lugar naquele quarto vigiado de hospital.

Mesmo assim, Elizabeth escutava avidamente. Quando acabei, ela levantou o quadro branco. *Então acho que eu sou o ganso.*

Eu hesitei, e ela ergueu as sobrancelhas num desafio.

– Acho que sim – comentei.

Que loucura.

– É. – Era mesmo, demais. – O quanto você se lembra daquela noite?

Não muito. De ver você. De ficar com Randall. Eles me mostraram o troço que tava na minha garganta.

– Você reconheceu?

Não. Os olhos dela imploravam. *Você sabe algo a respeito?*

– A polícia está tentando resolver isso o mais rápido possível. – Respirei fundo. – O Randall fez isso com você? Você lembra?

Ela balançou a cabeça, corando um pouco. *Eu não me lembro do rosto dele, mas ME LEMBRO do que o cara falou. "Mande lembranças à Charlotte Holmes." Acho que Randall não diria isso.*

Houve um tumulto do lado de fora da porta.

— Quem você deixou entrar para ver a minha filha? Um amigo? Qual o nome dele?

Não escutei o policial responder. Rapidamente, Elizabeth apagou o quadro e começou a escrever outra coisa.

A mãe de Elizabeth irrompeu no quarto com os braços cheios de comida chinesa.

— Não precisa me dizer — disse ela, em um tom ameaçador. — Você é Jamie Watson. É o rapaz que encontrou ela.

Ela pode ter dito *encontrou*, mas estava claro que ela queria dizer *atacou*. Os olhos de Elizabeth se fixaram aos meus.

— Não — respondi, estendendo a mão. — Eu sou o Gary. Gary Snyder.

Ele era um poeta que estávamos lendo na aula do sr. Wheatley, um que eu odiava com todas as forças.

— E o que exatamente você está fazendo aqui, Gary Snyder?

Elizabeth puxou a manga da mãe. Ela levantou o quadro branco: um jogo da velha pela metade.

Charlotte Holmes teria ficado orgulhosa.

A mãe dela se desarmou.

— Temos andado tão preocupados, meu amor — disse ela, e irrompeu em lágrimas por cima da cama da filha.

Entendi aquilo como a minha deixa para ir embora. *Acho que tenho algumas pistas*, mandei por mensagem para Holmes no elevador.

De certa forma, não fiquei surpreso ao encontrar o detetive Shepard esperando por mim no sofá da sala 442 do prédio de ciências.

— Da próxima vez, me *digam* quando estiverem planejando armar alguma coisa – falei, pendurando a jaqueta. – Os pais dela tinham saído convenientemente? Ah, a Elizabeth não podia falar com o detetive, mas podia falar *comigo* facilmente. Qual foi, vocês esperaram até eu sair e aí fizeram a cantina do hospital fechar? – Essa última foi direcionada à Holmes.

Do outro lado da sala, ela cutucou o esqueleto de abutre até ele girar em círculos.

— Só pra constar, eu só esperei você sair e aí fiz o restaurante Emperor Kitchen oferecer comida para viagem a todas as famílias na UTI. Vou fazer o Milo pagar. Eu te disse que ele ia hoje ou amanhã – disse ela ao Shepard. – Você devia confiar mais em mim, sabe. Eu *sou* a maior especialista do mundo em Jamie Watson.

— Escutem, não me importo de interrogar ela, mas, da próxima vez, quero estar por dentro. Senão eu vou só fazer o meu próprio tabuleiro de xadrez e deixar vocês me moverem por aí.

— Pare de ser dramático e nos conte o que aconteceu – pediu Shepard, como se quisesse sair dali o mais rápido possível. Não dava para culpá-lo; Holmes tinha iluminado o pote de dentes pela parte de trás, provavelmente prevendo a visita do detetive. Pensei que devia ser a versão dela de pendurar luzinhas decorativas.

Eu contei tudo para eles. Shepard soltou um grunhido baixinho.

— Mande lembranças à Charlotte Holmes – repetiu ele, balançando a cabeça. – Preciso falar com John Smith de novo. Ele não confessa o ataque. Só a venda de drogas, e só me passa as informações que quer que eu use contra *você*, Charlotte.

Holmes tocou o nariz do esqueleto, paralisando-o em sua órbita.

– Algo mais vai acontecer se o nosso agressor não conseguir o que quer – observou ela. – Mais alguém vai se machucar.

– O que ele quer? – indaguei. – A gente trancafiado, jogando a chave fora. Não vejo como ele vai conseguir isso. A não ser que o Shepard nos prenda de mentira.

– Não. – Ela franziu a testa. – Eu preciso de acesso livre ao campus, não ficar apodrecendo numa cela. Precisamos descobrir a conexão entre o homem que você prendeu e o homem que ele afirma ser. Preciso traçar um plano.

– *Nós* precisamos traçar um plano – afirmou Shepard.

E assim fizemos.

Holmes e eu começamos refazendo os nossos passos pelos túneis de acesso, de volta ao depósito com cordão de isolamento da polícia. As pegadas de John Smith ainda terminavam na porta da sala, literalmente um beco sem saída. Mas Holmes se recusou a desistir. Cobrimos o que pareceram quilômetros de trechos naquela noite, com ela indo na frente e eu atrás escondendo um bocejo.

Quando voltamos ao laboratório, ficamos acordados até ainda mais tarde examinando o exemplar da biblioteca da escola de *As aventuras de Sherlock Holmes*. Era uma edição novinha das histórias. O marcador que o assassino tinha colocado dentro era um daqueles que a Sherringford deixava na escrivaninha por onde todos circulavam, e não tinha nada a não ser as digitais do bibliotecário da escola. Mas isso era esperado. Além disso, o sr. Jones não tinha nenhuma ligação concebível nem comigo, nem com Holmes. O livro em si não tinha nada digno de nota: lombada intacta, páginas intactas. A única coisa fora do comum em relação a ele era que o assassino o tinha enfiado nas mãos geladas de Dobson. Ao amanhecer, quando Holmes começou a examiná-lo página por página com uma lupa de verdade, eu me enrolei no chão para dormir.

Passei as noites seguintes ainda mais cansado, revirando todas as cenas da BBC América que tinham sido filmadas depois do assassinato de Dobson e colocadas online. A polícia tinha pedido tudo que não estava no site deles, e havia horas e mais horas com as quais lidar. Passei por todas quadro a quadro, procurando uma imagem do rosto do assassino. Eu precisava saber se o homem que Shepard tinha sob custódia era o mesmo que eu tinha visto circulando pela Sherringford. Levou muito tempo. Encontrei uma porção de especulações de repórteres sobre a vida num internato, sobre como jovens privilegiados consideram o assassinato apenas outro jogo. Achei um monte de entrevistas em que nossos colegas de turma esculhambavam Holmes, me esculhambavam, choravam para dar um show. Comi um monte de salgadinhos sabor jalapeno. E não vi nem um fio de cabelo do homem que estávamos procurando. Depois de dormir na aula de francês por três dias seguidos, o Monsieur Cann sugeriu alegremente que talvez eu preferisse estudar espanhol, *n'est-ce pas?*, e decidi declarar a pesquisa solo infrutífera.

Enquanto eu estivera grudado no meu laptop, Holmes tinha feito o trabalho externo, recolhendo filmagens de segurança mais próximas. A Sherringford não tinha câmeras próprias, então ela percorrera um circuito das lojas cujas fachadas ficavam de frente para o campus, conseguindo informações confidenciais dos sistemas de segurança deles. Depois, me contou ela, era só hackear os dispositivos deles, usando um código particular que o irmão dela tinha ensinado e que, é claro, ela tinha modificado por conta própria usando o diferencial blá-blá e depois algo mais que parecia cálculo conversacional, e meus olhos começaram a ficar vesgos.

Ela cutucou meu ombro com o sapato e eu o prendi com as mãos.

– Quê? – perguntei.

– Já que você não liga para os trabalhos mais complexos de hoje à noite – ela balançou o pé para se soltar –, quer ficar encarregado dos salgadinhos?

– Salgadinhos são complexos. O que você acha de um salgadinho de milho bem, bem gostoso?

Mais filmagens. Mais cheetos de queijo comidos na escuridão da sala 442 do prédio de ciências, mais um fim de semana longo, sombrio e desperdiçado. Ainda nenhum sinal do cara que estávamos procurando. Será que ele conseguia ficar invisível? Será que ele sequer existia? Caí no sono com a cabeça num saco de pipoca de micro-ondas e acordei enjoado e irritado com a luz fraca da tela contra o rosto de Holmes. Meu relógio marcava 2:21 da madrugada, mas os olhos dela ainda estavam bem abertos.

Não havia mais nada a fazer a não ser pedir ao Shepard que me deixasse falar com aquele preso. Eu tinha certeza de que me lembraria da voz aguda e detestável dele, mesmo que não conseguisse reconhecer o rosto exatamente. Shepard enrolou por dias, mas quando ficou claro que nem ele nem nós estávamos progredindo, concordou em deixar um de nós vê-lo. Holmes, com os lábios apertados, concordou que deveria ser eu; afinal, eu o tinha visto melhor.

Na noite anterior à que eu ia à cadeia, o prisioneiro se enforcou.

Levou mais três dias até persuadirmos Shepard a nos deixar ir ao necrotério.

— Vocês são parte do clube forense – falou a examinadora médica, desconfiada.

Mudei meu peso de um pé para outro.

— O detetive Shepard é o nosso orientador – informei. Era verdade. Mais ou menos. Dava para considerar aquele semestre como o estudo independente mais bizarro que alguém já fez.

— Achei que o clube forense fosse a equipe de oratória da escola. – Ela piscou para nós através dos óculos. – Não o clube de ciências.

– Hum. Não ouvi nada a esse respeito – falei, com o rosto inexpressivo.

Apesar de ser um sábado, Holmes estava usando o uniforme da escola, com a gravatinha de laço apertada e perfeita. Ela havia achado um óculos com armação preta que encolhia suas feições, e desenhara as sobrancelhas para que parecessem mais grossas. Em geral, Holmes parecia uma arma. Hoje ela parecia uma nerd de um filme adolescente, aquela que podia tirar os óculos, sacudir o cabelo e ser eleita instantaneamente a rainha do baile.

Em resumo, tinha o visual do tipo de garota em que os adultos confiavam.

– Posso falar a verdade? – perguntou ela à examinadora num sotaque americano. Ela parecia ansiosa. Inteligente. – Eu queria mesmo vir aqui porque ouvi dizer que vocês têm um microscópio incrível. Eu estou com algumas amostras na bolsa da minha aula de biologia. Posso dar uma olhada nelas? Estou trabalhando num projeto para o concurso nacional de inteligência. Pesquisa sobre câncer.

A expressão da examinadora relaxou um pouco.

– Tudo bem – concordou e riu meio constrangida. – Por um segundo, achei que vocês queriam dar uma olhada num *corpo*.

Holmes também riu, sua risada de garota bonita.

– Ai, meu Deus, não sei se eu aguentaria. Como é que vocês se acostumam com isso? Você deve ser tão corajosa.

– Prática – respondeu a examinadora. Estava claro que ela não recebia esse tipo de admiração entusiasmada todo dia. – Prática e paciência.

— Eles são... são assustadores? Você ainda sente como se eles fossem pessoas? Ou muda para vocês dependendo do corpo? — Holmes balançou a cabeça. — Caramba, pensar nisso ia me deixar acordada a noite toda.

A examinadora franziu os lábios de forma filosófica.

— Deveria. Você está fazendo perguntas importantes, Charlotte. Penso nelas todos os dias.

Assenti para esconder o fato que eu achava que ela estava de palhaçada.

Como sempre, Holmes era melhor nisso do que eu.

— Uau — disse ela. — Só... uau. E, tipo, você comanda esse lugar inteiro sozinha. É demais. Quantos você disseca num dia?

— Na verdade, depende. No momento, só tenho um corpo intacto. — A examinadora andou até a parede de gavetas do necrotério. — Está se sentindo corajosa?

Ponto para nós.

Holmes olhou para mim com olhos arregalados.

— Ai, meu Deus — disse ela, uma imitação perfeita da garota inteligente e bem ajustada que nunca fora. — Talvez? Sim! Tá, sim, estou.

Colocamos luvas e máscaras e a examinadora fez sua melhor voz de vidente dizendo "John Smith!" enquanto puxava a gaveta da parede com um floreio.

Não vou descrever o rosto dele. Basta dizer que a morte por enforcamento o deixou inchado, machucado e irreconhecível, bem além do ponto em que eu poderia identificá-lo com certeza. Mas a altura parecia certa, os ombros.

Olhei por um instante para a garganta dele, desejando que pudesse escutar sua voz para ter certeza.

– Posso? – perguntou Holmes, estendo a mão até o antebraço do corpo.

Uma pequena linha apareceu entre as sobrancelhas da examinadora e ela disse:

– Acho que sim.

Holmes virou o braço dele rapidamente. O cara tinha uma tatuagem perto do punho no formato de bússola. Abaixo, a palavra "navegador".

Holmes olhou para mim. *Você se lembra disso?*, perguntavam os olhos dela. Balancei a cabeça em negativa e falei em voz alta:

– É o tipo de tatuagem que dá para esconder com manga comprida. – Ao olhar severo da examinadora, tossi. – Hum, ando pensando em fazer uma.

– O navegador – disse Holmes para si mesma, levantando o braço dele para examinar as unhas. Ela verificou as unhas uma a uma, levantou o queixo dele para olhar as veias do pescoço. Depois inclinou a cabeça para olhar as narinas do homem. – Moriarty significa "navegável".

A examinadora nos encarou de forma furiosa.

– Etimologia – justifiquei. – É bem popular. Com a garotada.

Nosso período nas graças dela havia acabado, e Holmes também sabia disso.

– Trabalho braçal – observou Holmes, deduzindo rapidamente. Ela puxou uma folha de papel dobrada e uma almofada de carimbos e tirou as digitais do homem enquanto a examinadora gaguejava. – Olhe para esses calos nos dedos. Olhe para o estado dos tornozelos. Ele é só músculo, mas não são de academia. São músculos de um homem trabalhador. Está vendo a queimadura da corda no braço dele?

– Ele não é um traficante – comentei. – Não é ele.

– Não é ele – confirmou Holmes, na voz rouca, selvagem e dela. – Jamie... é um Moriarty.

– Saiam. – A examinadora fez um sinal com a cabeça em direção à porta. – Agora.

No dia seguinte, faltei a todas as aulas (minhas notas estavam caindo, mais baixas agora do que jamais tinham sido) para ficar sozinho, para transformar minha meia ideia num projeto sem Charlotte espiando por cima do meu ombro. Eu usei os recursos a que Shepard nos tinha dado acesso e os arquivos que nós mesmos tínhamos reunido. Listas de passageiros de voos. Árvores genealógicas. Os Moriarty com fichas criminais e listas de seus pseudônimos conhecidos. Tirei o chicote pendurado na parede e afixei tudo isso no lugar, e então comecei a longa e árdua tarefa de cruzar referências. Eu precisava saber qual Moriarty tinha vindo para este país e quando. Se John Smith não era membro da família, com certeza estava na lista de pagamento deles. A questão era descobrir quem o tinha contratado.

No fundo, eu sabia que existia uma grande chance de eu estar exagerando nessa situação. Quase sempre, a resposta mais simples era a certa, e a ideia de que toda a família Moriarty estivesse envolvida em pegar a mim e Holmes era uma suposição bem grande e complexa. Mesmo que tivesse havido um conflito entre Holmes e aquela família, provavelmente fora algo pequeno e discreto, nada como a vasta conspiração que eu estava montando na parede.

Mas eu não parava de pensar em como o assassino de Sherringford estava recriando insistentemente as histórias de Sherlock Holmes. Os erros do passado que Sherlock e o dr. Watson tinham consertado estavam sendo trazidos ao presente, e os detalhes das boas ações que eles fizeram estavam sendo usados para nos ferir e ferir as pessoas que conhecíamos. Claro que talvez o assassino estivesse se vingando pessoalmente de Holmes, mas para mim parecia que era algo maior, mais antigo, algo que remonta há mais de um século.

Enfim, não dava para ignorar a forma como a palavra Moriarty me dava calafrios.

Foquei em quatro deles. Nos quatro Moriarty cujos paradeiros não eram ditados por empregos respeitáveis, que foram descuidados o bastante para que seus negócios obscuros fossem arrastados aos olhos do público. Quem quer que estivesse fazendo aquilo conosco era descuidado, não havia qualquer dúvida disso, e eu pretendia usar isso a meu favor.

Hadrian e Phillipa eram irmãos colecionadores de arte cuja fortuna, segundo rumores, tinha sido usada para comprar favores de ditadores de países que eles queriam roubar.

Lucien era o irmão mais velho de August, um conselheiro de alguns dos membros do Parlamento britânico mais ligados a escândalos. Li um perfil dele no *Guardian* que sugerira fortemente que Lucien Moriarty sabia como distribuir seu dinheiro para limpar o nome de quase qualquer um.

E aí havia o irmão mais novo de Lucien: August.

Para isso, eu não precisava procurar nos arquivos de Shepard. Foi só digitar o nome de August no Google e clicar um botão.

O primeiro artigo que surgiu foi da universidade dele em Oxford. August apresentara um teorema complicado numa conferência acadêmica em Dusseldorf. O repórter tomou um cuidado especial de mencionar a idade dele: estava fazendo o doutorado em matemática pura aos vinte anos. Ele devia ter sido um gênio para estar fazendo aquele trabalho tão jovem. O artigo descrevia a tese dele (números fracionários, imaginários) em termos leigos, e eu ainda não consegui sequer começar a entender.

Mas a data era de dois anos antes. Eu precisava de informação mais atual, para saber se ele ainda estava em Oxford, se tinha se formado, sido atingido por um carro, ou se mudado para, sei lá... Connecticut.

O resto dos resultados da busca levavam a periódicos acadêmicos e competições, todos datados do mesmo ano. Nem uma palavra a respeito de sua vida pessoal ou de ele namorando Charlotte Holmes. Só uma lista de suas conquistas: August, beneficiário de um prestigioso auxílio do Instituto Zalen. August, publicando sobre espaços vetoriais e o cosmos na *Mathematics Today*. August, mandado ao Círculo Polar Ártico para colaborar com cientistas estudando algo chamado "fractais".

Depois disso, não havia nada. Nem uma palavra fora escrita a respeito de August Moriarty nos últimos dois anos.

Coloquei tudo na parede, de qualquer forma.

Às três em ponto, Holmes escancarou a porta da sala 442, resmungando algo baixinho.

– Olá, Watson – disse ela antes de sequer ter me visto. – Você chegou cedo... – E então ela parou, olhando fixamente para a parede.

Eu percebi, tarde demais, que tinha basicamente recriado a toca do assassino que encontráramos nos túneis de acesso.

– Ah – disse ela.

Esperei pela explosão.

Ela suspirou, largando a mochila no chão.

– É um começo. Eu vim te dizer que o Milo verificou as digitais do John Smith em uns... bancos de dados mais incomuns. Ele trabalhou como doméstico pelos últimos cinco anos.

– Doméstico?

– Um empregado, Watson. Ele era o motorista da Phillipa Moriarty até desaparecer, quatro meses atrás. Aí está nossa ligação com a família. A pergunta é se ele estava fazendo tudo isso sozinho ou...

– Você não acha que ele estava. Então, a Phillipa?

Olhamos para a parede, lado a lado.

– Você já ouviu falar de um rei dos ratos? – Ela estendeu o braço e tocou a ponta da foto de Hadrian. – Os Moriarty, com seus rabos nojentos todos entrelaçados. Vamos tentar não separar eles ainda. Vamos começar descobrindo qual deles veio para este país e quando.

Sob ordens dela, manifestos de navios foram para a parede, cargueiros que tinham viajado da Inglaterra a Boston e os nomes dos marinheiros que os tripularam. ("Navegável", murmurou ela, colando-os no mural.) Verificamos listas de pistas de pouso e jatinhos particulares. Helicópteros. Barcos a remo. Repassamos registros tanto na Nova Inglaterra, como na Inglaterra. Moriarty era um sobrenome horrivelmente comum, mas as coisas ficaram ainda piores quando começamos a percorrer os pseudônimos conhecidos. Nossa coleção de papéis crescia dia a dia, até que engoliram a parede.

Phillipa discursara na inauguração de uma galeria em Glasgow. Lucien fora fotografado com o primeiro-ministro britânico. Hadrian apareceu em algum talk show alemão para conversar sobre a Esfinge. Como podia ser algum deles? Será que estavam cuidando de negócios na Europa e voando para Connecticut à noite para arruinar nossas vidas? Parecia absurdo, até para os nossos padrões. Passei todos os instantes na sala 442, trabalhando que nem louco. (Cheguei a ficar com a barba por fazer de um homem louco, o que, secretamente, achei muito legal.) E ela trabalhava bem ao meu lado com uma fúria que eu ainda não tinha visto. Quase todo o resto desapareceu completamente.

Principalmente para Holmes.

Ela parou de brigar comigo por causa de August Moriarty. Toda vez que eu tentava descobrir algo, qualquer coisa, a respeito do que tinha acontecido com eles, ela me olhava inclinando a cabeça de forma cansada, como se eu fosse uma mosca da qual ela não conseguia se livrar. Eu tinha quase certeza de que ela não estava comendo ou dormindo. Mas não era apenas o comportamento de Holmes. Seus olhos estavam, de certa forma, apáticos e secos, e quando ela coçava a cabeça de forma distraída, passando pelo milionésimo manifesto de passageiros, seus cabelos faziam um som estalado que cabelos não deveriam fazer. Eu ficava contendo o impulso de perguntar se ela estava bem, de tocar sua testa para ver se ela estava com febre. De cuidar dela.

Eu trazia comida, mas ela permanecia intocada no prato, não importava o quanto eu tentasse persuadi-la a comer. Quando a peguei levando vinte minutos para comer uma única amêndoa, comecei a me perguntar se existia algum tipo de guia watsoniano para cuidados dos Holmes.

Quando mandei um e-mail para o meu pai para perguntar sobre isso (Com o assunto Preciso da sua ajuda, pós-escrito *Ainda não te perdoei, nem vou*), ele respondeu que, sim, ao longo dos anos ele tinha anotado uma série de sugestões informais num diário e faria o possível para adaptá-las e digitá-las para mim.

Quando a lista chegou no dia seguinte, tinha doze páginas, com espaço simples.

As sugestões iam do óbvio (8. *No geral, bajular funciona bem melhor do que exigências diretas*) ao irrelevante (39. *Não permita, sob qualquer circunstância, que Holmes prepare o seu jantar, a não ser que goste de caldo frio e insosso*) ao absurdo (87. *Esconda todas as armas de fogo antes de dar uma festa de aniversário surpresa para Holmes*) a, enfim, o útil (1. *Procure com frequência por opiáceos e jogue-os fora, conforme necessário; a desforra não acontecerá sempre, embora seja rápida e precisa quando vier – não se apegue a espelhos e copos*; 2. *Durante sua busca, sempre comece pelos saltos ocos das botas de Holmes*; 102. *Não sinta remorso de drogar o chá de Holmes se ele não tiver dormido*; 41. *Esteja preparado para ouvir elogios uma vez a cada dois ou três anos*; 74. (sublinhado duas vezes) *O que quer que aconteça, lembre-se de que* não é culpa sua *e provavelmente não poderia ter sido evitado, não importam os seus esforços*). Eu me perguntei se deveria criar algum tipo de subcláusula se Holmes em questão fosse uma garota e o seu Watson um cara que gostava de garotas. *Não é culpa sua se você se importar demais com ela. Se quiser coisas impossíveis. Não poderia ter sido evitado, não importam os seus esforços.*

Tive que empregar a regra nº 9 (às vezes, para o seu próprio bem, você tem que deixar Holmes *se virar sozinho, mesmo que na volta descubra que ele pôs fogo em si mesmo*) quando a vida real começou a se acercar. O time de rúgbi tinha pedido permissão para que eu voltasse a me juntar a eles no que deveria ser minha última semana de suspensão, e a escola consentiu. Holmes insistira para que eu fosse. Vários amigos de Dobson estavam no pátio, e ela havia decidido que eu deveria perguntar a eles, de um jeito indireto, sobre as últimas semanas de vida dele. Se ele estava se encontrando com alguém novo, saindo do campus tarde da noite, recebendo ligações estranhas. Se algum cara loiro vendera alguma droga para ele, e o que ele dissera. Esse tipo de coisa. Eu imaginei que podia me virar bem na tarefa.

Holmes discordava.

– Você é um péssimo mentiroso – opinou ela, empoleirada na mesa do laboratório. Eu estava de pé na frente dela, como um aluno prestes a recitar seus deveres. – Mais especificamente, posso ler seus pensamentos como se estivessem escritos em letras maiúsculas na sua testa. Sério, às vezes você pensa tão alto que consigo te escutar na sala ao lado. Não tem como você abordar seus colegas de time de maneira inocente. Precisamos dar um jeito nisso.

– Sinto muito por saber da sua telepatia infeliz – rebati.

– Tá vendo? Você tá frustrado e acha que eu tô sendo grossa.

– Ah, muito bem. Belo trabalho de detetive. Por que estamos fazendo isso agora?

Ela passou uma das mãos pelo cabelo e respondeu:

– Watson, estamos empacados. Não conseguimos nada de novo. Vamos treinar você, certo?

– Certo. – Eu desmontei com a nota suplicante na voz dela.

Holmes sorriu.

— Vamos começar com o básico. Como reconhecer quando os outros estão mentindo pra você. Assim você pode começar a policiar seus próprios hábitos.

Ela me deu todas as dicas; para onde alguém olha quando está se recordando de algo, e quando está fabricando uma memória; qual a postura de um homem sincero, e de um mentiroso, como ficam os ombros (curvados), as mãos (atrás das costas, para esconder a inquietação), se ele prefere ficar de pé ou se sentar (ficar de pé, provavelmente com pés agitados). Tudo isso ela recitou como se estivesse lendo num livro.

— Com que idade você aprendeu tudo isso?

— Cinco anos – respondeu ela. – Minha mãe estava irritada com o Milo por ele ficar implicando comigo. Ele ficava me falando que o Papai Noel existia.

— Espera... que existia? Você não quer dizer *não* existia?

— Não. – Ela correu o dedo pela agenda no colo e suspirou. – Certo, já são oito da noite e você tá irritado porque tem dever de história pra amanhã. Eu sei pelos seus pés, pare de arrastar eles, então tente uma vez ou duas e teremos concluído.

Enfiei as mãos no bolso para conter minha inquietação.

— Você quer que eu tente mentir pra você?

Holmes soltou uma gargalhada.

— Meu Deus, não, isso não faria sentido. Não, eu vou fazer uma série de afirmações e você pode me dizer quais são verdadeiras. Polegar pra cima para verdade, polegar pra baixo para mentira.

— Eu sou muito bom em ler você, sabe – avisei.

— Isso pode ser verdade – declarou ela. – Mas você sabia que o meu pai trabalhou para o Ministério da Defesa por catorze anos antes de o Kremlin descobrir um plano dele e tentar assassiná-lo? Ou que tive uma gata chamada Rata? Ela era preta e branca e muito peluda, e uma vez um vizinho tentou afogar ela num balde. A minha mãe odiava ela. O Milo entrou no MI5 com dezessete anos. Não, isso é mentira, o Milo dirige a maior empresa de segurança privada do mundo. Ou não, na verdade, ele é um *enfant terrible* preparando a tomada hostil do Google. Ele está desempregado. Não vale um tostão. Ele foi minha pessoa preferida no mundo por anos.

Fiquei com a mão estupidamente estendida entre nós; meu polegar não tinha se mexido. Passei muito tempo imaginando como era a vida dela antes de mim, então absorvi todos aqueles fatos, até os contraditórios, como se fossem água.

— Preste atenção no meu rosto, Watson. Não nas minhas palavras. Escute o meu tom. Como estou sentada? Para onde estou olhando? – Ela estalou os dedos. – Eu tenho três vestidos longos. Não gosto de armas, elas empobrecem os confrontos. Experimentei cocaína pela primeira vez com doze anos, e às vezes tomo oxicodona quando estou infeliz. Quando te conheci, meu primeiro pensamento foi que os meus pais tinham armado isso. Não, foi que você era *lindo*. – Com um sorrisinho, ergui o polegar; ela o empurrou de volta para baixo. – Não, eu pensei que enfim poderia dar o que alguém esperava de mim. Sei como atuar para um público. Eu gostei de você. Achei que você era mais um idiota chauvinista que achava que eu não conseguia tomar conta de mim mesma.

– Tudo verdade – falei baixinho antes que ela pudesse continuar. – Tudo isso. Em algum momento ou outro, incluindo o lance sobre o seu irmão. Ele fez todas essas coisas, foi todas essas coisas. Você pensou todas essas coisas sobre mim.

– Explique o seu método. – Holmes tirou um cigarro do bolso e o acendeu.

– Porque, em algum lugar desse seu cérebro, você decidiu que eu devia saber mais sobre você, mas não quer fazer isso de maneira direta. Não, não pode ser simples, você é Charlotte Holmes. Você tem que fazer isso de um jeito alternativo, e isso foi o mais alternativo que você poderia imaginar.

Ela soltou a fumaça num jato longo, com a cabeça inclinada para o lado. Eu segurei uma tosse.

– Certo – disse ela, enfim, e arrisquei um sorriso. De má vontade, ela o devolveu. – Mas nenhuma dessas deduções foi *metódica*, Watson. Tudo isso foi psicologia. E eu *detesto* psicologia.

– Tudo bem – respondi. – Também odeio perder nos jogos.

No dia seguinte, ela me fez passar por outra sessão, dessa vez com uma nova cobaia. Eu não deveria ter ficado surpreso de ela trazer Lena.

A gente se encontrou no pátio depois das aulas, tremendo de frio e pisando forte com as botas. O cabelo de Lena caía pelas costas numa trança e seu chapéu tinha uma flor de tricô que pendia na testa. Ela nos disse que tinha um encontro na cidade com Tom naquela noite, então não podia ficar até muito tarde. Era estranho observá-la ao lado de Holmes com seu casaco preto arrumadinho, as mãos enfiadas no rolinho de pele preso pelo pescoço. Quando o vento nos açoitava, Lena se aconchegava na colega de quarto com uma familiaridade que era quase chocante. Eu me perguntava sobre o que elas conversavam. Não dava para imaginar.

Por duas horas, até a ponta dos meus dedos ficarem literalmente azuis por causa do frio, eu pratiquei ler os sinais de Lena. (No processo, eu a conheci a fundo. Eu realmente não precisava saber tanto sobre a vida sexual dela.) No fim, eu estava tão cansado de tremer que não queria nada além de ir para a cama com uma xícara de alguma bebida quente. Felizmente, quando consegui ficar por dez minutos inteiros sem errar nenhuma das afirmações de Lena, Holmes nos deixou terminar. Mergulhamos no saguão do alojamento Stevenson em busca de aquecimento.

— Tô vendo que vocês estão envolvidos em coisas secretas. Como é que estão indo as coisas secretas de vocês? — indagou Lena, tirando a echarpe do pescoço.

— Prestes a melhorar bastante. — Holmes enfiou um bolo de notas discretamente no bolso do casaco de Lena. — Conduza o jogo de pôquer amanhã como sempre, tá? Não quero que ninguém note uma mudança no meu comportamento.

Lena pegou o dinheiro e o apertou na mão de Holmes.

– Fica com ele – disse ela. – Eu meio que gosto de ser sua cobaia.

Holmes ficou paralisada.

– Mas...

– Ugh, não banque a esquisita por causa disso. A gente é amiga. E, tipo, eu não preciso do dinheiro. – Ela ficou na ponta dos pés para me beijar na bochecha. – Valeu, Jamie. Foi muito divertido, mas eu quero ter a chance de *te* fazer perguntas sem noção. Quem sabe a gente pode comer uma pizza na cidade uma hora dessas.

– Você vai comer pizza na cidade com o Tom essa noite – comentou Holmes.

– Claro – respondi, ignorando-a. – Seria ótimo.

Holmes fez o tipo de cara feia que as crianças pequenas faziam quando seu brinquedo preferido era guardado.

– Encerramos por aqui – anunciou ela, e me arrastou pelo cotovelo.

Quando cheguei ao treino no dia seguinte, Kline estava avaliando o campo de rúgbi com os punhos no quadril, como um Napoleão mais alto e mais idiota. Ele estava bravo, e com razão; o placar deles até agora estava num previsível 0-7.

– Vamos começar em dez minutos! Se mexam! – gritou ele.

Era verdade, o time estava mesmo parado. Nosso jogador de abertura estava dormindo de verdade, no meio do campo. Larson, nosso número oito, foi até lá e deu um chute na lombar dele. Sem nem um pouquinho de interesse, o treinador deu uma olhada de sua cadeira de diretor, depois voltou a atenção à sua cópia da *Men's Health*.

– Estamos reduzidos a catorze jogadores, já que muitos alunos foram para casa. Não acho que a escola teria deixado você voltar se não fosse esse o caso. – Kline olhou para mim. – E aí, tem se mantido em forma?

– Correndo oito quilômetros por dia – menti. – Mas vou fazer o que for preciso. Estou feliz de voltar ao time. – Outra mentira, contada calmamente. Tinha praticado. – Cadê o Randall? Não falo com ele desde que a Elizabeth... você sabe... e queria ter certeza de que está tudo bem entre a gente.

Kline apontou.

– Ele está se preparando para treinar com a defesa. Se quiser falar com ele, anda rápido. – Ele pôs as mãos em concha ao redor da boca. – Vamos começar em cinco minutos!

Quando o alcancei, Randall estava com a cara ainda mais vermelha do que o normal. Eu não tinha certeza se era pelo esforço ou pela raiva.

– Ih, olha, o babaca voltou – disse ele, passando direto por mim em direção ao banco.

Um pouco dos dois então.

– Randall, espera. – Ele diminuiu um pouco o passo e eu o alcancei. – Olha. Eu queria dizer que sinto muito pelo Dobson. Eu não conhecia ele direito, mas sei que era seu amigo.

– Você tem problemas, cara. Aquilo foi doideira. Partir pra cima dele só porque ele falou o que tava pensando? Ele só tava zoando, e você pulou em cima dele. Aí ele aparece morto. Doideira – repetiu ele, e tirou a garrafa d'água da bolsa.

Contei até cinco, de trás pra frente.

– A Charlotte Holmes é tipo uma irmã pra mim. Beleza? Ele disse a pior coisa possível que poderia ter dito. Mas eu não matei ele, juro.

– Então por que a polícia continua atrás de você? Por que justo *você* encontrou a Elizabeth?

– Lugar errado na hora errada – respondi.

– Conta outra – rebateu ele. – Eu vi aquele detetive com você um milhão de vezes. Você foi arrastado pra delegacia depois que machucaram a Lizzie. Por que ele suspeita de você se você é tão inocente?

– Pela mesma razão que você suspeitaria, se fosse ele. – As palavras saíram de um jeito amargo.

Aquele medo de acabar num uniforme de presidiário não tinha desaparecido totalmente – na verdade, um pouco dele permanecia nas bordas de tudo o que eu fazia –, e eu usei aquele sentimento verdadeiro para dar o tom às minhas palavras.

Randall me encarou.

– Sei lá, cara.

– Pense o que quiser. Mas saiba que eu me sinto uma merda com tudo isso. Eu escutei os boatos de que o Dobson se enforcou e não consigo dormir pensando que, de alguma forma, eu levei ele a fazer isso.

Uma mentira, claro, mas eu estava preparando a armadilha. Holmes tinha me ensinado isso: as pessoas prefeririam te corrigir a responder uma pergunta direta. Randall não era exceção à regra.

— Cara, você não era *tão* importante assim pra ele. Não, eu ouvi dizer que ele foi envenenado. Não sei qual é verdade.

— Envenenado? Com a comida do refeitório?

— Talvez. — Randall deu de ombros. — Mas aí provavelmente outras pessoas também passariam mal. Sei lá, ele andava comendo aqueles cookies que a irmã dele mandava e eles tinham uma cara horrível. Talvez tenha sido isso. Ou aquele pó esquisito de proteína que ele tomava. Aquele troço tava com a cor errada. Ele falava que era da Alemanha e que era caro, mas eu não acreditei. Talvez a sua amiguinha tenha colocado algo nele.

— Pro campo — chamou Kline.

— Certo, até mais — encerrou Randall. Não havia mais raiva na voz dele. Fiquei feliz com isso, pelo menos.

— Você está bem? — perguntou Kline.

— Tô — respondi. — Ei, ele falou algo sobre uma proteína em pó? Você... você conhece alguma marca boa?

Eu me inclinei para amarrar uma das chuteiras para ele não conseguir ver meu rosto. Eu não tinha certeza se conseguia convencer com essa: eu usava casaco de tricô, lia romances de Vonnegut e minha melhor amiga era uma garota.

Para mim, cultivar um bíceps gigante era tão provável quanto fundar uma colônia na Lua.

— Fale com a enfermeira Bryony na enfermaria — recomendou ele. — Ela tem um negócio prescrito que recebe da Europa.

Remexi a minha bolsa, aparentemente para pegar a garrafa d'água, e mandei uma mensagem urgente para Holmes. Eu só esperava que o celular dela estivesse ligado dessa vez, e não cheio de formol ou em pedaços pela mesa de química.

O treino se arrastou a passo de lesma, principalmente quando começamos as jogadas corridas. Quando Kline anunciou a última delas, rangi os dentes e esperei minha oportunidade. Então me joguei para agarrar uma bola na posição mais insana possível, me estatelando como um mergulhador na água. Eu me deixei ficar mole. Minha cabeça bateu uma, duas, três vezes contra o chão congelado.

Ninguém poderia dizer que eu não estava dedicado ao jogo.

Escutei Kline berrar, "Isso *aí*! Watson! Watson!" e o resto do time urrando.

Ficou tudo preto.

Quando acordei, eu me vi piscando contra luzes fluorescentes. O rosto marcado de lágrimas de Holmes pairava sobre o meu. Ela parecia verdadeiramente nervosa e, por um segundo, achei que tivesse havido outro assassinato. Lutei para me apoiar nos cotovelos.

– Ah, amor – fungou ela, me empurrando de volta para a cama com um toque mais forte do que o necessário. – Achei que você nunca fosse acordar!

De primeira, não entendi nada. Mas, bem, eu *tinha* batido a cabeça.

– Onde é que eu tô? – tentei perguntar, mas saiu mais como um latido.

Holmes irrompeu em lágrimas, colocando a mão na boca. Ela estava com as unhas pintadas de um vermelho vivo e cheirava ao perfume Algodão-Doce Para Sempre. Aí percebi que ela estava com um suéter de bolinhas. Com um *arco* no cabelo.

Pelo jeito, ela andara praticando na atuação de namorada atenciosa.

Fiquei enjoado, mas podia ser por causa da concussão; eu estava quase certo de que tinha arrumado uma. Tudo estava fora de foco, de um jeito meio duplicado, e a única solução em que eu conseguia pensar era dormir. Fechei os olhos, satisfeito de ter cumprido minha parte do nosso plano improvisado. Eu estava com um problema que ia me manter na enfermaria por, pelo menos, um dia. Tempo o suficiente para Holmes investigar por ali.

Em algum lugar do outro lado da sala, uma voz falou:

– Ah, vocês dois são demais. – Eu reabri os olhos. Do pequeno armário com remédios, a enfermeira Bryony sorria para nós. – Sabia que ela não saiu do seu lado nas últimas três horas? Você apagou por um tempo, depois ficou variando entre adormecido e acordado, e o tempo todo ela ficou sentada segurando a sua mão, chorando. Tadinha.

O sotaque era americano, mas a cadência era leve e inconfundivelmente inglesa. Não sei como eu não havia notado antes. Ou era coisa da minha cabeça? Dessa vez, se eu ignorasse os halos que via em volta das luzes e o leve zumbido na cabeça, eu quase conseguia prestar atenção.

– Quanto tempo ele vai ficar aqui? – perguntou Holmes, pousando a mão na minha bochecha. – A gente tem reserva pra jantar amanhã na cidade. É nossa comemoração de dois meses.

Os dedos dela eram frios e macios, e me vi apoiando o rosto contra o toque. Então congelei.

– Desculpe – sussurrei para ela, mortificado.

– Pelo que você está se desculpando? – perguntou ela, com a voz surpreendentemente áspera. Com a outra mão, ela tirou o cabelo do meu rosto.

A enfermeira limpou a garganta, interrompendo minha confusão.

– Vou ficar de olho nele. Não é grave o bastante para mandar ele ao hospital, mas não quero correr riscos. É possível que vocês tenham que remarcar os planos, só para garantir.

Holmes sorriu para mim. Ela não era Hailey. Era algo bem mais pérfido. Charlotte Holmes sem as arestas, toda penteada e limpa, bem-amada e amável em retribuição. Eu sabia que tudo desapareceria no dia seguinte, tudo aquilo – a forma gentil com que ela me tocava, o brilho de sua atenção exclusiva, o arco e o perfume. Tudo voltaria à sua caixa de fantasias, e ela seria Holmes real de novo.

Porque aquilo não era real, mesmo que ela falasse comigo no que parecia sua voz de verdade.

— Ouviu isso? Você vai ficar bem — assegurou ela.

Eu não devia ter desejado aquilo da forma que desejei.

Estava começando a adormecer, dava para sentir, e sabia que ia acordar de volta na nossa velha vida. As luzes piscavam para mim; gostaram dos segredos que contei a elas. Mas, silenciosamente, lembrei a mim mesmo que segredos eram melhores quando mantidos conosco. Elas começaram a se apagar, uma a uma, como velas.

— Boa noite — eu disse à Holmes, puxando a mão dela para o meu peito, e então fui levado pelo sono.

— Watson — sibilou ela. — Watson, acorde, eu preciso ir. A verificação noturna é em dez minutos.

O quarto estava escuro, mas eu conseguia enxergar luz passando por baixo da porta, onde ficava a mesa da enfermeira. Felizmente, parecia que a minha cabeça tinha clareado o bastante para formar frases coerentes.

— Você encontrou algo? — perguntei. Ou tentei perguntar. Saiu como se eu estivesse com um ovo na boca.

Holmes me deu um copo d'água com um olhar impaciente. Eu estava certo; ela havia voltado ao normal, e eu reprimi um arroubo de decepção culpada.

Depois de um gole, repeti a pergunta.

— Ela saiu pra fumar e eu abri o cadeado do armário de remédios. Tem um estoque de proteína em pó com outras prescrições, para Gabriel Tinker, de acordo com a etiqueta, mas as latas estão todas vazias. Provei um pouco do pó que achei no armário e parecia bem inocente.

Tinker era o jogador de abertura do time de rúgbi, o que estivera dormindo no campo.

– Você *provou*? Por que você não levou para o laboratório e examinou o troço lá?

Ela pareceu afrontada só de eu perguntar.

– Eficiência.

– Tá, beleza, sua louca. – Eu me ajeitei, devagar, até estar sentado. Holmes arrumou um travesseiro nas minhas costas. – Então vamos lá: ela é da Inglaterra. Por isso que a gente a considerou uma possível suspeita originalmente, certo?

– Ela nasceu lá, mas se mudou pra cá quando era adolescente. Ou pelo menos foi isso que ela disse quando a pressionei, depois de derramar algumas lágrimas de saudades de casa. Minha cara ainda tá inchada. Esqueci como esse negócio de chorar é desconfortável.

– Nada de pó, nada de Inglaterra. Dois quase acertos, então – declarei. – A não ser que você tenha feito algo pra ela quando era criancinha, se eu tiver adivinhado a idade dela certo. Vinte e dois?

– Vinte e três. – Holmes se levantou. – Se ela for mesmo a nossa culpada, não nos diria a verdade, de qualquer forma, então não importa. No momento, eu sei que ela está escondendo alguma coisa, mas pode ser apenas o tipo de discrição que se tem com os alunos. Vou tentar localizar uma amostra de verdade daquele pó amanhã porque o que eu experimentei tinha mais gosto de poeira que de proteína.

— Será que a gente não deveria focar em alguém de que temos uma pista clara? Tipo, sei lá... August Moriarty?

— Não, acho que não — respondeu ela de um jeito prático. — Vou indo pra escrever meu artigo sobre *Macbeth*. Cuide-se hoje à noite. E tomar um banho é uma boa ideia. Você tá fedendo.

Quando ela saiu, percebi que estava morrendo de fome. Devorei um pacotinho de biscoito de água e sal que encontrei ao lado da cama e tomei o copinho do que parecia ser Tylenol, engolindo-o com o resto da água. Quando coloquei o copo de volta à mesa, com cuidado, percebi o que tinha feito (a percepção era um grande problema após uma concussão). A mulher tomando conta de mim podia ser uma envenenadora. Com uma fixação em mim e em Holmes. E eu tinha me colocado aos cuidados noturnos dela, tomando os comprimidos que ela me deu sem nem pensar duas vezes.

A luz na sala ao lado foi desligada. Fiquei olhando para a porta, esperando que continuasse fechada, torcendo para que a enfermeira pegasse as coisas dela e fosse embora. Eu torci para que aquela sensação fosse só paranoia da minha cabeça machucada, lembranças do monte de Moriartys dividindo espaço na nossa parede. Eu torci para que Bryony fosse apenas uma mulher comum que aceitara um emprego na Sherringford por causa do salário e do campus bonito e porque não se incomodava de cuidar de adolescentes com gripe, e não porque ela nos tinha localizado – Holmes e eu – do outro lado de um oceano pra armar pra cima da gente por ordens de Moriarty.

A maçaneta girou. A porta se abriu.

– Estou saindo – disse a enfermeira Bryony com suavidade. – Você precisa de alguma coisa?

– Não, obrigado. – *Saia*, pensei. *Vá para casa.*

Mas a escutei largando a bolsa. Ela entrou no quarto, cheirando levemente a flores. Um cheiro normal de garota bonita. Engoli em seco. O quarto estava começando a oscilar, como um navio, e desejei muito que Holmes ainda estivesse ali.

– Você está quase sem água. – A enfermeira Bryony encheu meu copo e tirou outro pacotinho de biscoitos da parte de cima do armário, colocando os dois ao lado da cama. – Pronto. Vai devagar. Estou surpresa que você não esteja mais enjoado.

Eu me perguntei se Dobson estava enjoado antes de morrer. Eu nunca tivera uma concussão antes. Será que a náusea era um sintoma? Era um sintoma de envenenamento por arsênico?

Já chega, pensei. *Holmes pode pensar no próximo plano.*

Na meia-luz, Bryony era uma silhueta escura, tudo menos o cabelo brilhoso que caía no rosto quando ela se inclinou para mim. Ela tinha uma eletricidade estranha e quente. Na minha confusão, pensei que talvez pudesse me beijar ou me dar um tapa na cara, que ela ia pegar o travesseiro e me sufocar com ele.

Mas, em vez disso, ela colocou a mão fria na minha testa.

— Descanse um pouco, Jamie, para que possa ver sua garota amanhã de novo — sussurrou ela, com o hálito quente no meu rosto. — A outra enfermeira estará aqui bem cedo. — Ela recolheu suas coisas e saiu.

Eu nem tentei dormir. Em vez disso, fiquei acordado escutando o relógio silencioso do meu coração, me perguntando a cada instante se eu estava prestes a parar de respirar. Eu tinha sido descuidado com a minha vida, eu sabia disso, mas se morresse naquela noite, eu ficaria furioso. Debati mil vezes se mandava uma mensagem para Holmes. Se eu estivesse errado, pareceria um idiota.

Perto do amanhecer, joguei o copo d'água no chão, precisando ouvir algo se espatifar. Era de plástico. Ele quicou. Quando a enfermeira da manhã chegou, uma mulher mais velha com sotaque do Meio-Oeste, eu estava tremendo pelo esforço de me manter acordado.

Mas ela lavou e encheu o mesmo copo, me deu comprimidos iguais aos que eu tinha tomado antes. Ela fez certo estardalhaço sobre a minha aparência, como se eu tivesse atravessado o inferno, e fiquei tomado pela sensação de que algo estava me escapando, algo enorme.

QUANDO ENFIM FUI LIBERADO DA ENFERMARIA, JÁ ERA HORA do jantar. A sra. Dunham insistiu em me acompanhar de volta ao meu quarto.

— Agora vá para a cama — disse ela, esperando com os braços cruzados até que eu fosse. — Já falei com o Tom, e ele vai te trazer algo do refeitório. Quero que você me ligue se precisar de alguma coisa ou se começar a se sentir muito mal, e te levamos direto para o hospital.

— Sim, sra. Dunham — concordei de um jeito infeliz. Eu estava nojento; não tinha tomado banho desde antes do treino de rúgbi, e estava morrendo de fome, superdetonado da minha vigília a noite inteira, e só queria ficar sozinho.

Ela percorreu o quarto, pegando cobertores extras para a minha cama e recolhendo as roupas de Tom do chão.

— Consegui permissão especial para uma visita depois do horário, se você quiser ver a Charlotte.

— Obrigado. Realmente não preciso de mais nada — declarei, porque ela era realmente gentil e não estava demonstrando sinais de ir embora.

— Adoro que vocês dois sejam amigos — comentou ela.

— Aquelas histórias eram as minhas preferidas quando eu era mais moça.

Abri um sorriso tenso. O jeito que meu estômago se contraiu com aquela frase foi terrível. Eu adorava ouvir as pessoas falando sobre as histórias de Sherlock Holmes, e agora não conseguia evitar transformar qualquer um que as mencionasse em suspeitos.

— Eram as minhas também.

Quando Tom voltou, ele estava equilibrando um sanduíche, duas maçãs e uma xícara de chocolate quente.

— Aqui está — disse ele, arrumando tudo na minha mesa com um floreio. — Ouvi dizer que você se ferrou todo no treino. Mas agarrou a bola de um jeito incrível, segundo o Randall.

Eu caí matando no sanduíche.

– Como é que você tá? Como estão as coisas com a Lena?

– Ela tá bem. Pelo que a Charlotte tá pagando ela? A Lena tá tipo nadando na grana.

– É do pôquer – respondi, de boca cheia. Eu queria deixar a investigação de lado pelo menos até acabar o jantar.

– Bom, você e a Charlotte ainda são os principais suspeitos? – perguntou ele, puxando uma cadeira.

Dei de ombros. Doeu fazer isso.

– Dá pra gente falar de outra coisa? O que foi que eu perdi na aula de história? Peguei todos os outros deveres.

Ele murchou.

– Nada, na verdade – respondeu Tom, e aguardou, como se esperasse que eu cedesse e contasse a ele tudo sobre as minhas aventuras. Eu gostaria que ele soubesse o quanto elas na verdade tinham sido estressantes e humilhantes. Mas não era minha obrigação informá-lo daquilo, então deixei a conversa morrer, mordendo uma das maçãs que ele trouxera. No fim, Tom desistiu.

Holmes passou por lá uma hora mais tarde. Felizmente, eu tinha conseguido tomar banho.

– Como está o paciente? – perguntou ela enquanto se empoleirava na ponta da minha cama.

Eu sempre ficava desconfiado de Holmes de bom humor.

– Mais alguém foi assassinado? – indaguei, só meio brincando.

Ela sorriu.

– Melhor. Tente de novo.

Sem se virar, Tom tirou um dos fones de ouvido, depois o outro. Não sei por que aquilo me incomodava tanto, a tentativa tosca dele de espionar. Talvez eu não aguentasse mais ser alimento de fofoca. Levantei uma sobrancelha na direção dele para dar a dica para Holmes, mas ela já tinha percebido. Ela sacou o celular de dentro da bolsa.

– Eu tenho um encontro – anunciou ela, digitando furiosamente.

Meu telefone se acendeu silenciosamente na cama entre nós, e estiquei o pescoço para ver. *Aparentemente, o irmão de Wheatley cria cobras em Nova Jersey.*

– Onde é que você achou esse cara? Nos Classificados? No esgoto? – *Alguma faltando?*, digitei de volta.

Shepard tá verificando.

– Engraçado. Você é engraçado. Escuta, pensei que amanhã você podia me ajudar a escrever um poema pra ele. De repente mostrar pro sr. Wheatley depois da aula, e pegar a opinião dele? – *Interrogá-lo.*

Por que não você?

– Poemas de amor? Parece sério.

– Ah, muito. Ele é lindo. – *Porque você é aluno dele. Ele não me conhece.* Ela tirou as pernas da cama. Furtivamente, pescou uma barra de chocolate do bolso do casaco e a escorregou para a mesa. Era um Cadbury Flake; ela devia ter pedido online. Não sei como ela sabia que era o meu favorito. – Fique bem – concluiu ela, sorrindo torto para mim, e em seguida saiu do quarto.

Tom colocou os fones de volta com um suspiro.
Então você não descobriu nada sobre a enfermeira Bryony?, mandei para ela.
Não. Sala 442 na hora do almoço. Escutei os passos dela se afastando no corredor. *Vamos traçar um plano pro Wheatley.*

Fiquei rodeando a mesa do sr. Wheatley depois da aula, enxotando um Tom de olhar curioso para a aula seguinte dele. Eu tinha um período livre no fim do dia, então não estava com pressa.

Wheatley estava falando com uma das nossas melhores poetisas da turma, uma menina tímida e baixinha que escrevia exclusivamente sobre a comunhão com a natureza em seu estado nativo, Michigan. Enquanto eu esperava, ele deu a ela uma série de recomendações de livros com sua voz sinuosa e sonolenta, e ela os anotou. Nossos diários eram idênticos. Enfiei o meu discretamente na bolsa, me sentindo um pouco clichê, e tentei focar em lembrar a estratégia que Holmes e eu tínhamos elaborado na hora do almoço.

Enfim, ele se virou para mim.

– Ah, sr. Watson. O que posso fazer por você?

Arrastei os pés.

– Gostaria de falar com o senhor sobre os meus poemas. Estou tendo um pouco de dificuldade para desenvolvê-los. Eles são bem mais difíceis que histórias. Fiquei pensando se o senhor teria algum livro que pudesse me emprestar para fazer uma leitura extra.

Ele assentiu pensativamente.

— Tenho algo no meu gabinete que poderia lhe emprestar. Venha comigo.

O gabinete de Wheatley era o tipo de caverna com livros enfileirados onde, em outras circunstâncias, eu teria me permitido me perder. Havia uma luminária de cobre coberta na mesa dele que iluminava uma pilha dos nossos manuscritos, e reconheci meu conto mais recente no topo. No canto, um globo em pé estava virado de forma que uma Europa empoeirada ficasse visível. Eu me sentei devagar numa cadeira e dei uma olhada mais atenta ao redor.

Eu não tinha a facilidade para observação de Holmes, sabia disso. Mas sempre gostara de catalogar os detalhes de um lugar e das pessoas, usando-os como material para minhas histórias. Talvez esse interesse estivesse mais ligado a romantizar meus arredores do que a deduzir a partir deles, mas ainda me estimulou a olhar atentamente os autores dos livros nas prateleiras de Wheatley (Kafka, Rumi, alguns escritores escandinavos de mistério), o tipo de tapete no chão (tinha um acabamento artesanal), o tipo de café que ele estava bebendo (ele o trouxera de casa, numa caneca de aço inoxidável). Eu estivera muito desnorteado e, francamente, assustado para olhar com tanta atenção para a enfermeira Bryony quando estava na enfermaria, e estava determinado a ter mais para mostrar pelos meus esforços dessa vez.

Wheatley sussurrava para si mesmo enquanto corria o dedo pela estante de livros. Apesar de ele ser um professor nervoso – alguém que ficava andando e torcendo as mãos e começava cada frase duas ou três vezes –, agora ele parecia à vontade, em seu gabinete, e eu me perguntei se era a confiança de um homem que sabia que me tinha em seu poder. Ou talvez ele só gostasse de mim, e ficasse mais confortável conversando pessoalmente. Para mim, era impossível dizer. Eu gostaria que Holmes estivesse ali.

– Achei – disse ele, tirando alguns livros da prateleira para me entregar. – Tem um livro com inspirações de poesia, caso queira praticar, e uma coleção de ensaios de poetas contemporâneos que talvez você ache útil para pensar sobre o ímpeto para escrever um poema.

– Obrigado. – Coloquei-os na bolsa.

– Sua ficção é boa, como eu te disse no baile – observou ele. – Limpa, direta e muito agradável de ler. Algumas de suas tramas são um pouco forçadas, mas gosto do tom de fantasia delas. Acho que talvez o talento corra no seu sangue. Li todas as histórias do seu tataravô quando era menino. Maravilhosas. As adaptações cinematográficas dos anos 1930 também eram muito boas.

Eu sempre odiara aqueles filmes, que retratavam o dr. Watson como um idiota estabanado e Sherlock Holmes como um autômato. Mas vi minha abertura e aproveitei.

– Elas são ótimas, não são? A minha preferida é aquela sobre a cobra. *A banda malhada.*

– Eu conheço essa história. – O sr. Wheatley estremeceu. – Detesto cobras. O meu irmão as cria na fazenda dele e, bem, eu faço *ele* vir *me* visitar. Não consigo. Depois de escutar o que aconteceu ao Dobson, não consegui dormir por dias.

A angústia dele parecia genuína, mas não dava para ter certeza.

– Ele foi atacado por uma cobra? – perguntei inocentemente.

– Depois de morto – respondeu o sr. Wheatley. – Estou surpreso que não saiba. A polícia não te contou a respeito?

– Eles *te* contaram?

Ele se remexeu um pouco na cadeira. Era estranho ver um adulto agir de forma tão inquieta.

– Eu fico de olho nas notícias. Tenho um amigo na polícia. Você sabe.

Dava para ver que ele estava mentindo, mas isso não significava que eu soubesse a verdade.

– Isso me faz lembrar – falei, tentando um outro rumo. – Eu gostaria de saber como escrever sobre a nossa vida, principalmente quando as coisas ficam estranhas e... inacreditáveis. Ainda dá pra fazer isso? Escrever sobre isso? O senhor fala muito sobre como precisamos escrever as nossas próprias experiências, mas quando coisas horríveis acontecem...

– Você pode falar comigo a respeito, se precisar – interrompeu ele. – Pode ajudar a organizar seus pensamentos. Você poderia até me escrever uma história a respeito. Para crédito extra. Afinal de contas, você faltou a quase uma semana de aulas.

Olhei para as minhas mãos, tentando pensar no que ele tentaria arrancar de mim. Podia ser útil entrar na onda.

E também seria bom ter crédito extra.
— É claro, posso tentar — respondi.
Ele tirou um bloquinho da parte de baixo da pilha de papéis em sua mesa e o equilibrou no joelho.
— E então — disse ele, levantando uma página ou duas e colocando um pedaço de papelão embaixo. — O que você está achando tão inacreditável?
— Bem, é meio estranho que a minha melhor amiga seja uma Holmes. Nunca esperei de verdade que isso acontecesse.
— Hum — comentou ele, tomando nota. — Conte-me mais sobre o seu relacionamento com Charlotte Holmes.

Apesar de eu tê-lo levado ao tópico, ainda achei seu tom detestável. Cerrei os dentes.

— Como eu disse, ela é minha melhor amiga.
— E ainda assim vocês foram ao baile juntos. Ela pode ter sentimentos mais complexos. É importante considerar esse tipo de coisa — declarou ele, mudando para o modo professor. — Para o desenvolvimento de personagem.

Se alguém tinha sentimentos complexos, era eu. E isso não era da conta dele, porra.

— Estamos falando da Charlotte Holmes. Acho que ela tem relacionamentos complicados até com os esqueletos do laboratório dela. Nada é direto com ela.

Achei que tinha me esquivado da questão, mas os olhos dele se iluminaram.

— Ela tem esqueletos no gabinete — comentou ele, anotando. — Interessante.

— No laboratório — corrigi. Tarde demais, eu me lembrei do que Holmes tinha me ensinado, sobre o quanto era fácil fazer as pessoas te corrigirem.

— Onde é o laboratório dela? — perguntou ele, sem olhar para mim.

— Não me lembro — menti. — Ela não deixa ninguém entrar lá.

— Bem particular. Ótimo. Ela tem um visual meio gótico, não? Você acha que é de propósito?

— A Holmes usa o que quer usar. Como eu. — Franzi a testa. — Ela não é uma agente da morte. Ou uma caricatura. Sempre achei que ela tinha um visual bem londrino, só isso. Não entendo como isso me ajudaria a escrever minha história.

— Desenvolvimento de personagem — repetiu ele. — Diga-me, quando ela investiga, ela se comporta como seu famoso antepassado?

— Sherlock? Não sei, não conheci ele em carne e osso exatamente.

O sr. Wheatley riu, então parou de forma abrupta.

— Não. Sério. Ela se comporta como ele?

Isso se estendeu por um bom tempo. Eu o deixei extrair informações de mim pouco a pouco, percebendo cuidadosamente para onde ele conduzia a conversa. Contei a ele que vinha lutando para escrever sobre a história da morte de Dobson e da investigação da polícia sobre a minha vida, mas o sr. Wheatley não estava nem um pouco interessado em falar de Dobson. Encarei como um sinal de que ele já sabia tudo que havia para saber sobre "aquele pobre garoto" e seu assassinato. E apesar de àquela altura todos já saberem que Holmes e eu tínhamos encontrado Elizabeth inconsciente no pátio, ele nem sequer perguntou sobre ela também. Mas sobre Holmes? O sr. Wheatley queria saber tudo: sobre a infância, sobre o irmão mais velho (cujo nome ele já sabia), sobre as circunstâncias da ida dela para a Sherringford. Felizmente, meu próprio conhecimento a respeito dela era picotado o bastante para que eu pudesse alegar ignorância. Mas observá-lo anotar o dossiê completo dela foi maravilhosamente incriminador. Por que ele quereria aquela informação se não fosse para usar contra nós?

Isto é, até ele arrancar a folha em que estava escrevendo e a passar para mim. Eu olhei para ela por um minuto, sem entender.

– Aqui está. Às vezes ajuda falar em voz alta antes de começar a dar forma ao seu texto. Mas tudo parece bem difícil de lidar, Jamie, como eu disse antes. – Ele se inclinou para anotar algo no topo do papel. – Se você preferir conversar com outra pessoa, aqui está o nome da terapeuta da escola. Ela é muito gentil, e você não deve ter vergonha de marcar uma consulta. Em algum momento, a maioria das pessoas marca.

Dobrei a folha e coloquei-a no bolso, me sentindo decididamente envergonhado. No fim, ele só estivera tentando ajudar, mesmo que de um jeito meio torto. O sr. Wheatley era um bom homem, e estava preocupado comigo, e mesmo assim fiquei imaginando que ele estava me perseguindo. Perguntando-me se ele tinha colocado aquela cascavel no corpo em convulsão de Dobson.

Então o trabalho de detetive era sempre assim? Como era possível se aproximar de alguém? Não era de se estranhar que Holmes fosse tão determinada a se manter distante.

Quando deixei o gabinete de Wheatley, fui direto para a sala 442 do prédio de ciências. Só tinha levado uma hora para Holmes detonar o laboratório. O tapete era uma explosão de arquivos de pastas abertas, com as páginas espalhadas como neve. Alguma coisa verde-clara espumava sobre um bico de Bunsen, e a sala inteira cheirava a coentro. No meio de todo aquele caos, Holmes estava caída de uniforme no chão, como um pássaro preto e branco, fumando um cigarro e lendo *A história da terra*. O livro era tão grande que ela tinha que apoiá-lo nos joelhos. Acima dela, os esqueletos de abutre giravam preguiçosamente nos fios. Durante uma das nossas maratonas de pesquisa, eu decidira batizá-los de Julian e George e, hoje, o crânio de Julian ostentava uma faquinha que parecia ter sido enfiada ali. Estremeci.

– Seu livro parece ótimo – falei, escolhendo um caminho pela sala. – Qual é a sequência? *Minhocas e você?*

– Não provoque, não sei nada sobre solos americanos. E a ideia de rastrear uma vítima de assassinato pelo conteúdo da sola dos sapatos não é nada incomum. – Ela virou uma página e dava para ver que estava incrivelmente tensa.

– Você parece decepcionado. Não está suspeitando do Wheatley, então.

– Não. Nem da enfermeira Bryony. Ou talvez eu suspeite deles dois porque temos um traficante desaparecido e quero alguém concreto de quem suspeitar. E estou num estado confuso em que não consigo expressar o que penso.

– É porque você se importa – respondeu ela. – Com quase todo mundo. É extraordinário, de verdade, mas nessa situação, obscurece o seu julgamento. É por isso que tento evitar sentimentos.

– Isso é insensível – declarei, magoado. Será que todo esse tempo eu não tinha sido nada além de alguém para carregar a bolsa dela?

– Eu disse que *tento* evitar, presta atenção. – Ela fechou o livro e fixou seus olhos brilhantes em mim. – Acredite, se o Milo estivesse envolvido numa trama de assassinato, eu acharia muito difícil auxiliá-lo. Não é *insensibilidade* se salva vidas.

Ela estava louca por uma discussão, mas eu me obriguei a recuar. Pensei no chocolate na minha mesa, na vez em que ela se inclinou para ajeitar os meus óculos no meio de uma conversa. Ou Charlotte era muito melhor ou muito pior do que ela pensava nesse negócio todo de se importar.

– O Wheatley está obtendo informação sobre nós em algum lugar e, definitivamente, está te observando de perto.

– Isso te surpreende?

Segurei um comentário sobre ela ser o centro do universo.
— Bom, sim. Não. Sei lá. Ele também parece ter um medo verdadeiro de cobras — falei, querendo defendê-lo. — E parece preocupado de verdade com o que está acontecendo comigo.
— Eu suspeitaria menos dele se parecesse indiferente — apontou Holmes. — Ele tentou sondar o seu trauma superinteressante?
— Não. — Fiz uma pausa. — Bom, um pouco. Ele me sugeriu uma terapeuta.
— Psicologia. — Ela bufou. — Tudo a mesma coisa.
Eu dei de ombros.
— E os outros nomes na lista de suspeitos? Sabe, os que não são da realeza romena ou pop stars. Os Moriarty. E o August? Ele está mesmo morto?
— Nada a declarar. — Holmes tragou o cigarro, com os olhos se estreitando. — Sinceramente, nada disso, nada disso está *certo*. Nós temos os dados e o acesso, mas não fizemos progresso, e eu fumei pelo menos uns vinte dessa porcaria hoje e estou desenvolvendo uma droga de uma dependência. Vai ver só, estaremos no meio de um campo gramado observando em primeira mão um assassinato perfeitamente fascinante acontecer, e eu vou ter que sair bem no meio porque preciso fumar um Lucky Strike naquele momento ou serei *eu* a cometer o assassinato. — Ela golpeou o cigarro contra o braço do sofazinho e, no mesmo gesto, acendeu outro. Eu já a tinha escutado sair pela tangente antes, mas não tão frustrada ou com raiva assim.

– Então pare. De fumar.

– Você quer mesmo que eu volte pra outra opção? – rebateu ela.

– Talvez a gente devesse tirar a noite de folga. Ir comer panquecas, se planejar pra amanhã.

Eu poderia ter me culpado por começar a provocação, mas Holmes estava cavando uma briga desde o instante que entrei pela porta. O olhar que ela me deu naquele momento foi o que alguém guardava para as baratas, com o sapato em punho.

– É isso que eu *faço*. Você quer que eu pare? Você acha que pode falar sobre isso como se fosse um *jogo*?

O tom azedo na voz dela acabou com o resto da minha paciência.

– Estou dizendo que você devia tirar uma noite de folga, não que devia abandonar tudo.

– Então você não consegue acompanhar o ritmo.

– Não! Meu Deus, se a gente tá tão emperrado, por que a gente não fala com os seus pais...

– Eu me recuso a envolver eles...

– Você não acha que botar a cabeça no lugar pode ser prioridade, só pra variar um pouco, em vez de se provar pra sua família?

Ela se levantou, tão orgulhosa e ereta quanto uma rainha antiga. Seu rosto estava totalmente inexpressivo. O único vislumbre de Holmes que eu conseguia enxergar estava na raiva escurecendo seus olhos.

– Sim – afirmou ela numa voz neutra. – Eu não tinha pensado nisso. Eu, é claro, não tenho nenhum interesse pessoal nesse assunto. Já que tudo isso é um exercício para agradar aos meus *pais*.

– Holmes...

– Então, sim, tire a noite de folga. Enquanto isso, estarei atrás da pessoa que assassinou meu estuprador e tentou matar a *sua* namoradinha e depois quase fez a gente ser preso por isso. De repente até as coisas andam mais rápido sem você, que se provou extraordinariamente inútil.

Era a primeira vez que ela me dizia algo tão cruel. A palavra *inútil* ficou ecoando entre nós, pesada.

– Como é que eu posso te ajudar – falei de modo ríspido –, se você guarda tanta informação só para si? Tem um Moriarty pregado por toda a parede do qual você se recusa a falar. Você não me contou nada sobre o seu relacionamento com ele.

– Com ele? Você não quer dizer *para* ele? – perguntou ela. – Isso é sobre o caso ou sobre o seu ciúme?

Ela levou a mão à boca como se para impedir as palavras de saírem. Mas era tarde demais.

– Tá certo então.

Não havia mais nada a ser dito. Coloquei o casaco, sem ter certeza de para onde ir, mas sabendo que era para algum lugar longe dali.

– Watson.

– Eu tô bem.

– Eu sei que eu posso ser muito grossa...

– Pode mesmo. E por que você não me chama de Jamie, como todo mundo, já que eu sou tão *inútil* pra ser o seu Watson?

A boca de Holmes se abriu e fechou. Eu bati a porta tão forte que, atrás de mim, escutei o barulho satisfatório de uma proveta se espatifando no chão.

oito

Fiquei andando do lado de fora do alojamento Michener, soprando nas mãos para mantê-las aquecidas. Quando entrei, já estava quase sob controle de novo. A sra. Dunham estava na mesa de entrada – ela nunca ia para casa? –, mas passei direto por ela sem nenhuma palavra, sem querer testar minha calma que já tinha sido difícil de conquistar.

Normalmente, o meu quarto estava vazio na hora antes do jantar, mas naquele dia Tom estava vendo um vídeo no computador, comendo uma barra de chocolate. Na tela, uma garota fazia um número burlesco numa música cantada em francês. Eu reconheci algumas das palavras: *deixe, deixe tudo*. Mordendo o lábio, ela abaixou uma alça, a outra.

– Você tá bem? – perguntou Tom, apertando o botão de pausa. A garota no vídeo congelou obedientemente.

– Tô – respondi. – Dia ruim.

– Você não parece ter muitos dias bons.

Tinha uma mancha de chocolate no colete de tricô dele, e percebi que a embalagem na mesa dele era da barra que Holmes tinha me dado. Não deveria ter sido nada demais, Tom e eu tínhamos nos dado permissão para atacar as comidas um do outro, com noção, mas aquilo me atingiu como um soco no estômago.

– Considerando tudo, não vejo por que isso seria uma surpresa – falei, e desejei que ele saísse.

Desde que eu tinha ido para a Sherringford, vivia num estado de constante solidão sem nunca na verdade estar sozinho. A privacidade era uma ilusão num internato. Sempre havia outro corpo no quarto e, se não houvesse, alguém podia entrar a qualquer momento. Ser amigo de Holmes podia ter melhorado aquela solidão, mas não a dissipara completamente. Na melhor das hipóteses, nossa amizade fez com que eu me sentisse parte de algo mais grandioso, mais majestoso; que, com ela, eu tinha ganhado acesso a um mundo cujas correntezas invisíveis corriam paralelas às nossas. Mas, na pior das hipóteses, eu não tinha nem um pouco de certeza de ser amigo dela. Talvez alguma câmara de eco humana ou um condutor para sua luz brilhante.

Eu não havia percebido que estava pensando alto até Tom limpar a garganta.

– Eu tive um amigo assim uma vez – comentou ele.

– Ah é? – falei, desinteressado. Mas Tom estava com uma expressão atenciosa e eu não queria ser cruel.

– O Andrew. Ele foi a única pessoa com quem eu realmente mantive contato depois que vim para a Sherringford, e, no verão passado, a gente fez tudo juntos. Ele é uma estrela do time estadual de futebol americano, e sempre tira notas perfeitas, e juro que ele se safa de tudo por causa disso. Porque noventa por cento do tempo ele era tão certinho, que podia ficar a noite inteira fora na cidade, zoando, e voltar ao amanhecer, e os pais dele iam acreditar que ele estava fora estudando até tarde. Eu me sentia... invencível quando estava perto dele.

— O que houve? — perguntei.

— A polícia pegou a gente bebendo perto do lago e ele botou a culpa toda em mim. — Tom abriu um sorriso cabisbaixo. — A família dele é de gente graúda, eles têm muita grana, e minha família não tem mais, aí conseguiram que a queixa fosse retirada. Mas eu fiquei mal na fita por meses. A pior parte foi que ele parou de falar comigo. E eu que devia ter mandado ele à merda.

— Sinto muito.

Era difícil imaginar alguém chateado com Tom. Ele era o cara que podia usar um terno azul-bebê no baile e ainda ter uma das garotas mais gostosas da escola como par.

— Não vale a pena ser o ajudante — afirmou ele. — Aposto que ela só te usa pro trabalho sujo dela. O Andrew fazia isso comigo.

— Às vezes — respondi, escondendo o quanto aquilo magoava.

Ele me lançou um olhar cúmplice.

— Então ela não te deixa fazer nem isso.

— Não — rebati. — Ela confiou em mim pra investigar o sr. Wheatley. E eu arrumei uma porra de uma concussão porque ninguém investigava a enfermeira da escola. Não chamo isso de fazer nada.

Tom me encarou abobalhado.

– Você *o quê?*

– Tá bom, foi idiotice, e não dava pra eu planejar de forma exata... Eu podia ter quebrado um braço ou torcido o tornozelo, mas não podia exatamente fingir pra ficar o dia inteiro na enfermaria, né? De que outro jeito a Holmes podia ter entrado lá pra fuçar sem invadir? A porta tem alarme, eles guardam os remédios de todo mundo lá.

– Não... eu...

Ele estava procurando as palavras, mas não vinha nada. Será que ele achava mesmo que eu era tão inútil a ponto de não conseguir ajudá-la com nada?

– Eu não sabia que você era tão burro – disse ele, por fim.

– Valeu, seu babaca.

– Não tem de quê. Escuta, eu vou encontrar a Lena pra jantar, então preciso ir. Vou fazer um trabalho na biblioteca depois disso, mas a gente pode conversar mais sobre as suas escolhas de vida à noite, se você quiser.

Tom e Lena. O reflexo de mim e de Holmes. Ou talvez nós fôssemos o reflexo, e eles as versões felizes e ajustadas.

– Não se preocupe. Eu tô bem.

Depois de jogar uns livros na bolsa, ele se foi. Mas ele devia ter esbarrado no teclado ao sair, porque o vídeo a que estava assistindo voltou a tocar. A garota na tela voltou a dançar, tirando a roupa. Eu desabei na cadeira de Tom e fechei a janela, então fiquei sentado ali por um minuto, olhando para as anotações que ele tinha grudado acima da mesa, para o espelho minúsculo que tinha colocado ali.

Foi quando eu percebi.

A mesa dele e a minha ficavam opostas, o que significava que na maioria das noites nós fazíamos os nossos deveres de costas um para o outro. O único espelho do nosso quarto tinha sido pendurado à direita de onde eu me sentava, com a parte de baixo tampada pela minha mesa. Se eu levantasse no meio da noite, tinha um vislumbre do meu reflexo e entrava em pânico pensando que havia um intruso. O espelho meio que só servia para isso.

Eu não me importava muito. Ligava um pouco para o que vestia no fim de semana, mas o uniforme da escola era exatamente aquilo, um uniforme, então a minha aparência nele não mudava. Tom, por outro lado, usava todos os tipos de produto no cabelo, e, em vez de se inclinar sem jeito sobre a minha mesa para aplicá-los, ou fazer isso no banheiro (o que ele alegava que era "constrangedor", como se fosse desfazer a ideia de que aquele cabelo desgrenhado de boy-band era natural), ele tinha pregado um espelhinho mínimo em cima da mesa dele.

Tudo isso para dizer que, quando olhei para o espelho de Tom, fiquei no ângulo exato para enxergar um espaço entre o meu próprio espelho e a parede. Um espaço pequeno. Um centímetro.

Naquele centímetro de escuridão, dava para ver o brilho de um reflexo.

Havia algo ali atrás.

Fui até lá, fiquei de joelhos e usei a mão para bloquear a luz vinda de cima. Ainda assim eu não conseguia distinguir o que havia ali atrás. Depois de esticar um cabide de arame que peguei no armário, eu o passei na abertura numa tentativa de soltar o que quer que estivesse ali. Não bati em nada, nem quando corri com ele de cima a baixo. Quando olhei de novo, ainda conseguia ver o brilho de luz refletindo algo.

Será que era uma lente?

Respirei fundo e tentei organizar os pensamentos. Na cama, meu telefone vibrou, e eu o agarrei, pensando que podia ser Holmes. Seria um alívio. Nós dois tínhamos sido horríveis um com o outro, nós dois estávamos nervosos, derrotados e perdidos – não dava para imaginar o que era estar perdido para alguém tão inteligente quanto Charlotte Holmes – e eu me recusava a crer que ela acreditava no que dissera. Tinha que ser ela. Estaria indo me ver. Tudo ficaria bem.

Mas a mensagem era da minha mãe, perguntando se eu tinha me esquecido da nossa ligação semanal. Ela tentaria mais tarde, dizia, e assinava com beijos.

Olhei de novo para a abertura. A luz ainda estava brilhando.

Alguém estivera ali. Alguém colocara aquele troço no meu quarto.

Num acesso súbito e crescente de raiva, afastei a mesa da parede, espalhando meus livros. De pé no espaço que eu tinha liberado, segurei o espelho com as mãos e puxei. Ele se recusou a ceder. Plantei os pés no chão, tentando me lembrar do que o treinador havia nos ensinado sobre derrubar um oponente maior, e puxei, com mais força. Mais força. Houve um som fraco de ruptura, provavelmente os parafusos começando a se soltar do reboco, mas ele ainda se recusava a ceder. Ofegando, olhei o meu reflexo. Meus olhos eram só pupilas, o meu rosto suado e vermelho. Eu estava igual ao que ficava no final de uma partida de rúgbi. Tipo um homem das cavernas.

Beleza. Eu ia ser um homem das cavernas. Com um grunhido, peguei meu livro de química da mesa e bati com ele no espelho.

Ele não cedeu na primeira tentativa, nem na segunda. Perto da décima, parei de contar e, em vez disso, observei a rachadura aumentando do meio do espelho para as bordas. Do lado de fora, no corredor, alguém gritou *Que merda tá acontecendo?*, mas eu ignorei; não foi difícil. O espelho podia ter sido feito para ser robusto, mas, como todas as coisas de vidro, chegou um momento em que ele cedeu. Houve um *creck* bem alto de estilhaçamento quando ele se quebrou, e eu me virei, colocando o livro na frente do rosto para me proteger. Os pedaços caíram no chão, mas alguns cacos voaram e grudaram nas minhas mãos. Eu estava com tanta raiva que nem conseguia senti-los.

Porque quando me virei para olhar, vi uma lente pequena e circular, do tamanho de uma unha de polegar, com uma corda que ia até um dispositivo sem fio. Ele tinha sido afixado à parede com um pedaço de fita.

Mas como a câmera conseguia capturar algo pelo espelho? Eu me inclinei e, de forma cuidadosa, recolhi um dos maiores pedaços dele. Não sei por que me dei a esse trabalho, uma vez que minhas mãos já estavam sangrando mesmo. Então o virei de frente e de costas. Os dois lados pareciam ser vidro. Um espelho de dois sentidos.

Só posso descrever o que ocorreu em seguida como um estado de fuga. Eu já tinha perdido a cabeça antes, quando estava com raiva, mas daquela vez o sentimento estava ligado a um medo incapacitante e a ultraje. Alguém tinha visto eu me vestir. Alguém tinha me visto dormir. E, embora eu não conseguisse encontrar um microfone na câmera, eu tinha certeza de que esse alguém também tinha gravado cada palavra que eu dissera.

Então tinha que haver um dispositivo de gravação de áudio também.

Arranquei os livros da minha prateleira, esvaziei as gavetas da escrivaninha, fucei cada bolso de cada calça pendurada no armário. Peguei meu canivete e abri o colchão, sem ligar para a multa que ia ter que pagar, e procurei em cada centímetro dele com meus dedos sangrando. Fiquei de quatro e levantei o tapete do nosso quarto centímetro por centímetro, usando o canivete para me ajudar. Cortei as cortinas, depois olhei embaixo do bastão oco que as segurava. E ignorei solenemente o barulho no corredor que agora tinha aumentado ao máximo – um punho batendo na porta, e uma voz que parecia a da sra. Dunham gritando *Jamie, Jamie, sei que você está aí.* Mas eu já tinha empurrado a cadeira de Tom para debaixo da maçaneta e girado o ferrolho. Era fácil abafar o volume do mundo lá fora com o pânico gritando na minha cabeça.

Depois de tudo acabado, eu achara duas escutas eletrônicas, cada uma com o tamanho e o formato da minha unha do polegar. Uma tinha sido grudada na parte de trás da minha cabeceira. A outra encontrei no fundo da minha cadeira da escrivaninha. Eu as segurei nas mãos em concha, manchando-as de sangue. Os dados deviam ter sido enviados ao transmissor de modo sem fio porque elas não estavam ligadas a nada que eu conseguisse ver. Eu as enfileirei em ordem na minha mesa, junto com a câmera, da qual eu tinha arrancado o fio. Então as joguei numa fronha. Se ainda estivessem transmitindo, o espião do outro lado estaria olhando para uma tela preta.

Escutei um zumbido. Será que era da perda de sangue? Não era improvável. Parecia que uma besta enorme e ferida tinha rasgado o meu quarto com as garras. Tudo o que eu tinha estava no chão, uma boa parte marcada de vermelho pelas minhas mãos, e eu ainda nem tinha procurado pelas coisas de Tom. Eu tinha conseguido me controlar quanto a isso, para esperá-lo voltar, mas ainda havia o problema das escutas. O que fazer com elas? Pensei, de um jeito atordoado, que deveria ligar para o detetive. Deveria ligar para Holmes. Pensando bem, ainda havia gritaria no corredor. Será que eu estava imaginando coisas?

Meu nome: *Jamie, Jamie, Jamie.*

– Vão embora! – gritei, e relaxei na cadeira. Estava começando a sentir os cortes nas mãos, o vidro que eu tinha empurrado ainda mais fundo na pele a cada nova coisa que havia examinado ou descartado. Eu deveria ir até a enfermaria, pensei, mas não queria chamar atenção de mais ninguém. Quer dizer, ninguém que já não tivesse escutado a comoção, e a enfermeira Bryony ainda dividia espaço com o sr. Wheatley na minha lista de suspeitos.

Procurei uma pinça no meu kit de barbear, mordi uma camiseta, e comecei o processo de retirar o vidro. Não era muito higiênico, mas o dia também não tinha sido muito bom para tomar decisões. *Você não parece ter muitos dias bons*, dissera Tom. Ele não estava errado. Eu quase rasguei o tecido com os dentes, tentando não gritar, mas não consegui evitar chorar. Não era tanto por tristeza ou dor, mas por aceitar o impossível, um belo bocado de *isso está errado* transbordando de uma vez. Pensei distraidamente se os transmissores na minha mesa estavam captando o som. Mais uma vergonha para juntar ao resto. Resisti ao ímpeto de esmagar as escutas como insetos – afinal de contas, eu ia precisar delas como prova.

O que eu não entendia era por que tinham grampeado o meu quarto. Quem era eu, afinal? Eu não era uma pessoa extraordinária. Era Jamie Watson, aspirante a escritor, jogador medíocre de rúgbi, dono do diário mais entediante de pelo menos cinco estados. Eu não conseguia nem fazer as pessoas pararem de usar meu apelido. Se eu era importante, era só como um conduíte. O único ponto de acesso à Holmes.

Que informação eu tinha revelado, inconscientemente, naquele quarto? O que eu havia divulgado?

Com uma sensação crescente de horror, percebi que eu tinha revelado muito, até mesmo naquele dia. O sr. Wheatley; a concussão fingida; a busca pelas coisas de Bryony: eu tinha falado tudo isso em voz alta. Eu tinha passado a semana após o assassinato contando ao Tom a respeito de todas as nossas suspeitas e os nossos achados, o que havíamos encontrado no quarto de Dobson. Eu tinha até reclamado de August Moriarty. Meu Deus, como eu podia ter sido tão idiota?

Àquela altura, tinha certeza de que eles sabiam que eu encontrara as escutas. Precisava ir até a sala 442 do prédio de ciências e varrer nosso laboratório, ver se Holmes conseguia rastrear o sinal. Se ela não conseguisse, eu sabia que Milo seria capaz, e eu sabia que ele não estava a mais que um telefonema de distância.

A camisa que eu estava usando estava acabada, coberta de sangue e de pedaços de vidro. Eu a tirei e sacudi antes de rasgá-la para fazer uns curativos improvisados para as minhas mãos. Os nós que fiz quebrariam um galho, mas não por muito tempo. Talvez a gente pudesse roubar a chave do carro de Lena de novo e ir ao hospital. *A gente*, eu continuava pensando, *a gente*. Eu sabia que ela ia me perdoar. E tinha que perdoar. Sem nos apoiarmos, a gente podia, literalmente, morrer.

Pus uma camisa limpa e abri correndo a porta, só para tropeçar na sra. Dunham. Ela havia se recostado sentada na parede do lado de fora do meu quarto, com as pernas estendidas à frente. Pela cara dela, estava claro que estava chorando.

— Jamie — disse ela, roucamente. Eu me agachei ao lado dela. — O que você fez? Olhe para as suas mãos! E o seu rosto. Você está ferido? Escutei os barulhos mais assustadores vindo do seu quarto.

— Eu não tive a intenção de assustar a senhora. Tô bem. Tá tudo bem.

Aquela frase estava começando a perder o sentido.

Ela se inclinou para olhar dentro do meu quarto e recuou em choque.

— Ah, *Jamie*. O que você fez?

— Eu tenho que ir, mas vou explicar mais tarde, prometo. Preciso encontrar a Holmes.

Ela segurou a minha mão para me impedir, e reprimi um grito de dor.

— Acho que isso significa que você não soube — comentou ela, e seus olhos ficaram repletos de lágrimas. — Ah, Jamie, eu não queria ser a pessoa a te contar. Mas houve um acidente. Um acidente terrível, terrível.

A SRA. DUNHAM DISSE QUE TINHA ACONTECIDO APENAS DEZ minutos antes — só tinham se passado dez minutos desde que eu achei aquela câmera? Podiam ter sido segundos, ou anos, para mim, e o campus estava sendo evacuado, prédio por prédio. O alojamento Michener estava vazio, a não ser por nós dois. Ela achou que eu tinha destruído o meu quarto ao escutar a notícia. Porque ela, diferentemente de todo mundo, sabia onde o abrigo principal de Holmes ficava.

Estavam atribuindo o acidente a uma explosão de gás, segundo ela.

Atravessei o campus numa corrida desenfreada. Estava começando a nevar, um pó que grudava nos meus braços desprotegidos e nas minhas mãos enfaixadas. Eu tinha esquecido o casaco, o telefone. Meu coração acelerou quando cheguei ao pátio.

Dava para ver do outro lado do campus que o prédio de ciências era uma ruína fumegante.

Meu celular. Onde estava o meu celular? E se Holmes estivesse tentando me ligar? E se ela estivesse presa em algum lugar do prédio? Essa era a pior possibilidade que eu me permitia imaginar; que os ossos pendurados de Julian e de George tinham caído em cima dela, mas que Holmes estava bem, talvez um pouco coberta de fuligem por causa da fumaça, mas bem... Mas, bom, eu não estava dando crédito suficiente a ela. Holmes era uma mágica. Tinha que estar de pé do lado de fora, inteirinha e intacta, fumando um cigarro enquanto observava aquilo tudo queimar. O mais importante, ela estaria viva. Ainda furiosa comigo, eu daria isso ao universo – por mim, ela podia nunca mais querer falar comigo –, contanto que estivesse viva.

Tudo isso desapareceu da minha cabeça quando eu vi a cena. Não era possível. O canto noroeste do prédio de ciências estava totalmente destruído: o canto onde o quartinho de limpeza de Holmes ficava. Pedaços quebrados de granito tinham pousado com violência no chão. Através da fumaça, eu via as paredes internas do prédio, destruídas e empilhadas como as páginas de um livro velho acendidas com um fósforo. Aqui e ali, pedaços de parede quebrada ainda estavam queimando.

Em algum lugar distante, o som de sirenes. Policiais fardados isolavam a área, afastando os poucos transeuntes num amontoado de casacos de inverno. Por um alto-falante portátil, uma voz ordenou que todos os alunos que ainda estivessem por ali se apresentassem ao grêmio para mais instruções. Um policial tinha posicionado um holofote que iluminava bem a entrada do prédio. Haveria uma busca minuciosa, ele estava dizendo. Os bombeiros retirariam quaisquer sobreviventes.

Sobreviventes.

Passei por ele e por um outro policial agitando um par de luzes de plástico e depois por outro bombeiro de amarelo – agora havia caminhões de bombeiro atrás de mim piscando as luzes – que me agarrou pelo braço. O olhar que lancei para ele devia ter sido o de um cachorro raivoso, pois ele me soltou pelo meio segundo necessário para que eu escapasse. Saí correndo em direção à porta da frente e fui imediatamente derrubado.

Eles me levaram de volta aos veículos de emergência, onde designaram um policial para ser minha babá e me fizeram sentar sob sua vigilância na beira do caminhão de bombeiro. Não queriam me prender, disseram, mas fariam isso se eu tentasse escapar de novo. Então fiquei sentado quieto enquanto as luzes vermelhas lavavam tudo com fogo. Em algum momento, o policial, num instante de compaixão, colocou um copo de algo quente nas minhas mãos enfaixadas. Ele tentou me convencer a colocar seu casaco, mas eu não queria sua piedade, muito menos sua atenção. Provavelmente insultei a mãe dele. Não conseguia lembrar. Ele manteve distância depois disso.

Fiquei imaginando como seria o enterro de Holmes. Fiquei enjoado por um tempo, depois realmente parei de sentir qualquer coisa.

Alguém devia ter tirado a minha carteira do meu bolso, ou feito algumas ligações, porque de repente o meu pai estava ali. Ele me levou para o carro, onde o aquecimento estava a toda, e disse algo sobre me levar ao hospital. As minhas mãos. Eu tinha me esquecido das minhas mãos. Essas foram as primeiras palavras dele que eu registrei.

– Não. – Senti meu corpo voltar à vida com pavor. – Não, pai, alguém está atrás da gente, e eu não posso ir ao hospital. Tenho que encontrar Holmes. Você não percebe? Não posso te contar até saber que é seguro, mas tem algo *muito errado* acontecendo e preciso dela. Preciso dela aqui, entende?

Só posso imaginar como devo ter soado, meio louco de pavor e tristeza e coberto do meu próprio sangue, gritando com ele do banco do carona.

Mas meu pai fez algo incrível. Ele botou o carro em ponto morto. Devagar, como se pudesse me assustar e me fazer correr, ele se inclinou para segurar minha nuca.

– Eu entendo – declarou ele. – No momento, vamos só para casa.

Ele engatou a marcha e ligou os faróis. E lá estava ela, de pé no brilho claro deles.

A pele de Holmes estava escurecida pela explosão, o cabelo salpicado de neve. O violino pendendo dos dedos. Ela abriu a boca e a vi dizer meu nome.

Saí do carro num piscar de olhos e, no instante seguinte, ela estava nos meus braços.

Holmes era sempre Holmes, mesmo depois de um choque terrível. Com o maior cuidado, ela me contornou para apoiar o Stradivarius no capô ronronante do sedã. Só quando ele estava seguro, ela se permitiu ser abraçada e, mesmo então, manteve as mãos no meu peito como para se proteger. Ela estava fraca e morrendo de frio. Sua postura, como sempre, era perfeita.

– Você tá viva – sussurrei, apoiando a cabeça na dela. – Desculpa.

Dessa vez ela não me repreendeu por dizer o óbvio. Em vez disso, soltou uma respiração longa e trêmula.

– A única coisa que eu salvei foi o meu violino, e tive que voltar pra pegar ele. Watson, eu tava no banheiro, e se não estivesse... a bomba foi colocada no nosso laboratório.

Gargalhei de um jeito sombrio.

– Eles estão dizendo que foi uma explosão de gás.

Ela se remexeu para olhar para o meu rosto.

– Uma bomba de fabricação caseira, e no nosso laboratório. Tinha estilhaços grudados nas paredes. Watson... –

ela ficava voltando ao meu nome. – Imagino que você esteja tão acabado porque encontrou escutas no seu quarto, e não porque se meteu numa briga.

– As mãos cortadas – chutei, me agarrando a essa chance de me sentir normal – e o que mais?

– O fato de que você está coberto de vidro como um porco-espinho. Câmera atrás do espelho, e aí, é claro, você procuraria pelo áudio. O que fez você se sentir pessoalmente enganado e desconfiado; quando você está suspeitando de alguém, o seu olho esquerdo treme no canto. Agora, está acontecendo a cada três segundos. Pelo tipo de lama nos seus sapatos, só levaria alguns instantes para traçar sua rota do Michener...

Eu a abracei de novo, e ela bateu no meu peito com punhos ineficazes.

– Você tá fazendo isso pra me calar – reclamou ela.

– Tô – falei, e ela começou a chorar. Eu me afastei. – Desculpa, eu não pretendia...

– Não é você. Isso é apavorante – disse ela em meio às lágrimas. – Eu nem tô triste. Por que eu tô chorando?

Meu pai nos colocou no banco de trás, debaixo de um cobertor roído por traças; eu insisti que enrolássemos o violino dela em outro. Acomodei-a sob o meu braço e ela chorou baixinho o caminho todo.

A ESPOSA DO MEU PAI, ABBIE, TINHA PREPARADO O QUARTO de hóspedes, e depois que chegamos Holmes deu uma olhada superficial nos dispositivos do meu quarto do alojamento, disse que estavam mortos, e foi direto para a cama. Enquanto meu pai foi ligar para a escola, minha madrasta me puxou num canto para perguntar onde deveria colocar o colchão inflável.

— Você está transando com ela? — indagou Abbie, e em seguida pareceu mortificada. — Desculpe. Não estou acostumada com adolescentes, não acredito que a primeira coisa que falei para o filho do James foi... na verdade eu não sei como... vocês dois estão transando?

— Não estamos — assegurei. De uma forma estranha, aquele estava se provando o jeito perfeito da gente se conhecer... sem nada marcado, sem expectativas. Eu não tinha energia para odiá-la. Sinceramente, eu não conseguia sentir nada além de um leve alívio. Holmes estava a salvo, mesmo que em choque. Estavam cuidando da gente, ainda que apenas por uma noite. E Abbie tinha um rosto franco, charmoso, com sardas no nariz, e eu estava muito cansado. Resolvi deixar pra lá e começar a gostar dela.

— Então vou te colocar com a Charlotte — informou ela —, mas não comecem hoje. A transar, quero dizer. E o seu nariz está azulado, você está com hipotermia? Vai tomar um banho quente.

Lá em cima, tirei meus curativos improvisados na pia do banheiro. Tive que deixar as mãos descansando nas bordas enquanto estava na banheira, para não sangrar na água. Depois, vesti um dos moletons antigos do meu pai e deixei Abbie me levar à mesa da cozinha. Após me dar um

Advil, ela limpou as feridas das minhas mãos com antisséptico e, com uma pinça que esterilizara, tirou o resto dos estilhaços de vidro da minha pele. Em seguida, foi para o meu couro cabeludo. Fechei bem a boca para não gritar.

Meu pai apareceu no meio do processo. Ele tinha ficado na espera aquele tempo todo, já que as linhas da Sherringford estavam congestionadas com pais em pânico telefonando. Finalmente, a escola enviara um e-mail a todos. Ele o leu para nós à mesa. Não houvera vítimas fatais por causa do "vazamento de gás", graças a Deus, embora o professor de física estivesse em seu laboratório e tivesse sofrido "ferimentos leves". Mas a Sherringford foi fechada pelo resto do semestre.

Já não era sem tempo, pensei.

Meu pai continuou lendo algo sobre provas finais e matérias trancadas, mas eu não prestei muita atenção porque não dava a mínima. Havia muito mais em que pensar. A carta dizia que, depois da explosão, os estudantes tinham sido evacuados para um hotel das redondezas sob a supervisão dos conselheiros e das matronas dos alojamentos até que os pais pudessem ir buscá-los. No dia seguinte, a Sherringford estava trazendo uma equipe especialista de Boston para verificar outros possíveis "vazamentos" no campus e, depois que eles liberassem a área, os estudantes seriam acompanhados, em duplas de colegas de quarto, para pegar suas coisas. Eles dariam dez minutos para cada um fazer as malas. Os horários para cada alojamento estavam anexados.

Meu pai guardou seu smartphone e encarou intensamente.

— A Charlotte está aqui. Ela está segura. E eu fui muito paciente. Mas agora ou você me explica por que está com quinze cortes terríveis e há um prédio de ciências explodido ou eu vou te levar para o hospital.

As mãos de Abbie ficaram paralisadas no meu cabelo.

Fiz o possível para resumir a história: minha briga com Holmes, o quarto grampeado e o espelho quebrado, a bomba de fabricação caseira, nossas suspeitas do sr. Wheatley, da enfermeira Bryony e dos Moriarty, o que eu tinha dito ao Tom no nosso quarto.

Meu pai estava com o seu caderninho onipresente, e anotava coisas enquanto eu falava. Quando cheguei à parte de August Moriarty — como os registros sobre ele tinham simplesmente parado, o que Milo tinha conseguido do *Daily Mail*, o fato de que Charlotte não me contava nada —, o meu pai fez um som desapontado.

— Jamie. Número quinze: se você esperar que um Holmes revele tudo, pode levar anos até que você descubra qualquer coisinha.

Encolhi os ombros.

— Tabloides, pai. O *Daily Mail*. Algum dia eles já foram fonte confiável de informação? E, mesmo assim, eu não poderia consultar mesmo que quisesse.

— Você ainda tem muito a aprender — afirmou meu pai de um jeito triste. — Não se lembra das histórias que eu te contava sobre a Charlotte?

— Sim. Não sou idiota.

— Já que você não é idiota, é claro que já concluiu, por essa informação, que eu guardei tabloides sobre ela desde que ela era uma menininha. E que é provável que eu tenha um arquivo ou outro que poderia te esclarecer um pouco a esse respeito.

As respostas tinham estado ali o tempo todo.

O tempo todo. Na casa em que eu cresci.

Abri a boca para pedir o arquivo a ele, bem na hora que meu pai me olhou e disse:

— Sabe, se você não estivesse tão bravo injustamente comigo, já podia ter botado as mãos nisso semanas atrás.

Isso encerrou o assunto. Porque eu podia ter ficado louco por saber a verdade sobre Charlotte Holmes, obcecado por isso por muitas noites horríveis, mas o rancor que eu guardava do meu pai ainda era maior.

— Eu não quero.

Ele pareceu levar um soco.

— O quê?

— Você me ouviu. Isso é entre nós dois, e eu confio nela.

— Mas...

— Eu confio nela, pai. — Era verdade, afinal de contas.

— É claro. É claro que você confia. — Meu pai suspirou, pressionando a ponte do nariz. — Certo. Enfim, aquele seu detetive está me ligando a noite toda. Você não está com o seu celular? Não? Isso explica. Eu vou retornar a ligação dele e contar o que você me contou — ele levantou o caderninho —, se quiser ir para a cama.

— Sim, mais do que tudo. — Eu me levantei vacilante. — Nada de hospital, então?

Ele deu uma risada surpresa.

— Tá maluco? Tem alguém tentando te matar. Não, você vai ficar bem aqui.

Balançando a cabeça, ele desapareceu no corredor.

Abbie estava guardando o kit de primeiros socorros, sorrindo para si mesma. Será que ela achava tudo aquilo divertido? Subtraí alguns dos pontos que tinha dado a ela.

— O que exatamente é tão engraçado?

— É como se você fosse uma miniatura dele — comentou ela. — Ah, isso tudo é horrível, mas é que nem um filme de espião! Quero dizer, muito *cool*.

Bom, o meu pai tinha casado com a mulher certa. Ela era tão insensível quanto ele.

— A minha melhor amiga quase morreu hoje. Foi realmente por pouco. Eu não acho que isso seja *cool*.

Ela me deu um tapinha no ombro.

— Se você esperar um segundo, vou pegar um lençol que caiba naquele colchão.

Subi as escadas com passos pesados e cheio de roupa de cama branca. No quarto de hóspedes, Holmes estava encolhida sob a colcha florida, dormindo profundamente. Tinha tirado um pouco da sujeira do rosto, mas não tudo, e parecia uma órfã dickensiana contra os lençóis brancos. Abri o cobertor que estava ao pé da cama e arrumei-o por cima dela, ficando um bom momento parado para observar a lua refletir no cabelo dela. Ela estava viva. E acordaria no dia seguinte para fazer planos e discutir comigo, para me trazer sanduíches horríveis, para me incentivar até eu virar um parceiro melhor. Seus olhos tristes, sua língua afiada e o jeito com que ela tocava o meu ombro quando achava que eu não estava prestando atenção. Eu sempre estava prestando atenção.

Ela estava bem ali, e eu ainda não conseguia acreditar. Resisti ao ímpeto de tirar o cabelo dela da testa. Ela se agitou, e recolhi a mão.

– Watson, o que foi?

– Nada. Volte a dormir.

– Eu não deveria – afirmou ela, se sentando. – A gente precisa trabalhar nesse caso. Algo terrível está prestes a acontecer.

Eu a empurrei gentilmente de volta para trás.

– Hoje à noite, não. Nada vai acontecer hoje à noite. Volte a dormir.

Puxei o colchão para o lado da cama e me deitei; ele soltou um longo suspiro de ar.

– Watson.

– Quê?

– Desculpa ter puxado briga com você – disse Holmes, sonolenta. – Mas saiba que eu tive um bom motivo.

– Eu sei, eu tava sendo um idiota. – Eu realmente não queria conversar agora, não mesmo, mas conversaria, se fosse preciso.

– Não. Não foi culpa sua. – A voz dela estava se tornando um sussurro fraco. – O bilhete dizia que você morreria se ficasse, então eu dei um jeito. Fui horrível até você ir embora.

Eu me sentei no escuro, tenso, mas Holmes já estava dormindo.

SE TIVESSE SIDO QUALQUER OUTRO DIA NA HISTÓRIA, E TIVESsem me dito algo assim, eu não teria dormido de jeito nenhum. Mas, naquela noite, eu apaguei em dez minutos. Não é que eu me sentisse particularmente corajoso ou que tivesse resignado à morte violenta que se aproximava rapidamente (apesar de isso não ser um plano ruim, na verdade). O meu corpo apenas tinha se provado fisicamente incapaz de aguentar mais pavor. Chega, decidiu ele, e desligou tudo.

Acordei quando os primeiros raios de sol entraram no quarto. Mais precisamente, acordei com um eclipse em forma de criancinha.

– Oi – disse ele, colocando uma mão grudenta na minha boca.

Eu a afastei com cuidado, me sentando.

– Olá – respondi. – Como você entrou aqui?

A cama de Holmes estava bagunçada e vazia, a porta escancarada.

– Eu gosto de patos.

Ele parecia, de forma desconcertante, com fotos minhas de criança que eu já tinha visto. Olhos ingênuos, cabelo escuro bagunçado. Minha mãe dizia que eu conseguia escapar de tudo e, olhando para ele, acreditei.

Só para constar, eu jamais tinha me ressentido dos meus meios-irmãos por nada que aconteceu entre mim e o meu pai. Eles eram bebês, e nada disso era culpa deles. Além disso, ele era bem fofo.

— Eu também gosto de patos — respondi, e o peguei no colo para levá-lo para baixo comigo. Felizmente, eu tinha experiência em falar com bebês, graças a um monte de priminhos. — Qual é o seu nome?

— Malcolm — informou ele numa voz tímida. — O seu nome é Jamie.

— Isso mesmo. — Pulei um pouco com ele no colo no caminho para a cozinha.

— Nevou! — gritou ele, apontando para fora, através da porta dos fundos, para o gramado branco.

Pensei em como estariam os escombros do prédio de ciências naquela manhã. Nosso laboratório destruído a céu aberto, tudo coberto de branco. Com uma angústia estranha, eu me perguntei se a coleção de dentes de Holmes tinha sobrevivido.

Abbie se virou do fogão, onde estava preparando panquecas.

— Ah, não, ataque do Mal! Me desculpe. Eu queria deixar você dormir.

Dei de ombros, passando Malcolm para o outro braço.

— Tudo bem, ele só tava dizendo oi. Você viu a Holmes? Preciso encontrar e matar ela.

Ela me lançou um olhar desconfiado.

– Na sala, com o seu pai e o Robbie. Ele está mostrando o gato para ela.

– Eu não sabia que vocês tinham um gato – comentei, tentando puxar assunto. Na verdade, eu sabia. Estava mesmo era querendo descolar uma daquelas panquecas.

Abbie franziu a testa e não me ofereceu uma.

– Ele é medroso e odeia todo mundo. O Robbie passou a última hora tentando encontrar ele para ela.

– Vamos lá – murmurei para Malcolm –, a gente vai encontrar a srta. Charlotte, que acha que manter o sr. Jamie na ignorância é um jogo muito, muito engraçado.

Na sala, meu pai e Holmes estavam examinando um pedaço de papel que tinham colocado na mesinha de centro. O gato, um tigrado lindo, estava ronronando no colo dela.

– Mas ele me odeia – dizia melancolicamente o menininho aos pés dela. – Por que ele gosta de *você*?

Holmes o encarou, refletindo.

– Porque eu tenho um colo maior pra ele sentar. Espera uns dez anos e talvez ele goste mais de você.

Robbie irrompeu em lágrimas.

– Certo – disse meu pai. Ele pegou Malcolm do meu colo e levou Robbie pela mão, conduzindo-o para fora da sala ainda chorando. – Vamos ver se a sua mãe acabou de preparar aquelas panquecas.

Holmes mal notou. Ela sacou uma lupa minúscula e se inclinou sobre o papel.

— Watson, venha aqui e me diga o que você acha disso.

— Isso vai explicar por que você manteve sua comunicação direta com o nosso perseguidor em segredo, escolhendo me impor um sério dano psicológico com o objetivo final de me fazer ir embora e deixar você lidar com uma bomba sozinha?

— Sim. — Ela nem ergueu os olhos. — Venha aqui.

Ela tinha colocado o bilhete no meio da mesa. Quando me aproximei, vi que o papel estava em cima de um saco plástico.

Holmes me passou um par de luvas cirúrgicas.

— Elas estavam no kit de primeiros socorros da sua madrasta – disse ela, para se explicar. — Vá em frente. O que você vê?

Eu li em voz alta.

**SE CONTINUAR ARRASTANDO
JAMES WATSON PARA ISSO, ELE
TAMBÉM VAI MORRE ESTA NOITE
ELE NÃO MERECE COMO VOCÊ
ISSO NÃO VAI PARAR ATÉ
VOCÊ TER APRENDIDO A LIÇÃO**

— Um erro de gramática – falei. – "Morre", em vez de "morrer". O corretor ortográfico não pegaria isso. E isso está escrito com construções muito típicas do inglês britânico... Estranho.

Ela gesticulou impacientemente.

— O que mais?
— Bom, é uma ameaça de morte. Embora eles pareçam gostar mais de mim que de você.

Levantei o bilhete com cuidado, segurando pelo canto. Era quadrado, recortado de um papel normal para impressão, fino ao toque. Havia uma dobra no meio, provavelmente de quando Holmes o colocou no bolso. A tinta era preta. Eu o segurei contra a luz, mas não conseguia ver mais nada de especial.

Comentei com ela minhas observações e Holmes assentiu, satisfeita. Talvez eu não fosse tão inútil, afinal de contas.

— A que conclusões você chegou? – perguntei.
— A todas que você não chegou – respondeu ela, e pegou a folha das minhas mãos. – A pessoa que escreveu muito provavelmente é uma mulher, e está escrevendo em seu próprio nome. Veja, ela usou uma dessas fontes especiais sem serifa, o tipo que não vem como padrão. É preciso baixar essa fonte, e ninguém faria esse esforço se fosse um lacaio, só usaria Times New Roman, ou qualquer fonte padrão. E isso também seria o mais inteligente. Porque ou ela é muito convencida e não acha que precisa encobrir seus rastros, ou escreveu isso com muita pressa e essa era a fonte padrão.

Eu peguei o bilhete de volta e dei uma olhada na fonte.
— Não me parece assim tão estranha.

Holmes suspirou. O gato no colo dela virou seus olhos malignos para mim. Aparentemente, ela havia encontrado seu espírito animal.

Esfreguei meu rosto. Eu precisava de café. Ou de um sedativo.

– Mas como você sabe que é uma mulher?

Ela puxou o papel de volta.

– Só levei alguns minutos de pesquisa para descobrir a origem dessa fonte, que se chama Hot Chocolate, que graça, junto com algumas centenas de outras num desses sites de design. Muito bem, mas essa foi a nona ocorrência no Google. A *primeira* era um site que falava de "vida de irmandade" e encontrei nossa Hot Chocolate na página sobre criação de convites para festas.

– Então ela faz parte de uma irmandade – falei.

– Ela é alguém que olha sites sobre irmandades – Holmes me corrigiu. – Mas esse foi só um termo da busca. Depois de trabalhar nos algoritmos, tentei outros cento e trinta e nove, começando, é claro, com as sequências de busca de sintática mais comuns e passando, sistematicamente, para as menos prováveis. – Nesse ponto, meus olhos começaram a ficar vidrados. – Mas toda vez esse site vinha primeiro. Duvido que alguém que cometa um erro de digitação em sua ameaça de morte olhe além da primeira ocorrência do Google. E esse site estava totalmente coberto de glitter.

– Como o bilhete chegou?

– Ele foi passado por debaixo da minha porta ontem de manhã, mais ou menos. – Ela o dobrou ao meio de novo. – Olhe para essa prega. Ele não foi só dobrado casualmente. Isso foi feito com um objeto contundente e uma quantidade considerável de pressão, dá pra ver pelo franzido na junção. Alguém estava irritado quando escreveu isso e descontou no papel.

Obviamente. Era uma ameaça de morte. O peso terrível do que Holmes tinha feito no dia anterior desabou nos meus ombros.

– Então, depois que você recebeu isso, você me enxotou e... esperou alguém aparecer e te matar?

Ela me observou calmamente.

– Pareceu uma boa chance de encontrar a pessoa, não? Mas eu esperava que viesse com uma arma de fogo. Bombas são a arma de um covarde.

– E se você não estivesse no banheiro do outro lado do prédio, você teria *morrido*. – Mordi os nós dos dedos, controlando meu temperamento.

– Eu sei. Foi por isso que eu fiz você sair. – Ela enfiou o bilhete de volta na bolsa. – Vou deixar seu pai entregar isso ao detetive Shepard, tenho certeza de que ele vai querer, agora que acabamos. Você foi muito bem. Só deixou escapar uma coisa.

– O quê?

Inclinando-se para a frente, ela segurou a bolsa aberta debaixo do meu nariz.

– Isso tem cheiro de quê?

Algodão-Doce Para Sempre. Tossi, abanando a mão na frente do rosto.

– Você não disse que só dá pra conseguir isso no eBay japonês?

– Sim.

– Então onde foi que você descobriu isso?

– O August Moriarty me deu um frasco de Natal – respondeu ela. – Eu tinha mencionado de passagem que gostava de algodão-doce, e ele caçou em todo canto um perfume com esse cheiro. Só tinha sido fabricado no Japão, segundo ele, e sido descontinuado nos anos 1980. – Holmes desviou os olhos. – Eu usei por algumas semanas, mesmo sendo abominável, porque... bom, não importa. No fim, isso se provou útil.

Eu a encarei. Uma calça jeans de estilo maternal e um suéter imenso, emprestados de Abbie, isso deu para deduzir, e o rosto zelosamente limpo. O sol salpicava seus cabelos. Eu não fazia ideia de no que ela estava pensando.

– Holmes – falei devagar –, como isso pode não ser um aviso do August Moriarty?

– Não é. É claramente trabalho de uma mulher, Watson.

– Então...

– A enfermeira Bryony – disse Holmes, como se fosse óbvio. – Você acha mesmo que a Phillipa visitaria um site Delta Delta Delta? Mais do que a mulher que passou o baile de boas-vindas todo pedindo músicas antigas de R. Kelly e me falando do baile da irmandade dela? O perfil bate certinho.

– Mas o perfume aponta direto pro August.

– É provável que ela também use. – Holmes deu de ombros. – Já vi coincidências mais estranhas.

— Você já sentiu esse cheiro nela?

— As pessoas não usam o mesmo perfume todos os dias, Watson. Tenho certeza de que vou encontrar um frasco no apartamento da Bryony. Fica na cidade de Sherringford, e a gente pode revistar enquanto ela estiver fora.

— Holmes. Como isso explica qualquer coisa sobre o traficante? Ou sobre o caderninho do falsificador? Ou o cara no necrotério?

— Você não acredita que eu resolvi essa questão? Porque eu resolvi. Eles usaram um agente, e esse agente fracassou. Aí contrataram outro. Taí. Resolvido.

— Holmes...

— Mais cedo, quando eu falei com o detetive Shepard, pedi a ele que levasse a Bryony pra um interrogatório amanhã às 10 da manhã. Vamos revistar o apartamento dela então. — Ela me lançou um olhar compreensivo. — Eu conheço esse sentimento. Sempre fico decepcionada no fim de um caso. Mas vamos achar outro.

Agora eu estava começando a acreditar no que ela dissera a respeito dos perigos de gostar de alguém. De como as emoções só atrapalhavam. Para mim, soava como se Holmes estivesse ignorando algumas conclusões óbvias a favor de inventar qualquer teoria que livrasse a cara de August Moriarty. O quão difícil seria para ele plantar um erro de digitação, ou usar uma fonte especial para escrever aquele bilhete do jeito que uma mulher faria? Ele sabia o que Holmes ia procurar, como ela interpretaria as coisas: ele podia dar exatamente o que ela queria enxergar.

A pior parte? Ela continuou comprando aquele perfume que ele dera. Mesmo sendo caro. Mesmo que ela o detestasse. Era importado, e difícil de achar, e aquela carta estava embebida nele.

Eu sabia o que tinha que fazer.

— É um bom plano — eu disse a ela. Ou teria sido, se houvesse alguma chance de Bryony Downs ser culpada. — Mas, olha, eu ainda tô me sentindo muito mal de ontem, não dormi muito, graças ao seu senso de timing, haha, e as panquecas estão com um cheiro maravilhoso, mas, sabe, Malcolm me acordou tão cedo, acho que eu preciso...

— Você tá bem? — perguntou ela. Eu estava começando a suar.

— Tô me sentindo péssimo. — Era verdade. — Preciso me deitar. — Também verdade.

— Vai — incentivou ela, fazendo um gesto para eu sair.

— Eu vou esperar pelo detetive. E talvez repasse o bilhete com o seu pai de novo. Ele não consegue acompanhar o meu raciocínio.

Cruzei com o meu pai no pé da escada.

— Posso dar uma olhada naquele arquivo? — perguntei num sussurro.

Ele me encarou de um jeito triste.

— No meu escritório, lá em cima. Na segunda gaveta.

Ele tinha um rosto gentil, o meu pai. Eu me lembrara de uma porção de coisas sobre ele, quando a gente se mudou para a Inglaterra: o entusiasmo desastrado e as gravatas xadrezes, os apelidos idiotas que ele tinha para Shelby, o jeito com que a minha mãe gritava com ele quando ele afundava à mesa da cozinha, com a cabeça enterrada nas mãos. Mas eu havia esquecido o quanto ele era gentil. O quanto ele sempre confiara em mim.

— Vou te dar um pouco de espaço — comentou ele e, depois que eu encontrei o escritório, tranquei a porta atrás de mim.

nove

Coloquei o arquivo sobre a escrivaninha.
 Meu pai tinha recortado jornais, imprimido artigos da internet. Seguia em ordem cronológica: as informações mais antigas na frente. Resisti ao impulso de pular para o fim.
 Não. Eu iria devagar. Estava traindo minha melhor amiga.
 Começava com as coisas de sempre. Sociedades sherlokianas e clubes do livro. Sites de fã-clubes para as histórias do meu tataravô, e muitos mais para as adaptações de televisão e cinema. Folheando as páginas, encontrei cópias impressas de alguns dos sites que rastreavam os movimentos do clã Holmes. Eles eram intensamente discretos, a família Holmes, e assim a coleta de migalhas de informação sobre eles se tornou um esporte para o mundo em geral.
 Abri uma árvore genealógica colada com fita adesiva, escrita com a letra do meu pai. Os Watson, sempre os guardiões dos registros. No topo, ele colocou Sherlock. Depois vinha Henry, o filho que ele teve já em idade muito avançada, categoricamente se recusando a identificar a mãe. Segui os ramos pelos filhos de Henry até chegar ao pai de Holmes, Alistair, e os irmãos dele: Leander, Araminta e Ju-

lian. Uma pequena linha conectava Alistar a Emma, a mãe de Holmes; abaixo havia uma bifurcação para Milo e Charlotte Holmes.

Passei por artigos sobre o primeiro caso de Holmes, quando ela localizou os diamantes Jameson. Em uma fotografia da entrevista coletiva no Metropolitan, lá estava ela, pálida e solene entre os pais. De um lado estava o pai dela, encarando a câmera com olhos semicerrados. A mãe tinha cabelos loiros e um sorriso vermelho-escuro, com a mão possessiva no ombro da filha.

Chega do que eu já sabia. Virei até a última página e fui voltando. Informações sobre o trabalho de caridade de Leander Holmes. A página anterior era um recorte de um evento beneficente da Yard. E, antes dela, como um pedaço solitário de pirita em meio àquele ouro todo, um artigo do *Daily Mail*.

Era um único parágrafo, no final de uma longa torrente de fofocas, espremido entre uma notinha sobre a Família Real e outra sobre a banda preferida da Shelby:

Vocês lembram como os tão discretos Holmes fizeram um grande auê ano passado, convidando o galã gênio (e aluno do doutorado em filosofia) **August Moriarty, 20**, *para ser um tutor residente para a filha deles,* **Charlotte, 14**? *As duas famílias se odiavam há mais de duzentos anos, e o papai Alastair queria fazer uma oferta de paz bem pública. Bem, parece que as coisas na Casa Holmes* *sofreram uma reviravolta nesta semana que passou. August saiu escoltado pela polícia, e não foi por ter se engraçado com as crianças! Nossa fonte nos conta que ele foi flagrado alimentando o vício em drogas de Charlotte. Oxford já o expulsou, a família Moriarty o deserdou: o que vai acontecer agora com o ex-futuro professor? Quanto à srta. Charlotte Honoria Holmes, ouvimos falar que é internato ou nada.*

Então o nome do meio dela é Honoria.
Tive que ler de novo. Uma terceira vez. Uma quarta. E então me obriguei a ler nas entrelinhas. Eu me sentia *mal* por August Moriarty? Era isso que me incomodava? Qualquer outra pessoa teria dado uma olhada na disparidade de idade ali e pensado, *nossa, esse babaca se aproveitou de uma garotinha inocente,* mas Charlotte Holmes não era inocente. Ela era imperativa e exigente, com uma tendência autodestrutiva larga como o Atlântico. Pensei em como ela tinha sido grosseira com o detetive Shepard quando quis entrar no caso dele. Como ela tinha me convencido da minha própria inutilidade quando quis ficar sozinha com a bomba caseira. Não era nada difícil que ela chantageasse um professor particular de matemática para lhe comprar drogas.

A pior parte? Eu meio que já sabia. Tinha feito uma dedução razoável, naquela noite no restaurante, e ela me deixara acreditar que era a história completa; que ela foi mandada aos Estados Unidos por causa do problema com drogas. Ignorando Moriarty no centro de tudo.

Se qualquer parte daquilo fosse verdade, August teria um milhão de motivos para querer acabar com Holmes. Vasculhei meu cérebro para relembrar o que Lena tinha dito naquela noite do pôquer. Se ela estivesse certa quanto à Holmes ter ficado mal por causa de August, no primeiro ano, era mais uma prova de que tinha um coração e uma consciência, apesar do que dizia. (Sinceramente, se eu fosse Holmes, estaria preocupada de ele estar vivendo num beco por aí.) Milo tinha ido visitar e falado... o quê? Que tinha cuidado das coisas. Só que Lena não soubera dizer *como*, só que Holmes tinha ficado mais feliz depois que Milo foi embora. Na hora eu pensei, "ah, ele se ferrou". E agora eu só queria saber quanto Milo teve que gastar para subornar August. Eu torcia para que August tivesse recebido um cheque bem gordo, talvez uma casinha à beira-mar. Um escritório forrado com livros onde o pobre-diabo poderia continuar trabalhando na matemática dele como quisesse.

Teria sido uma coisa se uma Holmes se apaixonasse por um Moriarty, pensei com amargura. De fato, seria avassalador e arrasadoramente romântico; e, seguindo a deixa, minha imaginação começou a colorir a cena. Charlotte e August, nossos amantes proibidos, presos numa constante batalha de mentes dedutivas. Códigos de lançamento de mísseis trocados por elaboradas danças de pés se esfregando sob a mesa. Um almoço de medalhões de vitela no jardim enquanto debatiam se deveriam anexar a França. *Et cetera, ad nauseam.*

O lance era que Charlotte Holmes não se apaixonava.

E, mesmo se, de alguma forma, ela tivesse se apaixonado (meu estômago se revirou de novo), tinha ferrado com ele no fim. Caramba, Holmes tinha sacaneado um *Moriarty*. Uma família inteira de falsificadores de arte, filósofos e assassinos de sangue azul sentados em suas torres de marfim, conectados às profundezas mais sombrias do submundo pelos tentáculos reluzentes da ambição deles. Claro, nem todos eles eram maus, mas muitos eram, e, depois daquela situação com August, até o último deles ia estar atrás do sangue de Charlotte.

Tentei me afastar da beira do abismo. Talvez estivesse fazendo a mesma coisa que fiz no restaurante – vendo 90% da história, mas perdendo os 10% realmente importantes. Talvez eu estivesse completamente errado. Para começar, o *Daily Mail* não era exatamente conhecido pela integridade jornalística. E, talvez, August tivesse mesmo encorajado o vício de Charlotte; talvez ela fosse a inocente.

Então por que ele estava tentando matá-la?

Bem, pensei, já que eu estava sendo horrível, podia muito bem ir em frente e ser mesquinho. Abri o computador do meu pai e, meio que cobrindo os olhos, digitei o nome de Moriarty numa busca de imagens. Ele era um nerd, eu disse a mim mesmo, um cdf da matemática; provavelmente tinha cabelo vaca lambida e era dentuço.

A página carregou lentamente. As fotos apareceram, uma de cada vez. Ele parecia um príncipe da Disney. Fechei o laptop com força.

FIQUEI SENTADO ALI POR MAIS UMA HORA, PARALISADO NAS minhas deliberações. Quando finalmente cheguei a uma conclusão, não me senti nada melhor. Passei uma hora no Google, tentando desencavar o que precisava; mas, como eu suspeitava, não estava em lugar nenhum. Muito bem, então. A coisa teria que ficar pessoal.

Tão silenciosamente quanto pude, destranquei a porta do escritório e me esgueirei pelo corredor. Tudo estava quieto. No andar de baixo, ouvi o som solitário e espectral do violino de Holmes; ela estava ocupada. No quarto de hóspedes, as roupas sujas dela tinham sumido da beira da cama, mas o telefone estava bem à vista.

Algumas semanas atrás, Holmes tinha decidido me dar a senha; para emergências, dissera. Os olhos dela cintilavam enquanto me ditava os números.

– Achei que era para ser uma sequência aleatória – protestei. Foi um protesto fraco: eu tinha ficado empolgado. Empolgação de aniversário, de dia de neve, de Natal.

Holmes me presenteou com um daqueles sorrisos de meio segundo.

– Se alguém conseguir botar as mãos no meu celular é porque eu estou morta ou quase morta. De qualquer maneira, você é a única pessoa que eu ia querer mexendo no meu celular. Então pensei que deveria escolher uma senha que você conseguiria lembrar. Com certeza você é capaz de se lembrar dessa.

Digitei rapidamente, na esperança de que ainda fosse o mesmo, na esperança de que não fosse.

0707. Sete de julho.

Meu aniversário.

Com um suspiro profundo, olhei os contatos dela. Só havia quatro na lista: casa, Lena, eu. E Milo.

"Um dos caras mais poderosos do planeta", ela havia me dito. E a única pessoa que Holmes escutaria, se não fosse me escutar.

Escrevi uma mensagem, uma letra de cada vez. *Milo, aqui é James Watson.*

"Eu soluciono crimes desde que era criança. Faço isso bem", ela me dissera. "Tenho orgulho da minha habilidade nisso, sabe?"

Sua irmã está cometendo um imenso erro, que pode custar a vida dela. Preciso da ajuda da sua família.

"Não acreditam mais que eu consiga me virar sem eles."

Venha se for conveniente. Mesmo que não seja... vem pra cá.

Enviei. Depois apaguei qualquer rastro do feito. Era um gesto fútil: Deus sabia que Holmes levaria um instante para farejar minha traição. Debati se deveria tornar minha mentira uma verdade, ou seja, ir dormir. Mas concluí que seria impossível. Não estávamos mais sendo vítimas de uma simples armação. Estávamos sendo caçados. Se não fôssemos jogados na cadeia, August e seu cúmplice cuidariam para que morrêssemos.

E quem poderia garantir que ele não faria um atentado contra nossas vidas enquanto estávamos ali? Fiquei paralisado. Por que eu não tinha pensado nisso antes?

Malcolm e Robbie, entrei em pânico, e desci as escadas correndo para encontrar meu pai.

Ele estava na porta da frente, acenando para Abbie e os meninos enquanto o carro dava ré até a rua.

– Ah – falei.

– Eles vão voltar para a casa da mãe dela por alguns dias – contou ele, fechando a porta. – Charlotte me convenceu de que seria uma boa ideia, e agora eu me sinto mal de já não ter despachado eles antes. – Ele suspirou. – O detetive Shepard está na cozinha, se você quiser falar com ele. Você achou o que precisava?

– É o Jamie? – chamou Shepard. – Pergunte a ele o que diabos é Chiclete Para Sempre.

Só que o violino da Holmes ainda ecoava. Segui o som como se estivesse sonhando. Ali, na sala de estar. Vestida novamente nas roupas de sempre, até as botas negras. Contra a claridade da janela, ela era como uma sombra abstraída, com o instrumento aninhado sob o queixo. E movia o arco com belíssima lentidão. Uma nota aguda, depois uma descida lânguida.

Holmes fez uma pausa no meio da nota, como alguma bela estátua. Observá-la me devastava.

— Watson? – perguntou ela, sem se virar.

Avancei pesadamente, como se tivesse sido chamado por um juiz para ouvir a sentença.

— Acabei de passar uma boa hora falando da explosão com o detetive. Como se eu soubesse alguma coisa que ele não sabe. Ah, e seu pai disse que marcaram para você buscar suas coisas no dormitório às 10:30 de amanhã. Então eu talvez tenha que revirar a casa da enfermeira Bryony sozinha. – Holmes ergueu o Strad para examinar as cordas e puxou uma delas. – Tudo bem?

— Eu prefiro ir com você – respondi, com o tom mais normal que consegui.

Ela se virou para mim, com olhos escurecidos como uma tempestade. Rapidamente, ela absorveu minha expressão, minha postura, meus pés descalços no carpete e, quando chegou a uma conclusão, recuou como se eu tivesse batido nela.

— Você disse que não faria isso – sussurrou ela.

— Eu tenho que ouvir de você – respondi. Não faria mais sentido fingir. – O que aconteceu entre você e August Moriarty?

— Você não...

— Eu quero sim, preciso saber.

— Watson, por favor...

— Me conta – insisti. Meu Deus, eu estava aterrorizado. Não sabia que *por favor* estava no vocabulário dela. – Só... você pode me contar?

Tensa, incrédula, ela balançou a cabeça, como se eu fosse um homem na rua que tivesse cometido o erro de exigir sua carteira e a senha do banco, além de dez minutos com ela num beco. Como se eu não tivesse visto a faca que ela carregava à mostra. Naquele momento, eu inventei e descartei uma centena de coisas que poderia ter dito – bobeiras, coisas reconfortantes, acusações –, mas ela apenas passou por mim e saiu direto pela porta da frente, as botas produzindo o único som no silêncio.

Na cozinha, Shepard disse ao meu pai:
– Irmandades? Fonte Hot Chocolate? Hum. Você pode me explicar de novo?

NÃO CONTEI AO MEU PAI OU AO DETETIVE QUE ELA HAVIA saído, pelo simples motivo de que eu não queria que eles montassem uma busca. E tinha todas as razões para querer desaparecer, pensei, mesmo sem o nosso bombardeiro à solta, mas a última coisa que eu queria era que Holmes ficasse cara a cara com ele agora. Mesmo que eu não tivesse dúvidas sobre quem ia ganhar.

O que não ajudava em nada com a sensação ruim no meu estômago. Porque aquilo não era um filme de super-herói (a música épica e o triunfo inevitável, com o inimigo caído aos pés dela numa quantidade calculada do próprio sangue). Aquilo não era uma das histórias do meu tataravô (ela com chapéu e bengala e relógio de bolso, saindo em disparada para capturar o vilão, enquanto eu esperava junto ao fogo que a grande revelação fosse trazida para casa em segurança). Aquilo não era nem um item na lista infinita do meu pai, um episódio a ser resumido de forma elegante e educada. Eu nem sabia como isso poderia ser feito. *128. Quando você trai a confiança de Holmes, _____. 129. Quando você percebe que ela já gostou de alguém que não era você, seu idiota egoísta, _____. 130. Quando o resultado direto das emoções que ela afirma ser incapaz de sentir é um imbecil misógino morto, uma garota inocente sufocada até quase morrer, cada momento particular seu filmado, e Holmes quase explodida em pedacinhos sangrentos, _____.*

Ela vai entender, eu disse a mim mesmo depois de uma hora de ruminação. *Ela vai entender por que eu fiz aquilo.* E, por enquanto, eu respeitaria a necessidade dela de distância; era capaz de pelo menos isso; e, quando ela voltasse, pediria desculpas, e então poderíamos voltar à questão de não sermos mortos.

Foi aí que eu me lembrei das regras 1 e 2.

Procure com frequência por opiáceos e jogue-os fora, conforme o necessário.

Sempre comece pelos saltos ocos das botas de Holmes.

Talvez nós não estivéssemos tão distantes do passado quanto eu queria acreditar. *Ah, eu sou um completo idiota*, pensei, e mal me lembrei de pegar o casaco ao sair correndo pela porta.

Entre a nossa casa e a estrada havia um trecho gramado, levemente salpicado de neve. Quando eu era criança, aquilo parecia um continente, sem fim. Só que agora parecia do tamanho de um selo de carta. Era impiedosamente claro, e aberto, e não exibia nenhum sinal dela. Como Holmes tinha conseguido passar sem deixar pegadas? Só conseguia ver as marcas de coelhos e cervos.

Estávamos a uns oitocentos metros da casa mais próxima, e ainda mais distantes de qualquer tipo de civilização. Ainda assim, avancei até o meio da estrada e protegi os olhos da luz, olhando longe nas duas direções. Vi asfalto, paisagem plana e o cata-vento do vizinho. Não vi Holmes.

Bem, antes de pegar o carro do meu pai para sair procurando, eu deveria descartar o resto da nossa propriedade. Seria meticuloso. Holmes teria sido meticulosa, procurando por mim.

Só Deus sabia o que eu ia dizer ao encontrá-la.

Completei rapidamente a busca entre árvores que ladeavam a casa. Passei mais tempo no barracão que meu pai tinha construído para guardar as ferramentas. O cortador de grama estava lá, assim como os cavaletes, e mesmo parecendo que não havia nada mais, eu examinei o barracão tanto por dentro quanto por fora, procurando por espaços escondidos, uma sala oculta. Tateei cada centímetro de madeira com minhas mãos enfaixadas. Nada. Ainda nada.

Saí para o quintal e considerei o trecho de terra aberta e gelada atrás da casa, me perguntando se ela conseguiria de alguma forma ficar das mesmas cores da paisagem, se estaria de alguma forma parada bem ao meu lado. Se ela havia se apagado completamente.

Pela janela dos fundos, encarei a cabeça curvada do detetive Shepard. Meu pai estava diante dele, tentando sem sucesso não me olhar. Olhei para ele também.

Pegaria o carro, então. Vasculharia todo o campo entre a casa e Sherringford, e eu a encontraria, de alguma forma. Depois que eu me assegurasse de que ela não tinha sofrido uma overdose, deixaria que me odiasse o quanto quisesse. Só que as minhas mãos, sob as bandagens, estavam começando a gelar. Eu não tinha a menor intenção de arrumar queimaduras de frio duas vezes em dois dias. *Luvas*, pensei, subindo os degraus do alpendre. *E então o carro, e então Holmes...*

Sob meus pés, ouvi uma risadinha.

Era uma risada feia, do tipo que você ouviria de um garotinho que acabou de arrancar as asas de uma mosca. Ainda assim, era dela, e eu pulei da lateral do alpendre e fiquei de quatro para espiar os trinta centímetros de escuridão sob ele.

Na lama congelada sob as escadas, Holmes tinha se enrolado numa pequena bola de sombras. A cabeça estava languidamente inclinada para um lado, me observando. Fiquei ajoelhado ali, imóvel. Ela me viu, isso estava claro; também estava claro que ela não conseguia processar o que estava vendo. Os pés descalços estavam negros de terra, o cabelo bagunçado.

Ela havia se escondido debaixo do alpendre, como um cachorro espancado.

74. *O que quer que aconteça, se lembre de que* não é culpa sua, *e provavelmente não poderia ter sido evitado, não importam os seus esforços.*

Meu pai, mais uma vez, provava ser um idiota.

— Holmes? — sussurrei.

— Oi, Watson — respondeu ela, sonolenta. Engatinhei para ficar ao lado dela, passando pelas meias e sapatos dela, empilhados, passando por suas pernas encolhidas. Os olhos dela me avaliaram, despreocupados. Percebi, com um choque, que as pupilas tinham encolhido até minúsculos pontos pretos. — Oi — repetiu ela, e riu.

— Quanto você tomou? — perguntei, chacoalhando as meias e as colocando de volta nos pés gelados dela. Holmes não resistiu, mas não reagiu também, mesmo quando coloquei a mão dentro de uma das botas e tirei um saco plástico vazio. — Meu Deus, você sempre carrega uma reserva dessas coisas?

— Dias ruins — respondeu ela, fechando os olhos. A voz não estava áspera ou rouca; simplesmente não era a voz dela. — Ah, Watson, sempre tão decepcionado.

— Não, fique acordada — pedi, tocando o rosto frio dela. Holmes afastou minha mão sem muita energia. — O que você tomou?

— Oxi. Deixa tudo devagar. — Ela sorriu. — Cansei de coca. Odeio coca. Estou decepcionando você?

— Não.

— Mentiroso — retrucou ela com súbito veneno. — Você espera coisas impossíveis, e eu me recuso a cumprir. Não consigo. Não vou.

— Eu não estou esperando nada de você, só que não morra congelada. — Tirei o meu casaco e a embrulhei nele. — Venha, vamos entrar.

– Não.

– Holmes, tá gelado aqui fora, você tem que tomar um banho quente. – Puxei o braço dela e, imediatamente, ela atacou minha palma ferida com as unhas. Eu me afastei.

– Eu disse *não* – disse ela, me encarando com olhos que eram só íris e nenhuma pupila.

Aninhei a mão junto ao peito, tentando controlar minha respiração.

– Quanto você tomou?

– O suficiente – respondeu ela, desviando o olhar. Estava entediada de novo. – Eu não vou morrer. Vai embora.

– Não vou embora sem você.

– Vai embora. Leva o seu casaco, ele fede a culpa.

– Na verdade, acho que estou bem aqui.

Eu não tinha como fazê-la entrar. Provavelmente não conseguiria fazer com que ela fosse comigo a lugar nenhum, nunca mais. O que mais eu podia fazer? Depois de um momento, eu me encaixei ao lado dela, na esperança de que o meu calor corporal, pelo menos, ajudasse a esquentá-la.

O mundo desacelerou até parar, como acontece quando as coisas dão tão errado que as más notícias parecem um teto desabando sobre a sua cabeça. Eu deveria estar pensando numa solução. Numa saída. Decidindo se imploraria pelo perdão dela, ou se diria ao detetive Shepard que nós dois deveríamos ser removidos do caso. Só que não fiz nada disso. Eu me encolhi ao lado de Holmes no frio e fiquei ouvindo a respiração dela. O que deveria se fazer com alguém usando drogas assim? Quanto tempo duravam os efeitos? Eu desejei, pela primeira vez, ter aproveitado os meus anos na Highcombe para algo além de ler romances e me apaixonar por gélidas princesas loiras que nunca tocariam em nada mais forte que maconha. Eu poderia ter ganhado conhecimento prático. Holmes podia estar morrendo, pensei, e eu não teria como saber; a atitude responsável seria chamar a polícia, ou uma ambulância, ou pelo menos contar ao meu pai e deixar que ele desse um jeito.

Não fiz nada disso. Escreveriam isso na minha lápide, pensei: *Jamie Watson. Ele não fez nada.* A neve era peneirada pelas frestas nas tábuas do alpendre, preenchendo os rastros que os joelhos dela tinham marcado ao engatinhar na lama. Eu não era católico, mas aquilo parecia bastante o purgatório: o frio amargo, a espera sem fim. Nenhuma ideia do que viria depois.

Depois do que pareceu uma eternidade, a porta dos fundos se abriu. Ouvi passos pesados sobre as nossas cabeças.

– Jamie? – chamou meu pai. – Charlotte? O detetive Shepard e eu terminamos de conversar. Jamie? – Prendi a respiração. Depois de um longo minuto, ele praguejou e voltou para dentro.

– Preocupado – observou ela, depois que ouvimos a porta se fechar. Fitei a nuvem que o hálito dela criou no frio. – Bom que ele se preocupe. Eu não me preocupo. Você não é nada pra mim.

– Mentirosa – ecoei. Tentei colocar a força do meu afeto na voz.

— Já me importei — disse Holmes. — Já me importei com você. Não mais.

Ela começou a tremer. Era um bom sinal? Mau sinal? De um jeito ou de outro, eu não conseguia mais aguentar. Com cuidado, eu a puxei para os meus braços e, para minha surpresa, ela deixou, se aninhando no meu peito tão docilmente quanto se fosse minha namorada. Como se eu já a tivesse abraçado antes. Como se eu a abraçasse todos os dias.

De alguma forma, isso me assustou mais do que as outras coisas. Lee Dobson a encontrara assim, pensei, e meus braços ficaram tensos por instinto. Dobson tinha...

— Pare de pensar nele — disse ela. — Essa lembrança não é sua.

— E no que eu posso pensar? — perguntei, cansado. Se eu tivesse uma linha, aquele seria o fim dela.

— Vamos falar das coisas que você acha que sabe. — Aquela risadinha horrível. — Vamos decepcionar o Watson mais um pouco.

— Não — respondi. — Você não...

— O August era o meu professor particular de matemática. Você sabia disso? Sabia. Dá pra saber pelo jeito com que suas mãos se apertaram.

Pensei que queria ouvir aquilo. Só que eu não queria. Realmente não queria.

— Você não precisa...

— Foi ideia dos meus pais. Por publicidade. Estávamos mal com a imprensa, e eles queriam mudar a história na mídia. Os Holmes são capazes de perdoar. Mentirosos de merda. Eu odiei o August no começo. Só que, depois que o Milo se mudou pra Alemanha, eu me acostumei com ele. Era como ter um irmão mais velho de novo. E aí não era. Era outra coisa.

– O quê? – indaguei no silêncio.

– Eu amei ele. E ele não me quis. – As palavras saíram rápidas e duras, o tom feroz. – Era velho demais, segundo ele, e mesmo que nós esperássemos, seria uma confusão catastrófica. Nossas famílias, sabe. Ele disse que eu ia crescer e superar. Meu "crush". O August dizendo isso era pior do que a rejeição.

Eu não conseguia respirar direito, ouvindo-a falar assim, como se recitasse seus pecados. Quando ela falou de novo, foi terrivelmente objetiva.

– Eu queria castigar ele. Fazer o August sentir o que eu estava sentindo. Então eu fiz ele usar as conexões da família pra me comprar cocaína. Eu sabia que ele compraria. Eu estava cheirando muito, e ele morria de medo de que, sem cocaína, eu passasse por uma crise de abstinência. – Ela respirou fundo. – Eu queria fazer o August me machucar, e depois fazer ele pagar por isso. Na noite que o irmão dele, Lucien, veio num carro com o porta-malas cheio de pó, eu chamei a polícia. Lucien fugiu, e o August ficou pra levar a culpa, como eu suspeitei. Afinal de contas, ele se sentia responsável.

"Minha mãe demitiu ele. Depois ligou para o reitor em Oxford para que ele fosse expulso. E, depois que tudo isso acabou, ela me colocou sentada na sala de visitas, fechou todas as cortinas e me explicou pacientemente que aquilo era uma lição. Que não era pra acontecer de novo."

— As drogas? – perguntei baixinho.

— As drogas. – Ela riu. – Não. Eu tinha começado com "as drogas" aos doze anos. Eu era muito mole por dentro, sabe. Não tinha exoesqueleto. Eu sentia tudo, e ainda assim tudo me entediava. Eu era como... como um rádio tocando cinco estações ao mesmo tempo, todas elas com estática. No começo, a coca me fez me sentir maior. Mais inteira. Como se eu fosse uma só pessoa, finalmente. E aí ela parou de funcionar, e eu comecei a tomar mais, e mais, e eles me mandaram pra reabilitação. Quando eu voltei, passei alguns meses seguindo a recomendação clássica; morfina, seringas. Deixava tudo quieto e distante. Eu era errada por dentro, sabe. Sempre fui errada. Mas era complicado demais, a morfina, e eu fui flagrada; mais reabilitação. Então larguei a morfina pela oxi. Mais reabilitação. Aí mais oxi. Nunca consegui me livrar completamente de nada disso, e meus pais pararam de esperar que eu me livrasse. Eles não têm mais medo.

O tempo todo que Holmes falou, ela não ergueu o olhar para mim nem uma vez. Estava aninhada nos meus braços como se fosse minha namorada, mas falava comigo como se eu fosse uma parede.

— O que a minha mãe temia era o sentimento – continuou ela. – Que eu ficasse sentimental. Com as minhas habilidades, é um risco. Com o que eu senti pelo August, eu... virei uma pessoa pior. Fui mandada embora pra pensar no que eu tinha feito. Nunca foi uma questão de me manter longe das drogas. Era uma questão de me manter longe de mim mesma.

– Minha nossa, Holmes, isso é horrível. – Que tipo de monstro exigiria que a filha não tivesse sentimentos?

– É mesmo? Acho que a minha mãe tinha razão. Não confio mais em mim mesma. Ninguém confia. – Ela ergueu a cabeça para me encarar. Tinha ficado tão pálida que as veias no pescoço pareciam marcas de caneta. – Nem mesmo você.

Era péssimo ver ela assim.

– Holmes...

– Você achou que eu *matei ele*. E é quase verdade. Ele perdeu a vida por minha causa. Arranjou um emprego, finalmente. Trabalha pro meu irmão na Alemanha, é operador de entrada de dados. Que desperdício. Mas ele me perdoou. É um idiota sentimental. O August até exigiu que a família dele me deixasse em paz. Eu era perturbada, ele disse, e nada de bom resultaria de vinganças. Eles acataram. Foi o último favor deles pro August. Sabe, a família deserdou ele por levar a culpa em meu nome.

– Você não é perturbada – afirmei, tentando ser sincero, para que ela se sentisse melhor. – Você não é nem um pouco perturbada. Você só cometeu um erro.

– Eu não cometo erros – retrucou ela, e se afastou. – Eu sei exatamente o que estou fazendo.

– Mesmo que soubesse. Você ainda foi perdoada. Eles *perdoaram* você. E aceitar o perdão deles não é um sinal de fraqueza. – Eu estava desesperado para puxá-la de volta a mim, tirá-la de onde tinha se metido, nas profundezas de si mesma. Eu nunca quis isso. Nunca. – E minha opinião sobre você não teria mudado, se tivesse me contado.

– Não teria, é? – indagou ela, com os últimos vestígios da droga desaparecendo da voz. – Que interessante.

– Não é justo.

– Você fica repetindo isso como se tivesse alguma consequência no mundo real.

– Mas tem.

– Teria sido justo, Watson, se o August Moriarty pudesse voltar pra universidade, pra família e pra noiva. Ele bem podia ter me contado sobre ela quando eu confessei meus sentimentos, eu não ia stalkear e matar ela... mas não. Ele está sozinho, num país estranho, sem amigos. Realmente, o paralelo é impressionante.

– Você está sendo melodramática – afirmei, e os olhos dela brilharam de raiva. Ótimo. Qualquer reação era melhor que reação nenhuma. – Estou bem aqui, sendo seu *amigo*, e não vou a lugar nenhum.

– Eu ia ficar bem sem você – rebateu ela.

– Não duvido. Mas não vou sair mesmo assim e, como eu não vou sair, preciso que você me escute. – Respirei fundo. – Eu lamento muito o que aconteceu com você. Lamento mesmo. Foi horrível, e as consequências disso foram... imensas. E lamento ter quebrado a sua confiança.

Nunca quis te magoar. Mas só fiz aquilo porque estava desesperado. Você não acha que sua confiança no August e na família dele pode ser meio injustificada? Tipo, você mandou o Milo dar uma olhada nas atividades deles? O August esteve na Alemanha esse tempo todo, ou fez alguma viagem aos Estados Unidos...

— Ele *não é o responsável* – rosnou ela. – Eu te disse isso desde o começo. Ele pode me odiar, ele deveria me odiar, mas não é um assassino. E, se você não acredita nisso... Watson, não vou trabalhar com alguém que se recuse a confiar em mim.

— Só que você que se recusou a confiar em mim primeiro – retruquei. – Por que você não me contou logo a verdade? Sei que pra você isso é uma questão pessoal, mas pra mim também é!

— E o que pode ter de pessoal pra você nisso? – Ela estava a centímetros do meu rosto agora. Como ela podia não entender?

— Sua vida. Sua *vida*, e a minha. Elas não são mais importantes do que quem tem razão?

— Eu nunca deixaria você morrer – afirmou ela, com a respiração rápida e superficial.

— Mas e você? O que vai acontecer com você?

Ouvi minha voz falhar enquanto eu imaginava a cena. Ela no concreto, o sangue um halo em volta dos cabelos escuros. Ela sob uma laje de granito no laboratório. Ou numa maca do necrotério. Numa banheira de vidro estilhaçado, ou envenenada na noite. Encolhida embaixo do maldito alpendre para morrer, com os olhos vazios me encarando. Meu Deus... poderia acontecer a qualquer um de nós dois, mas, se a minha presença significasse que ela teria uma chance maior de permanecer viva, então eu estaria presente. Simples assim. Comecei a explicar isso para ela em voz alta, implorando.

– Sei que você não precisa de mim, qualquer idiota veria isso, mas estamos nessa juntos. Eu vou ficar aqui, bem aqui, até acabar. Você... você é a coisa mais importante pra mim, e eu não consigo me imaginar sem você, mas se quando tudo isso acabar você quiser me mandar embora, eu vou, eu vou me afastar...

– Você deveria – disse ela, apressadamente. – Você não enxerga... que eu não sou uma boa pessoa. Que eu passo cada minuto de cada dia tentando não ser a pessoa que eu sei que *poderia* ser, se eu me deixasse vacilar. E eu vou te afundar comigo. Já afundei. Olhe só para nós. Olhe onde estamos.

– Isso é impossível.

– Será que é? – perguntou ela, devagar. Eu a estava perdendo de novo. – Você está cego?

– Você não pode ser uma pessoa ruim – expliquei –, porque você é um robô, lembra?

Essa provavelmente foi a piada mais idiota e sem graça que eu já contei. Só que não havia mais nada que eu pudesse dizer. Tinha traído a confiança dela; ela havia escondido de mim coisas que eu precisava saber. Holmes colocara nossas vidas em risco; eu coloquei em risco a nossa amizade. Não tinha ideia do que viria em seguida. Só queria que Holmes me olhasse de novo como me olhava antes, com aquele sorrisinho seco, e fizesse alguma dedução sobre o sanduíche que eu comera no almoço.

Então percebi que ela estava rindo.

Olhei para ela incrédulo, pensando se estaria com alguma hemorragia cerebral. Porém, lá estava: a risadinha, a mão erguida para escondê-la. Quando nossos olhos se encontraram, havia uma eletricidade confusa ali, como se tivéssemos terminado e ao mesmo tempo trocado votos. Trouxe de volta aquele medo alucinatório que senti na noite que passei na enfermaria, de que a enfermeira Bryony queria tanto me beijar quanto me sufocar com um travesseiro.

Bryony.

Bryony.

– Holmes – falei, de repente. – Qual era o nome da noiva do August mesmo?

– Eu nunca te disse. – Os olhos dela ficaram vagos. – Eu não conheci ela, só sabia que eles tinham noivado e que ele largou ela depois de... *Caramba*, Watson. – Então ela me empurrou na pressa de sair de baixo do alpendre.

– Aonde você vai? – gritei.

– Milo – respondeu ela. Peguei os sapatos de Holmes e engatinhei atrás dela. Irrompemos juntos pela porta, cobertos de lama seca, tremendo de frio; provavelmente parecíamos ter chegado de algum inferno ártico. De certa forma, era verdade.

Meu pai estava parado no meio da cozinha, com os braços cruzados.

– Jamie – disse ele em tom de advertência, enquanto o detetive se levantava. Passamos correndo por eles e subimos direto as escadas. – Aonde vocês foram? – gritou ele às nossas costas.

– Cinco minutos – respondi, me virando. – Precisamos só de mais cinco minutos.

No quarto de hóspedes, Holmes praticamente se atirou no telefone.

– Milo – disse ela para o celular, e eu fiquei paralisado. A mensagem que eu tinha enviado. Se Milo me denunciasse, a coisa poderia ficar feia de novo. – Cadê você? Na estrada? A ligação está falhando. – A voz dela se tornou ameaçadora. – Você está vindo para Nova York. Me diga por quê. Não, isso é mentira. Isso também. Beleza, me diz quando foi a última vez que você saiu de casa. Antes dessa. Não, não me vem com essa, foi você que fez eles *colocarem o apartamento no seu edifício comercial*. Sim... Não, não estou drogada. Não. Sim, tudo bem, estou, não desligue. É claro que eu quero te ver, seu idiota.

Milo estava vindo. Ele estava vindo, e não ia dizer a ela que eu tinha pedido. Murmurei uma prece para o santo dos irmãos desajustados de melhores amigas desajustadas.

Holmes andava de um lado para outro, deixando pedacinhos de lama congelada no carpete.

– Não, não desligue, tenho uma pergunta. – Ela fez uma pausa. – Qual era o nome da noiva do August? Eu não ligo. É importante. Não, não é o que você tá pensando. Não, eu não tô... você me chamou de vaca, sua baleia? Milo... *droga*.

Ela girou para me encarar.

– O Milo desligou. O idiota acha que eu quero saber o nome para poder encontrar e matar ela.

– Tem uma ironia profunda aí – comentei, sorrindo.

Surpresa, ela sorriu de volta. Só por um segundo. E então o telefone apitou com uma mensagem. Espiei por cima do ombro dela.

Bryony Davis. Não a devore. Nos vemos em breve.

Bryony Downs. Bryony Davis. Ela mal tinha coberto os próprios rastros.

Holmes e eu nos entreolhamos. Meu coração batia acelerado.

Shepard abriu a porta do quarto.

– Então? – indagou ele com a testa franzida. – Já examinei o bilhete. Falei com o seu pai. E ficaria grato se você me deixasse chamar a Bryony Downs para um interrogatório mais, hum, oficial. Mas qual é a razão... – ele apontou a calça lamacenta de Holmes e meu cabelo molhado – ... disso tudo, exatamente? Alguma coisa que eu deveria saber?

Holmes me lançou um olhar. Eu pesquei.

– Ahm, a gente tá namorando agora – explicou ela, erguendo a mão lentamente para tocar o cabelo. – Acabamos de oficializar, e... ai, nossa, Jamie, que vergonha.

Segurei a mão dela.

– Vergonha nada – respondi. – Tipo, já tava pra acontecer faz tempo. Mas eu acho que eu tava, hum, cego pros meus sentimentos.

Holmes me olhou sorridente, e eu a puxei para perto, passando o braço pelos ombros dela. O detetive fez um barulhinho involuntário, como se estivesse engasgando.

– Estávamos lá fora na neve... Bom, tudo bem, eu saí correndo porque fiquei furiosa, porque pensei que ele não gostasse de mim, mas no final ele *gostava*, só estava tímido, então ele saiu correndo pra me encontrar, e... – Ela sorriu para o Shepard, e foi estranho ver como a fadiga deixava a expressão falsa verdadeira. – Tipo, você quer ouvir o que ele disse? Foi tão romântico.

Shepard ergueu as mãos.

– Eu tenho tanta coisa para fazer – disse ele, recuando para o corredor. – Vocês sabem como é. Lá na delegacia. Onde eu deveria estar.

– Conversamos mais outra hora – assegurou Holmes, com os últimos resquícios de compostura.

Shepard abriu um sorriso tenso.

– Certo. Sim – disse ele enquanto fechava a porta e, do corredor, ouvimos o resmungo: – Meu Deus, odeio adolescentes.

A MANHÃ SEGUINTE LEVOU UMA ETERNIDADE PARA CHEGAR e, ainda assim, quando finalmente chegou, eu não estava pronto. Como poderia estar? Não tínhamos um plano. Ou, se tínhamos, eu não fora incluído.

Ainda por cima, eu estava exausto. Tinha passado a noite anterior cuidando de Holmes enquanto ela se recuperava. Tinha acontecido logo depois da saída de Shepard; ela caiu na cama como uma marionete com os fios cortados. Holmes insistiu que não queria nada – como de costume –, mas eu a forcei a tomar um pouco de água, e cream crackers, aos poucos, de um pacote que meu pai deixou do lado de fora da porta. Éramos só nós dois, em silêncio, naquela pequena e escura ilha de estampas florais. Ela fitava o ventilador de teto, com o braço jogado sobre o rosto, e não disse uma palavra, até que eu me levantei para ir contar ao meu pai o que tínhamos descoberto sobre a enfermeira da escola.

– Não – disse Holmes, agarrando meu braço sem me olhar. – Fica aqui.

– Você resolveu o caso. Não precisa ir prender ela. Deixa a polícia cuidar disso.

– Ainda tenho trabalho a fazer. Preciso deduzir qual é o papel dela nisso. Como os Moriarty a usaram. – Ela segurou com mais força. – Isso não é um mero roubo de joias. Essa mulher matou uma pessoa e tentou matar outra. Sem contar que tentou arruinar nossas vidas, talvez acabar com elas também. Então sim, pode ter certeza de que eu vou prendê-la.

Eu deveria ter argumentado. Deveria ter insistido. Mas estava exausto, e ela estava exausta, então nem tentei.

Jamie Watson. Ele não fez nada.

Eu me sentei de volta no chão e encostei a cabeça no colchão. As horas passaram assim, o dia virando noite, até que eu adormeci ajoelhado ao lado dela como um peregrino diante da tumba de algum santo.

Não havia nem o menor indício de sol entrando pela janela quando Holmes me acordou, fez eu me vestir e me levou até o carro do meu pai. Eu não disse uma palavra.

– Chá – anunciou ela, colocando uma caneca nas minhas mãos, do banco do carona. – Agora dirija, antes que alguém perceba que saímos.

Enquanto eu agarrava o volante do carro, exausto, relembrando que precisava dirigir do lado direito da estrada, não do esquerdo, que eu não estava na Inglaterra, Holmes mantinha um monólogo infinito, repassando os últimos meses pela ótica de ter Bryony como culpada. Bem. Provavelmente culpa. Se calhasse de a nossa enfermeira da escola ser uma Bryony inglesa completamente diferente, eu seria o primeiro a fazer as malas e voltar para casa.

– Ela foi ficando mais desesperada com o tempo. Abandonou o conceito de nos enforcar com nossa própria história, o que era a única parte dos planos dela que eu achava remotamente *interessante*. Fala sério. Explosões, jura? – Àquela altura eu estava estacionando. – Não há nada de interessante em explosões. Ela destruiu um laboratório perfeito que eu montei com todo cuidado, pedacinho por pedacinho, com coisas que fui pegando do laboratório de biologia do sr. Lamarr... Ah, não me olhe assim, eu já vi você torrando marshmallows naqueles bicos de Bunsen, você é tão culpado quanto eu. E na verdade a única coisa que vai me fazer falta são as minhas cópias das histórias do seu tataravô. Categoricamente sem valor. – Ela me guiou pela rua principal de Sherringford até uma rua secundária onde ficava o apartamento de Bryony. – Sinceramente, acho que esses livros estão de graça no Kindle, mas eu os amava mesmo assim. E ela provavelmente tem filmagens de você *pelado*, e nem sei como começar a desenrolar as leis de pornografia infantil nessa história...

Eu não estava entendendo o humor implacavelmente animado de Holmes. O dia anterior tinha sido um inferno. E, tudo bem, estávamos prestes a arrombar e invadir uma casa (o que, com sinceridade, tinha me deixado bem empolgado também), mas não tínhamos conversado sobre nada do que acontecera no dia anterior. Nenhum pedido de desculpas, de nenhum de nós. Nenhuma conclusão real para a briga. Nenhuma menção ao que tinha acontecido entre nós debaixo do alpendre, o que quer que tenha sido. E ali estava ela, de braços dados comigo, como no dia (que parecia ter sido há anos) em que eu a apresentei ao meu pai.

Eu me virei para dizer alguma coisa, não sei o quê, e vi o rosto dela. Alívio. Ela estava aliviada. Em algum lugar, bem, bem fundo, ela tinha suspeitado de August Moriarty; fora bem treinada demais para ignorar a possibilidade. E agora tinha bons motivos para desviar o foco dele e colocar a noiva na mira.

Pensei rapidamente sobre como reagir a isso – ciúmes? reprovação? – e decidi que estava cansado de ficar na merda. Era melhor me animar também. Talvez Holmes me deixasse arrombar a fechadura.

– Holmes – chamei. Estávamos parados na esquina da Market com a Greene, espiando mais à frente no quarteirão o apartamento de Bryony acima da floricultura. Era tudo muito bonito, com os canteiros pintados nas janelas e peças decorativas de ferro forjado. Não parecia o apartamento de alguém que matara um menino a sangue-frio. – Você pretende me contar por que estamos aqui tão cedo? Ela só vai à delegacia às dez, e são só oito da manhã.

– A Bryony vai sair às oito e meia, cabelo feito, parecendo uma estrela de cinema. Ela vai parar no Starbucks na saída da cidade. Talvez vá fazer compras. Ela acha que se trata de perguntas rotineiras, não de uma coisa que vai durar o dia inteiro. Qualquer pessoa que usa uma fonte decorada em uma carta de ameaça de morte é confiante demais para achar que está sob suspeita. – Holmes estava quase quicando de agitação. – Entrei no banco de dados da polícia hoje cedo e consegui a marca e o modelo do carro dela. Registrado no nome de Bryony Downs, um Toyota RAV4 preto, ano 2009, placa 223 APK. Ou seja, aquele carro bem ali. – Estava estacionado na rua, diante do apartamento. – Enquanto isso, vamos nos sentar muito discretamente no café até que ela vá embora e, se tudo der certo, estaremos no seu compromisso das dez e meia para recolher suas coisas, porque esse jeans já está ficando meio fedido.

Eu não sabia se seria mais fácil sobreviver a uma Holmes animada do que ao *alter ego* drogado dela. De qualquer maneira, deixei que me arrastasse pelo braço até o café, onde ela nos instalou com dois chás junto à janela.

Tudo aconteceu conforme ela tinha previsto. Bryony emergiu com batom vermelho e óculos escuros, como uma antiga estrela de cinema. Holmes me disse para não dar tanto na cara, mas não consegui deixar de olhar enquanto ela passava de carro – aquele cabelo loiro brilhante, o jeito como ela cantava junto com o rádio. Quase acreditei que ela fosse inocente, naquele momento, porque estava claro que as consequências dos atos dela não tinham deixado a menor marca. Ela colocara uma menina inocente no hospital. Tinha tirado a vida de Dobson. Até uma pessoa repugnante como Dobson merecia a chance de crescer e se tornar uma pessoa melhor. Bryony Downs deveria estar deitada no chão do banheiro, devastada pela culpa, mas, em vez disso, decidira ser a estrela da própria comédia romântica.

Holmes nos fez esperar por mais dez minutos.

– Paciência é uma virtude, Watson – afirmou ela. – Além disso, a Bryony pode ter esquecido alguma coisa.

Depois que a barra continuou limpa, só levamos alguns momentos para alcançar a porta da frente, que levava ao apartamento de Bryony e ao outro acima. Estava destrancada. Enquanto nos esgueirávamos escadaria acima, eu disse um *obrigado* silencioso por não ter que arrombar a fechadura bem ali no meio da rua. Quando chegamos (apartamento nº 2, como dizia a caixa de correio junto à porta, onde se lia bryony downs), eu me ajoelhei para inspecionar a fechadura.

– É uma Yale – anunciei, casualmente –, como aquelas que usei para treinar. Você acha que eu poderia...

Bufando, Holmes girou a maçaneta.

– Vejo que você ainda arranha as trancas – disse ela ao homem sentado ali.

dez

Não entendi o que estava vendo.
A sala diante de nós estava quase vazia. Isto é, nada de mesas, nada de sofás, nada de tapetes, com pregos onde antes estavam quadros – vazia. De onde eu estava, podia enxergar através de uma porta, e do outro lado havia dois homens de ternos escuros com comunicadores bluetooth na orelha examinando metodicamente caixas de cereal. Uma de cada vez, eles as abriam, despejavam o conteúdo numa tigela, e depois jogavam tudo num saco de lixo. Um deles inclusive assoviava enquanto trabalhava.

Era muito possível que eu estivesse sonhando com um filme surrealista, ou que Holmes estivesse me pregando uma peça elaborada. Eu poderia até ter acreditado mesmo nessas coisas, se não fosse pelo homem sentado diante de nós.

Ele, ou um dos capangas, tinha arrastado uma poltrona de veludo para o centro da sala vazia. Só que ele não estava sentado normalmente nela. Não estava de pernas cruzadas, ou inclinado preguiçosamente sobre o braço da poltrona, com o punho esquerdo esticado para conferir a hora em seu relógio realmente bonito. Essas poses não teriam funcionado para ele, de qualquer maneira: o homem era nerd demais. Um nerd bonito, um nerd muito elegante e bem-vestido, mas um nerd mesmo assim. Em vez disso, ele estava sentado na beira daquela poltrona ridícula, fumando um cigarro.

Eu o avaliei: isso era claramente o que ele queria, se apresentando naquela sala vazia como uma exposição de arte. Óculos de Buddy Holly, cabelo de publicitário dos anos 1960 – bem repartido para o lado, com as laterais raspadas – e, pelo que parecia, com um terno que viera direto de Saville Row, a rua onde James Bond encomendaria paletós sob medida, se ele existisse. Holmes dissera que ele era gordinho, mas o que eu vi foi certa robustez causada pelas horas passadas diante da tela de um computador.

Nada disso teria sido impressionante por si só. Mas dava para ler nele, invisível como tinta branca em papel branco, seu poder. Poder elétrico. Do tipo que estalava os dedos e colocava um governo de joelhos. O que Holmes tinha dito? MI5? Google? Segurança particular? O quanto daquilo seria verdade? *Drones*, pensei inquieto. Ele controlava drones.

E eu era o gênio que o trouxera até aqui.

– Cadê as coisas da enfermeira Bryony? – indaguei, tentando soar como se já soubesse a resposta, e só quisesse confirmar.

Milo Holmes me ignorou.

– Eu não arranho as trancas – protestou ele numa voz sonora, suave onde a da irmã era áspera. – Isso foi o meu funcionário, Peterson. Ele quis tentar, e eu não vi problema. Não estávamos com pressa.

Ele teve meros dez minutos para esvaziar a sala de estar. Eu não tinha nem visto quando eles entraram pela porta. Sem pressa. Claro.

— O senhor é muito generoso — declarou um dos homens nos fundos, e voltou a assoviar. Eles estavam quebrando os ovos na geladeira de Bryony agora.

Holmes cruzou os braços.

— Você arranha, sim. Sempre. Eu abro muito melhor, como você bem sabe. Devia ter esperado por nós.

Ele deu uma tragada no cigarro.

— Você está com uma aparência melhor do que eu esperava. Minhas fontes me levaram a crer que a coisa estava bem ruim desta vez.

Engoli em seco.

— Bom, agora não estou lidando com navalhas e ligações às três da manhã, né, e sim tentando me salvar da forca.

Era fácil imaginá-los quando crianças: Milo, inexorável como um tanque, e Holmes, sua adoradora. Ela era muito controlada na maior parte do tempo, mas quando não era... bem. Nessas horas ela dizia coisas como:

— Me fala agora mesmo o que você fez com as minhas provas ou eu vou contar pra mamãe que você espiou a nossa instrutora de esgrima no banho.

— Não vai nada. E você sabe muito bem o que eu fiz com as suas provas.

Holmes olhou o aposento, irritada.

— Nova York? Sério? E você perdeu todas as partes importantes. Eu estava cuidando de tudo. Estava sob controle.

– Cuidando da ex-noiva do August Moriarty? Lottie, por favor. – *Lottie*, eu pensei, risonho a contragosto. *Lottie*.) – Você é impulsiva. Deveria mesmo deixar o assunto para os adultos. Agora que essa ideia da mamãe já se esgotou, vamos levar você de volta para casa. Internato? Tudo errado. Vamos colocar você no apartamento de Londres. Com certeza conseguiremos convencer o professor Demarchelier a lhe dar aulas e...

– Milo, ele me *odeia*, e...

– Não, você não está pensando direito. E se eles te prenderem? Americanos e suas prisões. Meus homens a tirariam daqui antes disso, é claro, mas que incômodo. Você sempre gostou de esquiar em Utah. Eu gostaria muito que você pudesse voltar ao país. Seria bom para você.

Estava ficando bem claro por que Holmes não queria que a família se envolvesse. Impulsiva? Deixar o assunto para os adultos? Levá-la de volta para casa? *Esquiar?*

Fui um idiota em tê-lo chamado. Ele podia ir direto para o inferno.

– Gostaria de saber o que você fez com as provas – falei. Soou como um rosnado. – E como você sabia que deveria estar aqui, neste apartamento.

Milo arqueou a sobrancelha.

– Este é o seu buldogue? – perguntou ele à Holmes. Não havia nenhum veneno na declaração, mas isso não melhorou as coisas.

– Este é James Watson, meu amigo e colega, e você vai dar uma resposta pra ele.

Eu me empertiguei.

— Minha irmã me fez uma pergunta ontem — afirmou Milo. — Sabe quando foi a última vez que isso aconteceu? Novembro de 2009. A Lottie não faz perguntas. Ela deduz e decide sozinha. Só isso já bastaria para me fazer pegar um avião, particularmente quando essa pergunta tem a ver com um Moriarty. Felizmente, eu já estava a caminho de Nova York. E, quanto às coisas dela? Dessa... dessa enfermeira? — Ele disse *enfermeira* como alguém que dizia *lesma gelatinosa*. — Este bloco de apartamentos tem um belo beco atrás, e nós despachamos as posses dela num carro forte bem enquanto vocês entravam. Meus homens no QG da Greystone na cidade vão vasculhar os itens, determinar o ângulo apropriado e então devolvê-los ao seu detetive Ben Shepard.

— Por cidade, ele quer dizer Nova York — observou Holmes, sem tirar os olhos do irmão. — E por Greystone, ele quer dizer a companhia mercenária que está atualmente devastando o Oriente Médio. Que pertence a ele. A Greystone, quero dizer. E ela aparentemente também funciona como a guarda de honra dele, se os cavaleiros do café da manhã ali servem como indicação.

— Feliz em servir! — exclamou Peterson. O outro grunhiu.

— Sabe, nada disso explica um agente dos Moriarty praticando a sua letra — comentou Milo, casualmente.

— Não — disse Holmes. — Mas eu ter arruinado a vida do August explica. A noiva dele decidiu desempenhar o papel de anjo vingador.

— Duas pessoas diferentes atrás de você – refletiu ele. – Você é popular mesmo. Só não sei bem por que não chega à conclusão óbvia; que eles estão trabalhando juntos. Que essa Bryony Downs está trabalhando para o August Moriarty.

Holmes ergueu o queixo.

— Tudo bem, Lottie. – Milo suspirou. – Vamos nos concentrar na enfermeira, pelo menos por enquanto.

— E como tudo isso pode ser eficiente? – perguntei a ele, mudando de assunto. – O que essa mulher vai fazer quando voltar e descobrir que as coisas dela sumiram?

Milo tossiu educadamente para esconder a risada.

— Teremos provas suficientes antes que a entrevista dela com o detetive Shepard termine para que ele a acuse de assassinato.

— E você conhece os fatos do caso – observei. – Você sabe o que está procurando nas coisas dela.

— Obviamente.

— Vai obter provas verdadeiras? – perguntei. – Ou vai forjar?

Milo estendeu as mãos, sem palavras.

— Você precisa mesmo perguntar? – indagou-me Holmes.

— Bem, agora que isso foi resolvido, pegue isto – disse Milo, me entregando seu cigarro. – Quero mandar uma mensagem para o tio Leander dizendo a coisa fofa que você acabou de falar sobre o James.

— *Watson* – dissemos eu e ela juntos.

– É claro – continuou ele. – Amigo e colega. Adorei.
Holmes tomou o telefone dele.

– Então é simples assim? – perguntei, apagando o cigarro no chão. – Acabou? O detetive Shepard consegue uma confissão da Bryony Davis-Downs, e você leva as coisas dela para serem remexidas pela guarda particular e então... o quê, sobem os créditos?

– Parece que sim – afirmou Holmes. Ela já estava começando a murchar, algo que eu agora relacionava a alpendres e lama e infelicidade analgésica.

Coloquei a mão no ombro dela. Não consegui pensar em mais nada para fazer.

Holmes olhou para a minha mão, depois para mim. Lentamente, a cor voltou ao seu rosto. Os cantos da boca se ergueram num sorriso, que não se desfez.

– Peterson – chamou ela –, por que você não diz ao seu colega ali... sim, você, com o gato persa e o apartamento num porão em Berlim... para ele ligar para o carro-forte e mandar eles voltarem? Quero tudo de volta aqui nesta sala exatamente como antes. Imagino que você tenha tirado fotos do original, ou você é mais tolo do que eu imaginava, desfazendo a cena do crime assim. Sério, o único motivo para levar tudo para o seu QG era deixar esse pseudo-Orson Welles... desculpa, Milo, você não é bonito o suficiente para ser o Olivier... posar numa sala vazia. Que tédio.

Mordi o lábio para não sorrir.

– As deduções que eu teria feito só com as trilhas de poeira poderiam ter resolvido o caso – continuou ela. –

Como você arruinou completamente essa possibilidade, quero quaisquer pós ou cremes que você tenha encontrado. Cosméticos, é claro, mas procure também por potes de proteína em pó. Quaisquer fios ou ferramentas, qualquer coisa que sugira uma bomba. E eu quero o receptor de qualquer rastreador que você tenha instalado no carro da Bryony. Me dá. Não. Traz aqui. – Ela estendeu a mão, impaciente. – Quero ter certeza de que ela está chegando mesmo ao compromisso, e não, hum, correndo para o aeroporto e então para Fiji e, então, desaparecendo. Esqueci alguma coisa, Watson?

Enquanto ela examinava o rastreador, observei ostensivamente a sala.

– Você ia mencionar a pele de cobra debaixo da almofada da poltrona dele, ou deixa que eu falo?

Com um ganido humilhante, Milo se levantou num pulo.

– Ah, sim – concordou Holmes, casualmente. – Isso. Peterson, não deixe de conferir se não tem uma cascavel nas paredes.

Os dois capangas da Greystone arrumaram rapidamente a mobília de acordo com as especificações de Holmes. Milo observou os trabalhos, braços cruzados, com um leve ar de desgosto.

Pelo menos era o que parecia, se você não olhasse de perto. Eu olhei. Tinha aprendido pelo menos isso. Sempre que o olhar firme de Milo recaía sobre a irmã, se suavizava um pouquinho. Ele poderia ter mandado Peterson e Michaels pararem a qualquer momento, ordenado que a casa de Bryony fosse esvaziada de novo, conduzido Holmes para o próximo avião rumo a Londres.

Não fez nada disso. Ficou parado assistindo à irmã trabalhar.

Parecia que não haveria nenhum risco se eu tomasse alguns minutos para recolher minhas coisas do dormitório. Holmes tinha me deixado encarregado do GPS rastreador no carro de Bryony e, além de duas paradas rápidas para tomar um café e reabastecer, ela tinha dirigido numa rota direta até a delegacia. Não havia muito mais que eu pudesse fazer e, sinceramente, estava ansioso para pegar umas roupas limpas e minhas.

– Volto logo – disse a ela. Holmes fez que sim e continuou guiando a movimentação.

O dia estava agradável, então deixei o carro do meu pai estacionado na rua e caminhei quase um quilômetro até o campus. Estava me sentindo bem, como me sentia ao acordar tarde num domingo preguiçoso, sem planos nem obrigações. Não tinha dúvidas de que Holmes encontraria as provas necessárias para implicar Bryony Downs em todas as coisas terríveis que aconteceram. Estava encerrado. Acabado. E Charlotte Holmes e eu ainda estávamos bem.

Eu me deixei sonhar que passaria o feriado de Natal com ela em Londres. Com sorte, Holmes ficaria no apartamento da família na cidade durante esse mês, mas, caso contrário, eu a ajudaria a escapar de Sussex pessoalmente.

Sairíamos para comer um curry de verdade, para começar, e então eu a levaria para o meu sebo favorito, aquele onde o dono tinha me pedido para autografar os livros do meu tataravô. Talvez ela se interessasse em ver um recital de violino no Royal Albert Hall. E, depois disso, eu pediria que ela me mostrasse a Londres dela, a que ela memorizou quando criança. Veríamos o quanto a cidade mudara e crescera na nossa ausência, como as cidades fazem. Nós teríamos que a conhecer de novo como a *nossa* Londres.

Enquanto eu atravessava o gramado até o alojamento Michener, não pude deixar de notar como a Sherringford estava vazia. O prédio de ciências estava em ruínas, ainda fumegando de leve, sob a lona preta que tinham jogado sobre o telhado. Aquela mulher quisera ver Holmes morta, pensei com um arrepio. A ficha não tinha caído até aquele momento. Bryony Downs quis encerrar a vida de Holmes. Graças a Deus aquilo tinha acabado.

Cheguei alguns minutos adiantado, mas Tom já estava me esperando nos degraus do dormitório, tremendo em uma jaqueta fina. Nós dois parecíamos meio surrados, pensei: eu no casaco do meu pai, Tom no colete de tricô esfarrapado dele. Foi surpreendentemente bom vê-lo, com aquela estampa de losango e tudo.

– Ei – disse ele, animado. – Aonde vocês andaram? Na casa do seu pai? E a Charlotte tá bem? Eu tentei ligar pra vocês várias vezes, mas sempre caía na caixa postal.

Contei a ele sobre o celular que abandonei na escrivaninha. Tom tinha sido evacuado direto da biblioteca, explicou ele, e posto num ônibus para aquele hotel sem ninguém dizer o que tinha acontecido.

— A gente ouviu a explosão — continuou ele. — Tinha gente chorando. Foi horrível. Mas depois eles contaram tudo. No primeiro dia, tava que nem uma igreja lá dentro. E agora ficou uma porcaria, gente subindo pelas paredes. Muitos rumores. Tipo, o que que aconteceu de verdade no prédio de ciências? Você tem alguma informação das internas? Não, me conta lá dentro, eu quero...

Eu disse um *obrigado* silencioso quando as portas se abriram, interrompendo Tom. Um policial entediado consultou uma prancheta.

— Thomas Bradford? James Watson? Venham comigo. O prédio está seguro, mas mandaram que ficássemos com vocês por precaução.

Na minha pressa, na outra noite, eu tinha me esquecido de trancar a nossa porta, ou mesmo de fechá-la direito. O policial franziu o cenho quando um leve empurrão a abriu. Quando ele viu o que havia lá dentro, a mão foi até a arma.

Parecia mesmo uma cena de crime. O colchão cortado e as cortinas rasgadas e os livros destroçados. O reluzir de vidro quebrado sobre tudo.

— Está tudo bem, senhor — afirmei. — Tive um acidente com o espelho logo antes de sermos evacuados.

— Não me parece nada bem — resmungou ele, mas ficou do lado de fora.

Eu me virei para Tom para me desculpar, para explicar. Ele ficaria chocado, pensei. Talvez quisesse dar um depoimento ao detetive Shepard; afinal, ele também tinha sido gravado.

Todo sangue tinha sido drenado do rosto de Tom, exceto por dois pontos de cor, um em cada bochecha. Os olhos tinham virado só pupilas. Ele piscou várias vezes, encarando o chão.

– Tom? – chamei, o mais gentil que pude. Não queria tê-lo assustado tanto.

Ele ergueu rapidamente a cabeça para me encarar.

– Quando foi isso?

O teor da pergunta me pegou de surpresa. Não *o quê*, mas *quando*.

– Na noite da evacuação – respondi com cuidado.

– Foi a enfermeira Bryony?

Fiquei espantado, mas depois lembrei que tinha contado a ele sobre a minha concussão e a enfermaria.

– Eu não sei. – Pareceu a resposta mais cautelosa.

Ele ficou mais pálido e assentiu, tão rápida e automaticamente quanto um boneco bobblehead.

– Cinco minutos – avisou o policial.

– Ei – disse eu ao Tom –, prometo que explico mais tarde, mas podemos...

– Cadê elas? – indagou ele num rosnado, me empurrando contra a porta do armário. Seu rosto animado agora parecia uma máscara feia. – Cadê aquelas merdas, Jamie?

Era como se o chão tivesse se aberto sob nossos pés.

Eu o empurrei de volta e o mantive ali, a um braço de distância. Lágrimas surgiram nos olhos de Tom enquanto ele lutava contra minha mão.

– Do que você tá falando? – Só que eu sabia exatamente do que ele estava falando. Mas queria ouvir ele dizendo. Admitindo que tinha grampeado o nosso quarto. Confessando que, aquele tempo todo, a fofoca amistosa dele era um disfarce para a coleta de informações a mando de Bryony Downs.

– Ah, meu Deus, ele vai me *matar*. – Tom parou de tentar se soltar. Ele se deixou cair para trás, ofegante, levando as mãos ao rosto, e eu senti certa satisfação.

Que desapareceu tão rápido quanto veio. *Ele?* O traficante. O traficante Moriarty.

– Dois minutos – anunciou o policial. – Cortem o drama e terminem as malas.

– Fala rápido – ordenei, puxando minha mala de baixo da cama e arrancando pilhas de roupas da cômoda.

– Eu nem consegui nada de bom – lamentou Tom, como se para si mesmo. – Nada conclusivo. A Charlotte até parou de vir pro quarto. Vocês dois estavam sempre entocados naquela masmorra de merda dela.

– Eu não... não posso lidar com isso agora. – Peguei os livros de cima da minha cama e os joguei sobre as roupas, um, dois, três, como granadas. Apostilas, sabonete. Eu tinha que abrir meu armário, mas Tom ainda estava caído diante dele.

– Sai da frente – falei, mas ele só me encarou com ar estúpido, e sua expressão idiota acabou com o que restava do meu humor. – Eu juro por Deus que vou quebrar o seu pescoço se você não sair daí. Talvez quebre o seu pescoço de qualquer jeito. Você tava me espionando, Tom? Além de todas as coisas horríveis que estavam acontecendo, você tinha que piorar tudo? Eu nunca te fiz nada.

– Ele me ofereceu parte do adiantamento dele – respondeu Tom. – Já tinha vendido, sabe, ele já escreveu metade. Vai ser um *sucesso*, e ele vai ganhar dinheiro, vai ser famoso, finalmente vai poder dar aula num lugar melhor que este pardieiro... A amiga dele, Penelope, vai arranjar um emprego em Yale pra ele...

Eu encarei Tom e sua horrível boca mentirosa.

– O Wheatley? Você tá de sacanagem. O traficante mandou você dizer isso.

Tom foi até a escrivaninha, abriu a gaveta de baixo e puxou um bloco amarelo surrado. A primeira página não tinha nada escrito. Não de verdade; mas alguém tinha cuidadosamente preenchido as marcas deixadas pelas palavras escritas na página anterior. *Esqueletos no escritório dela, ele diz embevecido, como se estivesse* tão *apaixonado pela morte quanto por ela.* Linhas e linhas de prosa floreada. *Ele usa os óculos de um filósofo beat dos anos 1950, mas o rosto é completamente liso. Quando eles dançam, não se tocam.*

Eram as anotações que o sr. Wheatley fez na nossa reunião, quando eu tinha estranhado bastante o interrogatório e o fato de ele me entregar as folhas depois. Eu me lembro do pedaço de papelão que ele tinha posto embaixo da primeira página. Embaixo das primeiras *duas* páginas. No dia pensei que ele estava preocupado com a tinta vazando para o outro lado, mas ele só estava fazendo uma cópia para si.

— Ele tinha certeza de que você era culpado – disse Tom, quase como se estivesse implorando. – Em outubro, eu estava esperando por uma reunião com ele pra falar da minha história, e ouvi ele dizer isso pra outro professor, dentro do gabinete. Você. Culpado. E eu disse a ele que não, que você não era, e que na verdade era uma história muito legal, você e Charlotte decifrando crimes, que vocês dois tavam se pegando com certeza, que nem Bonnie e Clyde, só que a versão dos mocinhos. Ele tinha essa ideia pra um livro. Crime verdadeiro. Com adolescentes famosos de protagonistas. O público ia devorar. Sou um bom escritor, ele me disse isso, melhor que você, pelo menos, mesmo que minha família não seja famosa, e eu faria um bom trabalho ajudando, e você ficaria feliz no final, quando visse quanta atenção ia receber... – Ele se interrompeu.

— Então você grampeou nosso quarto.

— Ele me obrigou. Encomendou as coisas todas na internet. O espelho foi o pior, substituir ele. Mas, sim, eu fazia você falar depois revisava os arquivos quando você saía, transcrevia tudo, entregava pra ele. Mas... olha só isso. Agora ele nunca vai me pagar.

— Por quê? – indaguei de novo. Eu achava que Tom era meu amigo. Era uma das coisas constantes na minha vida; seu sorriso irreprimível, sua falação e o colete ridículo. A gente via vídeos idiotas no computador dele à noite. Comíamos os chocolates um do outro, pegávamos o xampu emprestado. Ele foi a primeira pessoa a ser legal comigo quando voltei aos Estados Unidos, infeliz e solitário.

— Eu tava te fazendo um favor — repetiu ele, como se estivesse tentando se convencer.

— Acabou o tempo, meninos — o policial trovejou da entrada. Eu bati a porta na cara dele e passei a tranca. Ia conseguir uma explicação mesmo que isso me botasse na cadeia.

— Me diga por quê.

— A família da Lena vai pra Paris todo verão — contou Tom baixinho, enquanto o policial batia na porta. — Ela me convidou. E ela... espera coisas de mim. Jantares. Presentes. Você sabe que o pai dela é um magnata do petróleo, lá na Índia. Eles têm uma governanta. Ela tem o próprio *avião*. E cá estou eu, vindo do Meio-Oeste, numa bolsa de estudos. Você sabe como eu me sinto? Ele ia me dar dez mil dólares!

Eu não consegui sentir um grama de pena dele.

— Sério, o que acha que a Lena vai dizer quando souber como você arranjou essa grana? Caramba, todo mundo nesta droga de escola age como se fosse muito rico, e a metade das pessoas não é, nem de perto. Quando é que você vai perceber isso? O que você acha que aqueles caras todos iam fazer no jogo de pôquer da Holmes, toda semana, apostando todo o dinheiro deles? Aqui está uma solução. Cai na real. Conta a verdade pra Lena. Cara, ela é uma pessoa decente de verdade, você acha que ela ia mesmo dar a mínima?

— Eu não esperava que você entendesse. Você é um cão de exposição com pedigree. Eu sou só um que fugiu do canil. – Ele balançou a cabeça. – E eu não te machuquei nem nada. Você é meu amigo. Eu tava te fazendo um *favor*. Eu ia te deixar famoso...

– Abra a porta! Abra agora!

Eu estava enojado com Tom, enojado com a Sherringford, com toda a babaquice e inveja e traição. Furioso, agarrei os puxadores das portas do meu armário, pronto para jogar o resto das coisas na minha mala e cair fora dali.

Alguma coisa furou minha pele.

Olhei para baixo, estupefato. Minhas mãos estavam tão cortadas e enfaixadas que eu mal podia ver o que tinha acontecido. Ali. Uma gotinha de sangue perto do nó do meu indicador.

Eu não achei que fosse nada. Não até pegar no puxador com a parte enfaixada da mão e abrir a porta de supetão.

Roupas e sapatos e o resto dos detritos da minha vida todos emaranhados no piso do armário. No fundo havia três linhas gigantes e agressivas escritas em marcador.

VOCÊ TEM VINTE E QUATRO HORAS DE VIDA A NÃO SER QUE ELA ME DÊ O QUE EU QUERO BJS, CULVERTON SMITH

Culverton Smith. O homem por trás da caixa de marfim envenenada de Sherlock Holmes.

Encarei de novo o dedo que sangrava. Atrás de mim, Tom ergueu o iPhone com a mão trêmula e tirou uma foto.

Arranquei a mola infectada do puxador da porta. Peguei meu celular na escrivaninha (morto) e o carregador. Peguei minha mala. O tempo todo, Tom insistia que não sabia de nada – *isso não fui eu, eu não faria nada assim* –, repetindo como um imbecil, até que eu agarrei a camisa dele com uma das mãos.

– Eis o que você pode fazer por mim – rosnei para ele.
– Dê um jeito no policial.

Os olhos dele estavam focados no ponto de sangue infectado em sua camisa.

– Mas o que eu digo pra ele?
– Inventa alguma coisa. Você é bom nisso.

Enquanto eu seguia pelo corredor, ouvia a historinha mal contada dele.

– É culpa minha – dizia ele ao policial, – é culpa minha, deixa ele ir.

Cheguei até as portas da frente, então minhas pernas cederam.

Bryony Downs vencera. Ela havia pegado *A aventura do detetive moribundo* e virado contra nós com dedicação letal, sem saber que Charlotte Holmes tinha usado a mesma história para limpar nossos nomes. Eu não fazia ideia do que teria sido aplicado naquela mola, mas meu cérebro oferecia uma manada de respostas. Meningite, eu pensei, ou malária. Eu já quis ser médico; queria tratar as doenças mais assustadoras, e agora não conseguia parar de repassá-las na cabeça. Milo tinha razão. Bryony só poderia estar trabalhando com os Moriarty; como ela teria acesso àquele tipo de coisa? Ela era uma marionete, e essa era uma mensagem endereçada à família Holmes.

E a mensagem seria o meu cadáver.

Cambaleei pela porta principal e desci os degraus. Os próximos dois alunos esperavam que o policial os buscasse, e um deles se adiantou para me ajudar.

– Não me toque – falei, erguendo a mão. – Posso ser contagioso.

Porque essa era a pior parte. A enfermeira Bryony podia ter me transformado num tipo de bomba. Um paciente zero que poderia derrubar a Costa Leste inteira. Eu precisava ir para algum lugar fechado, longe de todo mundo, e tinha que começar a fazer um plano. Meus pais não podiam saber. Não havia nada que eles pudessem fazer. Eu me perguntei se meu pai ainda acharia essas investigações *divertidas* depois de identificar meu corpo no necrotério.

Não. Eu não ia morrer. Tinha dezesseis anos. Eu seria um escritor; iria para a universidade, teria um apartamento em Londres, ou em Edimburgo, ou em Paris. Eu conheceria meus meios-irmãos. Ah, Deus, não queria que a minha irmãzinha virasse filha única. Não queria deixar Charlotte Holmes com uma família controladora, uma mente brilhante e um melhor amigo morto. Não queria imaginar a vida dela sem mim. Talvez fosse um jeito egoísta de pensar, mas não conseguia imaginar a minha sem ela.

O céu estava limpo e azul, inocente em sua beleza. E a neve por toda parte, cegante. A luz começou a fazer meus olhos arderem, e eu os esfreguei com as costas da mão. Isso tinha que ser psicossomático, disse a mim mesmo; tinha que ser coisa da minha cabeça. Era a negação fazendo efeito. *Eu não posso estar morrendo*, pensei, e tentei acreditar nisso.

Um pé, depois o outro. Aonde eu estava indo? Tinha caminhado, lembrei, subido a colina vindo do centro da cidade. A distância parecia impossivelmente longa. Precisava me sentar um minuto, recuperar o fôlego. Se eu pudesse só ajeitar minha mala... pronto.

Holmes me contou que, quando me encontraram, eu estava desmaiado num banco de neve.

Eles me colocaram no banco de trás da limusine de Milo, ela, o irmão e os mercenários Greystone dele. Cobertores. Uma bebida quente. Holmes esfregando minhas mãos frias entre as dela, estranhamente lisas e firmes.

– Não – consegui dizer –, o sangue é contagioso. – Então vi que ela estava usando luvas de látex.

Ela sabia.

Eu estava sendo devastado por calafrios, e ainda assim um suor gelado brotava na minha testa e escorria pelo meu rosto. Minha boca ardia, meus dentes estavam sensíveis ao toque. Não conseguia engolir. Minha garganta não funcionava. Holmes levou uma garrafa de água aos meus lábios e a inclinou, gentilmente, para que eu bebesse. Tentei tirar a camisa, pensando, no meu delírio, que era uma camisa de força, e Holmes segurou minhas mãos. O tempo todo Milo me observava de trás dos óculos, fazendo copiosas anotações no celular. Sobre o quê, eu não sabia. Eu era um espécime, pensei, meio louco. Fariam experiências em mim até que eu morresse.

Quando chegamos ao nosso destino, Peterson teve que me carregar no ombro escada acima, como se estivesse me resgatando de um prédio em chamas. E então havia uma cama, com lençóis ainda quentes da secadora, com uma mesa ao lado. Peterson voltou até a mesa várias vezes com vidros de pílulas, panos limpos. Alguém trouxe uma bolsa de soro e a colocou no meu braço.

O que era real? Eu não sabia. Milo entrou, de terno e relógio de bolso; acendeu um cachimbo junto à janela, contemplando soturno os telhados. Minha cadela Maggie estava lá também, apesar de ter morrido quando eu tinha seis anos. Mas ela colocou a cabeça peluda no meu colchão e me fitou com os grandes olhos úmidos, me dizendo em palavras silenciosas o que a minha irmã Shelby estava lendo naquela semana (*Uma dobra no tempo*), quanta saudade minha mãe tinha de mim. Minhas mãos eram feitas de chumbo; eu não conseguia fazer um cafuné nas orelhas dela, como queria. *Boa menina*, eu queria dizer. *Onde você esteve?*

Bryony entrou por uma porta invisível e passou o braço pela cintura do Milo. Eles conversavam como se eu não estivesse ali.

– Leve-o ao topo da montanha e ponha a adaga na garganta dele – declarou Milo, em sua voz sonora.

— Achei que não íamos mais usar os bodes. Achei que só faríamos oferendas com ovelhas. — Mesmo assim, Bryony sorriu para ele. Milo a beijou como se estivessem num filme, inclinando-a para trás em seus braços.

Parem, gritei, *parem!* Mas ela estava ao lado da minha cama, com um travesseiro apertado contra a minha cara para manter as palavras na minha boca. E então ela tinha sumido, e Milo também, e eu estava sozinho.

Eu não confiava em nada que estivesse acontecendo comigo – onde estava Holmes? Aliás, onde eu estava? Mas também estava dominado por uma onda de exaustão que me deixei carregar até o mar distante.

Quando acordei, quando acordei de verdade, a noite tinha caído. Conforme meus olhos se ajustaram à penumbra, percebi coisas que não tinha percebido antes. Havia uma lâmpada bem fraca ao lado da cama, com a boca virada para lançar um círculo branco na parede. Ao meu lado, uma máquina contava minha pulsação, lendo de um clipe de plástico instalado no meu dedo indicador. Minhas mãos tinham sido reenfaixadas, profissionalmente desta vez. Eu me sentia desperto, de um jeito que não me sentia desde que abri a porta do armário.

Havia um cobertor claro no pé da cama, uma porta diante de mim. Em um canto sombreado, uma poltrona. Vazia, pensei, e ao estreitar os olhos para ver melhor enxerguei o tecido de veludo.

Eu estava no apartamento de Bryony Downs.

Me sentei apressadamente na cama, arrancando o monitor cardíaco do dedo e começando a tirar o esparadrapo sobre a agulha no meu braço. Ela havia me pegado... me levado a algum lugar. Será que Holmes e o irmão foram alucinações também? O monitor cardíaco gritou um aviso, e a porta adiante se abriu de súbito.

Quando ela entrou, eu estava de pé, ofegante, com a luminária arrancada da parede e brandida como uma arma.

– Watson! – exclamou Holmes, da entrada. – *Watson.* Meu Deus, achei que você tivesse morrido.

Deu trabalho, mas ela me convenceu a voltar para a cama. Holmes chamou um nome que eu não reconheci, e um homem com roupa de hospital entrou e colocou meu cateter de volta. Ele verificou meus sinais vitais enquanto Holmes pairava atrás dele, mordendo o lábio. Tinha prendido os cabelos de qualquer jeito; o nariz estava vermelho e o rosto, pálido. Ela parecia ascética e severa. Na verdade, ter chorado. Comecei a estender o braço para tocá-la, mas então retraí a mão.

– No momento, estamos administrando seus sintomas – murmurou o médico. – Aplicamos remédio para controlar a dor, e para baixar a febre. Não tente se levantar. Se precisar usar o banheiro, avise.

Concordei com a cabeça. Agora que a onda de adrenalina tinha passado, minhas pernas tremiam da minha tentativa de autodefesa.

– Você não deveria estar aqui, Charlotte – afirmou o médico. – Ele pode ser contagioso, e não quero que você encoste nele...

Holmes se adiantou e pegou minha mão.

– Então tá – concluiu o médico, e saiu do quarto.

– Holmes. O que ela me deu? Como você sabia?

Ela se sentou na minha cama. Eu me lembrei da noite em que eu a acordei assim, quando ela tinha adormecido como Hailey e acordado de novo como minha melhor amiga. Comemos panquecas. Ela me pediu para confiar nela.

– É um vírus sintético – explicou ela, rouca. – Criado em laboratório. Aquele médico, o dr. Warner, é um especialista nesta cepa em particular. – Ela recitou uma série de palavras em latim que eu não conhecia. – É o nome do vírus.

– Não tem um nome mais fácil? – perguntei, meio brincando. – A Gripe Watson?

Ela deu de ombros.

– Como você preferir. Ele foi criado originalmente como arma biológica, pela velocidade com que mata as vítimas. O dr. Warner trabalha para o governo alemão. Para nossa sorte, ele estava apresentando uma conferência em Washington. Milo meio que o sequestrou e trouxe aqui.

– Ah. Então tem cura?

Holmes mordeu o lábio novamente. Eu nunca a vira tão transtornada.

– A gente acha que sim – disse ela, hesitante. – Ele tem algumas teorias. Neste instante, está na outra sala, pesquisando.

– Na outra sala. Aqui, no apartamento da Bryony.

– Foi ideia minha – admitiu Holmes. – Com certeza ela não vai voltar aqui depois de aprontar uma dessas. E eu não queria levar você para a sua casa, não contagioso assim. Então ficamos com o lugar, mudamos as fechaduras; o Milo cobrou alguns favores, como você pode ver. Vamos trazer uma equipe de limpeza profissional, claro, depois que isso tudo acabar. O próximo inquilino não merece ganhar a Gripe Watson de bônus.

Depois que isso tudo acabar. De um jeito ou de outro, acabaria em breve. Ela captou meu olhar e, com aquele truque de mágica dela, observei enquanto lia minha mente.

Holmes balançou a cabeça rapidamente, se abraçando com força.

– Você não pode fazer isso – disse eu, baixinho. – Não pode desmoronar ainda.

Ela fez que sim, com o rosto virado para o outro lado.

– Vem cá – chamei, chegando para o lado. – Se você não ligar de eu ser um paciente zero.

Holmes engoliu o choro. Puxei o lençol, e ela se encaixou ao meu lado, pousando a cabeça no meu peito. Pressionei os lábios contra o cabelo escuro dela. Pareciam aquelas horas sob o alpendre, a imobilidade, a espera; e não pareciam nem um pouco. Meus músculos doíam. Meus braços estavam pesados. Meus pulmões ardiam no peito. Eu tive que me segurar na cama quando outra rodada de calafrios me estremeceu.

– Como você soube? – perguntei, trincando os dentes.
– Sobre o vírus? Sobre o que aconteceu comigo?

— A Bryony me mandou uma lista de exigências — explicou ela, com a voz abafada pela minha camisa. — Por mensagem, é claro. Ela sincronizou com o seu compromisso no alojamento Michener. Deve ter lido o cronograma no e-mail geral do campus.

— Por mensagem? Holmes, isso pode ser usado como prova contra ela.

— Não vamos fazer isso.

— Mas...

— Watson, não.

Eu não tinha força para discutir com ela.

— Quais foram as exigências? O que ela quer?

— Um pônei.

Sorri, apesar da dor.

— O pônei mais bonito desta terra, num arreio de ouro. Só então o seguidor favorito será curado.

— Você não é meu seguidor — comentou Holmes baixinho. — Esse foi o primeiro erro dela.

— O que eu sou, então?

Só que eu não sabia se queria ouvir a resposta. Não agora.

Ela deve ter notado a reticência na minha voz.

— Um pônei — respondeu ela. — E três milhões de dólares, e passagem segura para a Rússia, um país que, considerando o histórico do meu pai e o estado atual das relações russo-americanas, não vai extraditar ela para o Reino Unido ou para a América para ser julgada pelo que fez. O que seria irrelevante, de qualquer maneira, porque ela quer que eu assuma a responsabilidade absoluta pelo assassinato do Dobson e pelo ataque contra a Elizabeth.

– Caramba. – Fiquei batalhando com a ideia.

– Ela fez tudo de forma muito completa – observou Holmes. Havia um toque de admiração na voz dela. – Eu deveria ter sacado.

– Não é culpa sua – afirmei, antes que ela pudesse continuar. – Você assumir a culpa faz parecer que eu sou só uma bagagem que você carrega. Sem vontade própria. Então pare com isso.

– Mas...

– Eu estou morrendo – declarei, com uma animação mórbida. – Você tem que me ouvir.

Ela deu uma risada vazia.

– O Milo tem o dinheiro, e está providenciando a passagem enquanto conversamos. Já redigi minha confissão. Está feito. A troca será feita às nove da manhã. Ela tem o antídoto. Não sei como... O dr. Warner não sabe nem como seria possível... mas ela tem, e mesmo que esteja mentindo, ainda é um risco que temos que correr. Vamos nos encontrar com ela vinte e duas horas depois da sua infecção, então você ainda deve estar... ah. Deve dar certo.

– Onde?

– Ela vai mandar o lugar por mensagem quando for a hora.

– Você não vai pra cadeia por isso – insisti. – O detetive Shepard não vai deixar. Espera, ela não está sob custódia dele? O que aconteceu por lá?

– Lembra quando pensamos que ela tinha parado para abastecer? Ela trocou de carro na delegacia. Deixou o Toyota no estacionamento e pegou outro carro que já tinha deixado lá. – Novamente, uma nota de admiração. – Nós víamos ela como uma patricinha burra, e ela nos enrolou do começo ao fim.

– E onde está ele agora? O detetive Shepard?

– Os termos dela diziam nada de polícia, nada de mandar você a um hospital. Então eu não sei. Estava concentrada em você. – Senti ela dar de ombros. – Essa é a outra parte. Você vai morrer. De um jeito ou de outro, você vai morrer se eu não levar a culpa. Acho que é uma boa ideia dar ouvidos a ela, porque ela provou ser hábil com bombas em maletas.

A porta se abriu em uma fresta, e a cabeça lustrosa de Milo apareceu. Se ele ficou surpreso ao ver a irmã aninhada nos meus braços, não demonstrou.

– Você acordou. Como se sente? – perguntou ele.

Como se eu tivesse sido atropelado por um caminhão.

– Bem – respondi.

– Você quer que eu entre em contato com os seus pais?

– Ah, meu Deus. Meu pai achou...

– ... acha que você está debatendo estratégia comigo e a Lottie até tarde da noite. Esta tarde, Peterson e Michaels devolveram o carro e lhe transmitiram minhas palavras tranquilizadoras. Como decidimos negociar com a enfermeira Bryony pela sua cura, você não tem por que preocupá-lo. Embora eu entenda que os pais podem ser um conforto num momento assim. – Ele disse a última parte academicamente, como se fosse uma teoria que jamais tivesse testado pessoalmente.

– Certo – respondi, tentando manter a voz estável.

– Não, tá tudo bem, não fale com eles.

– Durma um pouco – aconselhou ele. – Nós vamos cuidar de tudo.

Pareceu que eu não estava incluído naquele *nós* – e como poderia estar? Não conseguia nem ficar de pé. Mas pelo menos a irmã dele estava. Assenti, Milo assentiu de volta, e fechou a porta.

– Você não vai pra cadeia – repeti. Minha boca estava seca. – Tem que haver outro jeito.

– Eu tenho que ser presa e condenada. Ou ela vai dar outro jeito de matar você. Ela foi muito específica nesses termos.

– Holmes.

– Watson, eu me lembro de uma conversa muito recente na qual você detalhou todas as possibilidades horríveis da minha morte. Você se lembra disso? Você gostaria de, só por um momento, imaginar como seria observar uma delas se realizar? Pense pelo meu lado.

– O preço não deveria ser passar o resto da sua vida numa cela por um crime que você não cometeu!

– Não. – Ela cerrou o punho na minha camisa. – Não, mas talvez eu devesse pagar pelo crime que cometi.

– Não posso conversar sobre o seu complexo de mártir agora – falei, engolindo em seco como se tivesse areia na garganta. – Não posso. – Estendi a mão sem olhar para pegar o copo de água ao lado da cama e bebi tudo.

Holmes se afastou para me olhar.

– Você está vermelho – disse ela, se levantando, apressada. – Acho que a febre está voltando. Vou buscar o dr. Warner...

– Espera.

Ela estava amarrotada, amarfanhada, com o cabelo escapando do elástico para cair em cachos ao redor do rosto. Tinha alguma coisa que eu precisava dizer a ela, pensei, alguma coisa fundamental, alguma coisa bem na ponta da língua.

Acho que ela soube antes de mim.

Holmes se inclinou e alisou meu cabelo para trás. Fechei os olhos ao toque dela. Então foi uma surpresa quando ela me beijou nos lábios.

Holmes tinha um perfume inesperado de rosas.

– Isso é tudo que eu posso fazer – sussurrou ela, apoiando a testa na minha.

– Já foi muito – respondi, e ela riu.

– Não. Quero dizer, isso é tudo... é quase insuportável pra mim tocar qualquer pessoa, depois do Dobson, e eu... por você, tô fazendo um esforço.

Eu sentia a respiração dela nos meus lábios.

– Não sei quanto tempo vou ficar assim – continuou ela, lentamente – ou se eu sempre fui assim. Não sei se um dia vai ser suficiente.

Era confuso o que ela dizia, mas achei que tinha entendido.

– Você não precisa se esforçar – assegurei. – O que quer que isto seja, já... já é suficiente.

– Eu sei – disse ela, se endireitando. – Tem que ser. Nós nos entreolhamos por um minuto.

– Se você acabar na prisão por causa disso, eu nunca, jamais vou perdoar você. Encontre outro jeito, ou eu juro por Deus que vou morrer só de raiva.

Ela abriu aquele sorriso fugaz.

– Tá bom.

– Tá bom? Simples assim?

– Tá bom – repetiu ela. Eu não tinha escolha além de acreditar. – Seu pulso tá acelerado, e você tá quente demais. Vou chamar o dr. Warner. – Ela deu um sorrisinho. – Não quero que você morra antes que possa usar isso como barganha.

– Obrigado – respondi, feliz que pelo menos ela creditasse que meu coração martelando era por causa da febre.

onze

Eu estava muito, muito pior de manhã.

Não deveria ser nenhuma surpresa. A lógica dita que uma doença deteriorante se deteriore. Porém, é difícil se concentrar na lógica quando se está morrendo.

Qualquer breve alívio concedido pelos remédios do dr. Warner se encerrou por volta da meia-noite, quando eu atingi a dosagem máxima de morfina que ele me permitia. As horas depois disso foram... bem, me garantiram que é bom que eu não consiga me lembrar delas.

Com o raiar da manhã, eu entrei e saí de sonhos inquietos, com paisagens sombrias e encharcadas que eram ao mesmo tempo cruelmente quentes e trespassadas pelos ventos mais ferozes. Mas também estava consciente de alguma coisa acontecendo no aposento ao meu redor. Uma mão na minha testa. Vozes gritando. Tudo se somava à minha inquietude, já que não conseguia entender o que estava acontecendo de jeito nenhum. *Burma*, pensei. Eu estava em Burma. Eu estava no Afeganistão. Não, minha mãe assava muffins de canela na cozinha, e, se eu fosse bonzinho, se eu fizesse a cama e guardasse meus brinquedos, ela me daria alguns. Holmes estava lá também, vestida toda de preto. Alguém tinha morrido. Íamos ao funeral.

Acordei com o mais leve indício de sol pelas cortinas. Meu quarto estava em silêncio. Isso dava para saber sem abrir os olhos. O esforço necessário até para uma tarefa tão simples me deixou tonto e suado. Quando consegui, percebi que estava sozinho. Seria mais uma alucinação? Não parecia. Lá estava a mesa de cabeceira, lá estava a poltrona estofada.

E eu não sentia dor.

Virei a cabeça para olhar a sonda de morfina (isso levou outra eternidade), mas não sabia ler a dosagem na bolsa. O que quer que estivessem me dando, funcionava. No lugar da dor, havia um tipo de rebelião corporal. Pedi às minhas pernas que girassem para fora da cama. Não obedeceram. Pedi ao meu braço que buscasse o copo de água. Ele não quis. Ofeguei com o esforço, e ofegar foi um esforço. Eu estava fraco como um recém-nascido.

– Não – insistia uma mulher na outra sala.

Era uma voz que eu reconhecia, mas de onde?

– Não – repetiu ela, mais brava desta vez, e então se calou.

Era Bryony Downs.

O encontro acontecia na sala ao lado.

Era muito descaramento da parte dela fazer isso, entrar na fortaleza dos inimigos e fechar um acordo em um local em que eles tinham todas as vantagens. Ela realmente se considerava invencível.

O antídoto poderia estar ali, no bolso dela.

Não. Ela não o teria trazido, não quando poderia ser tomado dela à força. Teria escondido em algum lugar próximo, só revelando o local depois que tivesse recebido o que queria. Se Holmes desse o que ela queria.

O que significava, é claro, que eu morreria, e nas próximas duas horas.

Fiz mais um esforço para obrigar minhas pernas a me obedecerem. *Mexam-se*, eu lhes disse, enquanto uma risada ecoava na sala ao lado. *Mexam-se*. A camisa e a calça macia que eu vestia já estavam encharcadas de suor. Suor. Seria uma boa coisa suar? Será que significava que os nervos e veias dentro de mim – eu os imaginei, tensos, negros e rachados – ainda estariam saudáveis? Será que eu estaria, de alguma forma, vencendo a doença?

Se eu estivesse vencendo, provavelmente minhas pernas estariam funcionando, me relembrei. Trincando os dentes, me concentrei nos meus joelhos. *Mexam-se*.

E eu me mexi. Rolei direto da cama para o chão acarpetado, levando a mesa de cabeceira junto.

O estrondo foi tremendo, e eu fiquei estatelado no meio da bagunça, das pílulas esparramadas e dos lenços de papel espalhados e dos cacos do meu copo de água, impotente.

Eu estive em negação até aquele ponto, acho. Mas foi então que a ficha realmente caiu. Que eu ia morrer. Que eles me enterrariam, não daqui a vários anos, não aos setenta e três anos e cercado pelos livros que eu escrevi no apartamentinho da Rue du Rivoli, mas hoje. Numa questão de horas. Beijei Charlotte Holmes uma vez, e morreria antes de beijá-la de novo.

A porta foi aberta com uma pancada.

— *Watson* — disse Holmes, ajoelhando-se ao meu lado.
— Traga o garoto aqui. — A voz soou como um doce sinete. — Eu gostaria de vê-lo.
— Você consegue se mexer? — perguntou Holmes, a voz estranhamente aguda. Ela pôs as mãos sob as minhas axilas. — Se eu te levantar, você consegue se apoiar em mim?
— Sim — consegui dizer, mesmo sem ter certeza.

Ela me ergueu até eu ficar de joelhos.
— Me escute bem — disse ela no meu ouvido. Os cabelos negros roçaram meu rosto. — Quando eu piscar duas vezes, jogue sua última cartada.
— Certo — respondi, porque *eu não faço ideia do que você está falando* eram nove palavras a mais do que eu podia falar.
— Milo — chamou ela. — Preciso de uma ajuda.

Juntos, os dois me carregaram do quarto até a sala de estar que, quando tinha visto pela última vez, estivera vazia. Sob a direção de Holmes, os mercenários de Milo tinham montado o aposento de volta ao que tinha sido, ou seja, parecido com um bordel arrumadinho. Um tapete felpudo rosa. Cadeiras de acrílico em volta de uma mesa de acrílico. Um sofá que parecia ter sido estofado com marshmallows, e com uma calça masculina pendendo sobre o braço. Um dock de iPod e caixas de som, um conjunto bagunçado de lâminas e frascos e um microscópio (essas coisas deviam ser do dr. Warner).

Um espelho dourado ocupava uma das paredes inteira, pegando a sala toda no reflexo — Charlotte Holmes, em suas elegantes roupas negras, sentada num pufe peludo que parecia ter saído de um programa infantil; Milo, tão perto da irmã que os joelhos deles se tocavam; e eu, caído como uma baleia encalhada numa daquelas cadeiras de plástico transparente. Isso se a baleia encalhada tivesse perdido sete quilos da noite para o dia, coberto o rosto com vaselina, pintado os olhos de preto e, por fim, rastejado até uma praia para acabar com tudo.

Ao olhar para mim, Bryony Downs torceu o lábio de repugnância.

Ela não tinha passado da porta da frente. O casaco roxo estava com o zíper aberto, mas ela ainda vestia o gorro de pompom e luvas. Com o rosto de boneca de porcelana, corada de frio, ela parecia estar fazendo uma pausa das pistas de esqui. Sério, tudo nela parecia parte de um catálogo de suéteres, ou de uma propaganda de um chalé nas montanhas de Aspen. Tudo menos o brilho fanático nos olhos.

– Oi, Jamie – saudou ela, animada. – É bom te ver.

Se eu não estivesse a uma hora da morte, teria caminhado direto até ela e lhe quebrado o pescoço.

Mas eu estava. Essa era a questão.

– Certo, onde eu estava? Antes da tentativa deste aqui de bater as botas prematuramente? – Ela estava apoiada no batente da porta, com as mãos nos bolsos.

– Você estava se gabando – ajudou-a Milo.

– Isso – concordou Holmes, inclinando-se para frente. – Continue, é fascinante. – Ela estava com aquele olhar de catalogação, com as pontas dos dedos unidas e aquela linha na ponte do nariz. Notei, então, que havia uma maleta aos pés de Holmes, com um par de passagens de avião em cima. Os termos de Bryony cumpridos.

Os olhos dela se revezaram entre os dois, depois voltaram a mim.

– Não quero entediar você – declarou ela, pensando claramente na fuga.

– Conte. – Tossi, numa tentativa de enrolar. – Dobson. Como?

– Pobrezinho – comentou ela. – Eu me aproximaria para conferir seus sinais vitais, mas acho que a Charlottinha aqui poderia reagir mal às minhas mãos em você. Que pena. Sabe, esse vírus *orthomyxoviridae surrexit nigrum* não tem um relógio regressivo preciso. Não é uma bomba. Sério, você pode empacotar a qualquer momento. Então, vou honrar seu último pedido. – Ela pôs a mão no coração, com aparente sinceridade. – Vou fazer isso. Não é assim que todas aquelas histórias acabam mesmo? O herói explicando tudo ao pobre confidente? Você é um Watson, afinal, então vamos respeitar a tradição.

Holmes claramente não estava ouvindo. Os olhos dela estavam fixos nas botas de Bryony. Lentamente, levou a mão até a de Milo, e a pegou. Para conforto, ou outro motivo, eu não sabia bem. Então cravei meus olhos em Bryony, lhe concedendo a audiência cativa que ela obviamente queria.

– Lee Dobson. Pessoinha horrível, né? Um dos meus primeiros pacientes, em setembro, com um caso sério de aftas. Ele teve que voltar para a revisão, e acho que pensou... bem, você sabe. Mulher mais velha e atraente, adolescente fogoso. Ele queria me impressionar, fazendo várias perguntas "oblíquas" sobre narcóticos e opiáceos. Para uma amiga. Eles sempre dizem que é para um amigo. Como alguém reage à heroína? E à morfina? À oxicodona? A pessoa fica sem reação? Com que dose? Quão maleável? Ela ainda poderia fazer sexo?

Os ombros de Holmes enrijeceram, assim como a mandíbula. Parte dela estava ouvindo, afinal. Ao lado dela, a expressão de Milo estava configurada numa neutralidade determinada.

– Ah, fiquei feliz em atender ele e responder às perguntas. Não tive o menor escrúpulo. Porque quantas outras estudantes naquela escola eram suficientemente depravadas para tomar drogas desse calibre? Eu sabia que não estaria ajudando ele a atacar uma inocente. Ora, sim, eu respondi, sua amiga vai ficar eufórica. Tão feliz, tão preguiçosa, tão indisposta a se mover. Ela deveria tomar cuidado, eu disse. Coisas terríveis podem acontecer a garotas que ficam doidas assim. Ele me agradeceu profusamente. Quase arrancou minha mão. E eu tive a satisfação de saber que estava mandando a esta vagabundinha aqui exatamente o tipo de homem que ela estava pedindo. Depois disso, ele voltou várias vezes. Estava claro que o menino tinha uma paixonite por mim. Vocês podem ver por quê, é claro.

Um sorriso se abriu no rosto dela, como uma névoa venenosa.

— Posso ver que você também tem, Jamie, pelo jeito com que você me olha. Eu soube naquele dia que você brigou com o meu Lee, a expressão deslumbrada no seu rosto. Não fique envergonhado. Eu participei de concursos, sabe. Ganhei vários prêmios. Mas não. Não, eu estava falando sobre Lee Dobson e aquele pó de proteína.

"Porque vocês dois tinham praticamente marcado ele para morrer. Charlotte tinha deixado a repugnância dela pelo pobre menino muito clara, e você, Jamie, tinha tentado matar ele. Não, não me olhe assim; você teria espancado ele até o limite, e tudo porque ele disse coisas sobre a sua Charlotte que eram *verdade*. Fiquei sabendo de tudo pelo Dobson, na enfermaria. Como ele tinha tentado te avisar de como ela era vadia. Ele estava te fazendo um favor! E olhe só como foi recompensado. O pobrezinho se marcou para morrer naquele ponto. Por experiência própria", ela fungou como uma avó desapontada, "eu sei que a Charlotte é absolutamente implacável. Ela teria eliminado ele, no fim, ainda mais com um bebê mastim inebriado como você ao lado dela. Eu fiz um favor para ele, mesmo. Pelo menos me livrei dele de um jeito humano.

"Não foi difícil começar a aplicar o arsênico nele pelo pó de proteína. Um pouquinho de cada vez, aumentando a dose a cada dia; eu fazia ele ir tomar comigo, é claro. E então eu tinha uma página em branco para escrever minha história, quando ele morreu. Sabe, eu amava as histórias do dr. Watson quando era pequena. Foi tão divertido poder reencenar. Furtei uma cópia novinha em folha de *As aven-*

turas de Sherlock Holmes na biblioteca e fiz uma visita ao dormitório naquela noite; subi pelas escadas de trás. Tinha pedido ao Lee que deixasse a porta encostada para mim. Tinha uma surpresa para ele, eu disse. Provavelmente ele achou que ia transar. Eu sabia que o colega de quarto dele estaria naquele circuito de rúgbi; o Lee tinha me contado, de tão ansioso que estava para botar as mãos em mim. Bem. Quando eu cheguei, ele já estava morto. Eles me chamaram mais tarde para ajudar a confortar os estudantes."

Ela estudou uma das unhas. Num clarão, me lembrei de ter visto Bryony ali diante da porta de Dobson, dando tapinhas no ombro do meu colega de corredor soluçante.

– Obviamente, tive ajuda com a cobra.

Holmes se sobressaltou.

– Que ajuda?

Bryony estalou a língua.

– Falando fora de hora – observou ela e, pela primeira vez, escutei um traço de raiva em sua voz. – Mas vou cooperar. Você ainda não refletiu bem sobre as consequências dos seus atos, né? Bem, pau que nasce torto nunca se endireita. Eis aqui um pouco de educação: quando você planejou arruinar a vida do meu noivo... só por ele *me* amar... você arruinou a minha vida. Você arruinou. A minha *vida*.

Ela deu um passo para mais perto dos dois irmãos, quase sem querer. Ao se mover, vi a arma num coldre sob o casaco.

– Sua vadia. Eu já estava com o Augie desde a infância. Ele foi para Eton, depois adiantado para Oxford, enquanto eu estudava na escola da vila, mas o tempo todo ele sempre me amou. A *mim*, você entendeu? Eu ia jantar na casa dos Moriarty todo domingo. Eles iam aos meus recitais de flauta, quando minha própria mãe estava bêbada demais para se arrastar do sofá. E, quando eu tinha dezessete anos e minha mãe morreu, e meu pai se lixou e não quis ficar comigo, você sabe quem me acolheu? Ah, isso mesmo. O professor Moriarty e a esposa dele. Não me importa o que eles faziam nos bastidores; eles eram santos, você entendeu? Se me pedissem para cortar minha própria garganta, eu teria cortado, por eles.

– Achei que você tivesse vindo para os Estados Unidos aos dezesseis anos – sussurrou Holmes.

Bryony sorriu.

– Você acha que o meu nome foi a única parte do meu histórico que eu falsifiquei? Não, *eu* nunca fui despachada para outro continente. Ninguém queria se livrar de mim tanto assim. Veja bem, eu ia me casar com o Augie assim que terminasse a universidade. Os pais dele cobriram os custos para que eu estudasse na Universidade de Londres, e a família já tinha comprado um apartamento para nós vivermos como marido e esposa. Eu ia ser médica. Sou muito inteligente, sabe. Ainda que vocês Holmes todos achem que não existe ninguém tão brilhante quanto vocês, o Augie era capaz de dar voltas em todos de olhos fechados, e eu ia ser uma *médica*. E aí o Augie pegou aquele emprego horrível. – Ela cerrou os dentes com tanta força que deu para ouvir, o esmalte e o osso. – Na *sua casa*.

"Os pais dele avisaram que seria uma má ideia. O irmão, Lucien, também. Eles acharam que o Augie era louco de entrar num covil de víboras daquele jeito. A vaca da sua mãe, seu irmão homicida e você, a *enfant terrible*, como aluna? Meu Deus, os jogos dos Moriarty são brincadeiras de criança comparados aos seus. Só que o Augie acreditava no melhor das pessoas. Ele acreditava no melhor de você, bebê Charlotte. Esse foi o fim dele."

Foi aí que eu percebi que ela estava falando como se estivesse morto. Holmes percebeu também; os olhos dela finalmente se ergueram das botas de Bryony para seu sorriso cruel. Só que Holmes manteve a expressão impassível. Ou não era uma surpresa, ou a compostura dela era ainda melhor do que eu pensava.

– A última vez que eu vi o Augie vivo – continuou Bryony – foi no dia antes da prisão por drogas. Ele tinha ido a Londres por alguns dias, para me visitar. Foi lindo. Ele me levou num restaurante maravilhoso. Com toalhas de mesa brancas. Conversamos sobre o nosso casamento. Ia ser pequeno, íntimo. No quintal da família dele, com flores silvestres, o vestido de noiva da mãe dele. Estávamos tão felizes. Não precisávamos de mais nada, além de um do outro. – O olhar dela ficou perdido e sonhador. – Ele voltou para a sua casa no dia seguinte. Acho que você sentiu o meu cheiro nele todo. Deixou você louca de ciúmes. Só uma garotinha, mas com apetites de mulher. Ele me falou sobre o seu *crush*, sabe. Achava que era *adorável*.

E lá se foi a compostura. Holmes estremeceu, como se tivesse levado um tapa na cara.

– No dia seguinte, você chamou a polícia. Depois que os policiais foram embora, depois que eles acharam o Lucien e arrastaram ele para a cadeia... ah, você parece tão *surpresa*; o que você achou que tinha acontecido com ele?... Eu dirigi pelo mundo inteiro, procurando o Augie. A polícia não conseguia encontrar; ele confessou e fugiu. Oxford o expulsou. Nenhuma outra universidade o aceitaria, não com aquele histórico. Ele tinha entrado em pânico. Ido para casa. E então levou a pistola do pai para o quarto de infância e se deu um tiro na cara.

Eu não entendia. Não entendia nada; achei que o August tinha sido condenado, e que tivesse saído na condicional e arranjado um emprego na Greystone trabalhando para Milo. Revirei a memória o melhor que pude. O que Holmes tinha dito, exatamente, quando me contou a história?

O August ficou pra levar a culpa, como eu suspeitei. Arranjou um emprego, finalmente. Trabalha pro meu irmão na Alemanha.

Não havia nada sobre o que acontecera no meio-tempo.

Mesmo no meu estado febril nebuloso, comecei a preencher as lacunas.

August Moriarty tinha fingido a própria morte, muito provavelmente com a ajuda dos pais. Como eu não tinha pensado nisso antes? Ele tinha confessado vender drogas a uma menor, e a sentença para isso teria sido muito mais longa do que a linha do tempo que Holmes me apresentara. Os pais tinham desistido dele, Holmes dissera. Teriam que cortar todo contato público para manter a ficção da morte dele. Mas tinham enterrado as notícias dessa morte também. Não encontrei nenhum obituário ao pesquisá-lo, nenhuma menção de um funeral. Era como se August Moriarty simplesmente tivesse deixado de existir. Congelado no tempo como um garoto-prodígio, trabalhando nos complexos padrões matemáticos no Círculo Ártico, com o cabelo loiro como o de um príncipe da Disney soprando no vento frígido.

E Bryony Downs não sabia.

Teria sido difícil para ela acompanhá-lo na nova vida, mas, se ele realmente a amasse, teria encontrado um jeito, pensei. Ele era um homem brilhante. Brilhante demais, porém, para não perceber o toque de fanatismo sombrio na noiva. A obsessão, o egocentrismo selvagem. A disposição de fazer qualquer coisa para alcançar os próprios fins.

Talvez August Moriarty tivesse visto aquilo como uma oportunidade de escapar dela. Uma decisão compreensível. Apesar de ter levado aonde eu e Holmes nos encontrávamos agora.

– Você! – exclamou Bryony, se aproximando ainda mais da Holmes, que a contemplava friamente. – A morte dele está nas suas mãos. Então você será presa por uma morte. Sou só a intermediária.

E Lee Dobson e Elizabeth Hartwell foram as ovelhas sacrificadas.

Se bem que ela não tinha mencionado Elizabeth em nenhum momento.

— Quem estava trabalhando com você? — indagou Holmes.

Bryony jogou o cabelo para trás.

— Quem disse que tinha alguém?

Holmes a encarou até que, se remexendo, constrangida, Bryony falou.

— O homem que convenceu o juiz de que não fazia ideia do conteúdo do porta-malas do carro, e cumpriu uma sentença mínima. Você não esqueceu quem dirigiu o carro até sua casa para levar suas drogas, esqueceu? Lucien Moriarty, sua garota burra. Meu Deus, a melhor parte disto tudo foi ter você comendo na minha mão. Eu deixei rastros. Toquei no bilhete sem luvas, para o caso de você coletar minhas impressões digitais. Imprimi com a fonte que usei para escrever todos os meus relatórios médicos. Usei ortografia britânica, em vez de americana. Foi um assassinato ligue-os-pontos, mas você foi burra demais para pegar a caneta. Fiz tudo, menos me entregar. Sabendo, é claro, que assim que você me descobrisse, o Lucien fecharia a armadilha. Você sabe o que o Lucien faz da vida, não sabe?

— Ele é um agenciador — murmurou Milo.

— Precisamente — disse Bryony. — Estrelinha dourada para você. Exceto pela parte de ele ser um Moriarty em primeiro lugar. Eles têm conexões com as quais você só poderia *sonhar*. Diga a Lucien que você precisa de uma cascavel para decorar uma ceninha, e ele fará uma cobra não rastreável aparecer. Diga que você precisa de uma linda bomba numa maleta, e ele contratará um profissional para preparar uma. Diga que você quer uma bijuteria de plástico enfiada na garganta de uma garota, e ela vai se engasgar. Diga que você precisa de uma nova identidade, passaporte, um emprego no internato da Charlotte Holmes, e ele lhe entregará com um laço de fita. Meu Deus, a própria *falta* de indícios deveria ter sido uma pista. Eu desisti do meu sonho de ser médica por isso. Você ouviu bem? *Eu desisti do meu sonho de ser médica para fazer você cumprir a sentença merecida.* Tinha quase todos os créditos necessários para um diploma de enfermeira, e se isso me permitia vir para cá atrás de você mais rápido... ótimo. Uma vez na vida, meu bem, você foi o último biscoito do pacote.

Bryony se ajoelhou diante do pufe, colocou as mãos nos joelhos de Holmes, inclinando-se bem perto do rosto dela.

– É por isso que sou uma pessoa melhor que você. Está pronta? Eu poderia te matar agora mesmo. Não – ela levou o dedo aos lábios de Holmes –, aquela bomba nunca teve o objetivo de matar você, não seja burra. Eu estava simplesmente *enojada* com a ideia de você e o menino Watson aqui brincando de casinha no laboratório. Interpretando seus papéis. Você quer saber por que eu armei o assassinato do Dobson como um remake de *A banda malhada*? Foi um lembrete. Elas são histórias. São histórias, e isto é a vida real. *Você não é Sherlock Holmes,* nem nunca será.

Holmes encarou Bryony sem pestanejar. Então, ela virou a cabeça para mim e, lenta e inconfundivelmente, piscou duas vezes.

Jogue a sua última cartada, dissera ela. Que cartada eu poderia jogar? Só conseguia manter os olhos abertos por pura força de vontade. Mal conseguia falar, muito menos me levantar para um gesto heroico. Se era para eu ser o músculo naquela operação, eu estava completamente fora de serviço.

Só que ela sabia disso. Então o que poderia querer dizer?

Ontem à noite... a mão na minha testa, um lento beijo de boca fechada. Rosas. E o sorriso dela ao sair pela porta, me dizendo para não morrer antes que eu pudesse usar isso como uma ficha de barganha.

Ah.

Deixei meus olhos se fecharem. Desacelerei minha respiração. E caí, pesadamente, da cadeira para o grosso tapete rosa.

– Watson! – exclamou Holmes, uma perfeita paródia da última vez que ela pensara que eu tinha morrido.

Tropeços. Passos. Bryony exclamando "Ah, *droga*" ao se agachar ao meu lado. Eu sentia o perfume Algodão-Doce Para Sempre. Os dedos frios de um homem no meu rosto, depois seguindo para meu pescoço, para sentir a pulsação.

– Ele está vivo – anunciou Milo. – Está vivo, mas por muito pouco.

– Não tirem ele daí – disse Holmes. – Vou pegar o cobertor na cama.

Abri meus olhos uma fresta. Bryony ainda estava agachada ao meu lado, com uma expressão inesperada de preocupação no rosto.

– Jamie – disse ela. – Vai ficar tudo bem. Isso vai acabar logo, assim que a sua namorada concordar em me deixar ir.

Eu estava começando a pensar que essa não era a pior das ideias.

Mais passos. Milo dizendo:

– Você não pode dar uma olhada nele, Bryony? Pelo bem dele?

Bryony mordeu o lábio ao tirar os olhos da porta do quarto e fixá-los em mim.

O som de uma pistola sendo engatilhada.

– De pé – rosnou Holmes. – Com as mãos atrás da cabeça.

A enfermeira Bryony se levantou, rigidamente.

– Você está usando uma escuta – afirmou Holmes. – Está enrolada no coldre da sua arma, o que é muito inteligente, pois a maioria das pessoas perceberia a arma e desviaria o olhar no mesmo instante. Não sou a maioria das pessoas, como você bem sabe. Então sim, olá, Lucien, fico feliz que você esteja bem e tenha mandado seu capanga vender drogas para o povo da Sherringford e, como eu disse nas muitas cartas que te mandei na prisão, peço muitas desculpas pela minha participação nos seus dois meses de cadeia, ainda que eu aposte que uma das dúzias de outras crianças pra quem você vendia drogas acabaria te dedurando, no fim. Espero que você tenha curtido ser cúmplice de assassinato.

Ela avançou, com a arma firme nas mãos.

— Sugiro que você não tente explodir a bomba que eu encontrei no armário de roupa de cama, pois já a desarmei. Não precisei nem do Google pra ela. Mas, de qualquer maneira, graças ao meu pai, imagino que eu já tenha esquecido mais sobre design de explosivos do que você jamais aprendeu.

Ela estava tão perto agora que ela e Bryony se encaravam olho no olho. Com expressão selvagem, Bryony abriu a boca, e Holmes levantou uma das botas pretas e deu um pisão com o calcanhar no pé da enfermeira.

— Ai, ai, ai. Falando fora de hora. Temo que eu não seja tão tolerante quanto você. Eu realmente deveria aprender.

Bryony gemeu de dor, as mãos ainda atrás da cabeça. Rapidamente, Holmes puxou a pistola de dentro do casaco dela e a jogou para Milo, que a pegou sem dificuldade.

— Bryony Downs — refletiu Holmes. — O que eu posso dizer? Se eu pudesse me desculpar com o August, me desculparia.

Percebi que ela ainda mantinha a ficção de que August Moriarty estava morto, mesmo agora, quando jogar a verdade na cara da enfermeira Bryony seria o castigo supremo.

Só que Holmes ainda estava falando.

— Eu passei por três programas de reabilitação. Posso, de fato, simplesmente ser uma pessoa horrível, mas a diferença entre mim e você é que eu *luto* contra isso. Com cada átomo do meu ser, eu luto contra isso. Posso ser uma detetive amadora, mas você é uma maldita psicopata, e eu preferiria colocar esta pistola na boca do que deixar você fugir para São Petersburgo, onde vai poder se aproveitar de garotos adolescentes com o dinheiro sujo de sangue do meu irmão. Você orquestrou o meu *estupro* e me chama de vadia? Não. Este é o fim absoluto da linha.

– E você vai simplesmente deixar seu amigo morrer – retrucou a enfermeira Bryony num sussurro áspero.

Era o que eu tinha pedido a ela para fazer, afinal. Manter-se fora da prisão a qualquer custo. Tentei respirar através do pânico que comprimia os meus pulmões.

Holmes suspirou.

– Não, é claro que não vou – respondeu ela, e eu quase morri ali mesmo, de alívio. – Os homens do meu irmão estão recuperando o antídoto do quarto do Watson no alojamento enquanto conversamos. É um lugar inteligente para esconder, não é? O mesmo lugar onde você infectou ele? Queria que a gente ficasse muito *puto* quando encontrasse. Mas foi bem fácil de deduzir pelas chaves da universidade penduradas no seu bolso, não na sua bolsa, e os cacos de vidro cravados nas solas da sua bota. Isso eu confirmei quando o Watson aqui me fez o favor de desmaiar e você se ajoelhou para examinar ele. Cacos de vidro espelhado, especificamente. A qualquer segundo agora o Peterson vai me mandar uma mensagem dizendo que encontrou o antídoto.

Como se por magia, o telefone apitou.

— Como você poderia saber isso? — perguntou Bryony.

— Como você poderia saber com certeza? — Eu fiquei surpreso ao ouvir um elemento de inveja na voz dela.

— Porque agora você parece furiosa — respondeu Holmes. — Então agradeço a confirmação.

A enfermeira Bryony cuspiu no chão.

Holmes revirou os olhos.

— Era um lugar muito idiota onde esconder o antídoto, de qualquer maneira, perto demais do seu apartamento; que é perfeitamente horrível, aliás. Tão perto, de fato, que nós o teríamos buscado e aplicado no Watson antes que você tivesse tempo para escapar. Por quê, sério, nós deixaríamos você escapar com três milhões de dólares do meu irmão, quando não tinha mais nenhuma carta para jogar? Se bem que você até tinha o Lucien como último recurso. Olá de novo, Lucien.

O telefone de Milo tocou.

Ele se sobressaltou. Era como ver a esfinge pular.

— Não é para ninguém ter esse número — murmurou ele, atendendo, e depois, no telefone: — Sim. Tudo bem. Vou colocar você no viva-voz.

A voz de Lucien Moriarty crepitou no aposento.

— Olá de novo, Charlotte — saudou ele.

Os olhos de Bryony dardejaram de um lado ao outro.

— Isso não fazia parte do plano — sibilou ela.

— Não, não, querida — respondeu ele. — Sua parte nisto aqui acabou. Cale-se, agora. Querida Charlotte. Você tinha uma pergunta? Eu lhe darei uma resposta. Como prêmio de consolação.

– Prêmio de consolação? – Holmes riu. – Eu venci. Lucien, estou literalmente parada aqui, segurando a arma.

– Então não há nada que você queira que eu esclareça. Nadinha. Nenhuma pergunta sobre o traficante – a voz dele virou um rosnado sombrio – que enfiou uma joia de plástico naquela belezinha? Que foi tão prestativo a ponto de se enforcar, para assim romper quaisquer vínculos entre ele e o empregador? Nenhuma pergunta sobre esse empregador que está, agora mesmo, ligando para você da Rússia? – Uma risada. – Esse sou eu, aliás. No caso de você ser tão lenta quanto parece.

Tentei xingar, mas não consegui forçar nenhuma palavra. A mão de Holmes tremeu. Foi quase imperceptível, mas eu vi. Ela havia me treinado para perceber coisas, afinal.

– Certo – disse ela. – Você venceu. Então me diga. Por que você facilitou tanto para que a gente capturasse a Bryony?

– Eu nunca quis você na *prisão* – ronronou Lucien. – Esse nunca foi o plano. O plano era te atormentar, e como eu faria isso de dentro de uma cela? Ah, você poderia se perder numa questão de semanas numa penitenciária juvenil, mas também poderia começar um tumulto. Ou escapar. Não, essa foi uma rodada de treino. Queria ver o que era importante para você. Queria ver o quanto esse garoto idiota confiava em você. Eu ameacei ele, e você o beijou. Soam os violinos. Soam os aplausos.

Milo girou para encarar a irmã, mas os olhos dela estavam cravados no telefone.

– É bom saber o que é importante para você, Charlotte. É tão pouca coisa. Meu irmão não importava. Sua própria família não importa. Mas esse garoto... – Eu quase podia ouvi-lo lambendo os lábios. – Não, eu não quero você na prisão. Eu não quero que você tenha a satisfação de ver o fim disso.

Ninguém na sala olhava diretamente para ninguém. Eu me perguntei, brevemente, se alguém lembrava que eu estava bem literalmente morrendo no chão.

– Bem, vá em frente. Lave a roupa suja – disse Lucien.

– Vejo que o seu antídoto está esperando na porta.

Um clique, e ele se foi.

– Eu sabia sobre esse plano – afirmou a enfermeira Bryony naquele silêncio. – Eu sabia o tempo todo.

– Não – retrucou Holmes, pressionando a pistola contra a têmpora de Bryony. – Você é uma péssima mentirosa. Que triste, você me fez apelar para *armas*. Que incrivelmente tosco. Milo, amarre as mãos dela. Espero que você esteja pronto para levar ela para... tanto faz. Eu não quero saber.

– Eu prometo não contar – respondeu Milo, num tom que sugeria que ele já tinha dito isso muitas vezes. Ele prendeu as mãos de Bryony num lacre de plástico, colocou a pistola da própria enfermeira na nuca da mulher e a levou pela porta.

Eu tinha perdido alguma coisa. Mas, para falar a verdade, eu sempre perdia muita coisa.

– Holmes – consegui dizer, mas Peterson escolheu aquele minuto para chegar de rompante. Com precisão brutal, ele tirou uma seringa do bolso, virou meu braço, encontrou uma veia e espetou.

– Senhor – disse ele, respeitosamente, e nos deixou a sós.

– Oi – disse Holmes, sentando-se ao meu lado. – Você tá com uma cara horrível. Desculpa eu não ter te contado tudo. Eu só precisava...

– ... que a minha reação fosse genuína – completei, tossindo, mas com um sorriso.

– Precisamente.

– Holmes – chamei de novo.

– Sim?

– Hospital?

Ela assentiu com seriedade, como se a ideia só tivesse lhe ocorrido agora.

– Acho que seria sensato.

doze

Cinco dias depois

— QUANDO É O SEU VOO? – PERGUNTOU HOLMES, BRINCANDO com as pontas do meu cachecol. – Você bem que podia voltar comigo e com o Milo esta noite. A oferta ainda está de pé. – O irmão dela tinha separado um assento para mim no jato da empresa dele.

— Eu gostaria – respondi. – Mas acho que devo mais alguns dias ao meu pai depois disso tudo. Estarei de volta a Londres no próximo fim de semana.

Ele ainda estava, compreensivelmente, chateado comigo por não ter contado que eu estava morrendo. Desde que eu fui levado de volta para casa para me recuperar, observei a batalha interna dele sobre como reagir. Num minuto, me implorava por uma descrição da cara da enfermeira Bryony naquele dia, no apartamento – "Era mais como a de uma cobra, ou a de uma assassina?" –, com as mãos unidas em uma empolgação infantil. E no minuto seguinte me proibia de buscar as cartas na caixa de correio porque era muito perigoso, com Lucien Moriarty ainda à solta. Meu pai gostava de ler sobre aventuras, gostava de falar delas enquanto tomava uísque. Ele gostava até que o filho participasse delas, até certo ponto.

Eu tinha, na semana passada, mergulhado desse ponto em um oceano muito revolto.

– Bem – dissera ele, limpando os óculos. – Imagino que você esteja ansioso para voltar para sua mãe e sua irmã.

– Eu tô – respondi com honestidade.

– E imagino que você não queira voltar pra cá na primavera, quando a escola reabrir. – Ele não me encarou enquanto falava.

– Na verdade, ouvi falar que alguém me arranjou uma bolsa completa pro ano que vem. – Eu tinha escondido meu sorriso. – E, ainda que o professor de escrita criativa tenha deixado um pouco a desejar, eu até fiz um ou dois bons amigos. E descobri que a minha madrasta faz um macarrão com queijo muito gostoso.

Os olhos dele brilharam.

– Ah.

– Pai. Mesmo que os seus métodos tenham sido meio irritantes... Bem. Ainda fico feliz de estar aqui.

Ele me deu tapinhas no braço.

– Você é um bom homem, Jamie Watson.

Podia até ser verdade. Pelo menos eu estava tentando. Nós dois estávamos.

– Bem, se você ficar, pode assumir meus deveres como oponente do Robbie no Mario Kart – disse Holmes, naquele momento, com um sorriso maroto. – Aquele moleque é muito bom. Estou acostumada a jogar sozinha, então talvez eu seja fácil de vencer. Milo nunca foi muito dos jogos.

– Você tinha um Wii? – perguntei, descrente.

– É claro. – Ela ergueu as sobrancelhas. – Por que eu não teria?

Balancei a cabeça.

Estávamos passando os dias na casa do meu pai, depois da minha rápida temporada no hospital. Depois da minha alta, o dr. Warner ficou hospedado num hotel próximo, vindo todas as manhãs me examinar. Porém, além de um véu duradouro de cansaço (eu dormia catorze horas por noite), um brilho doentio na pele, e um tremor nas mãos, eu estava completamente curado.

Apesar da minha alta oficial, Holmes tinha se nomeado minha enfermeira. Isso significava que ela me servia tigelas infinitas de sopa sem gosto (a regra 39 finalmente tinha se revelado) e galões e mais galões de água enquanto eu ficava confinado no sofá da sala. Ela mantinha o cômodo na penumbra, impedia os meninos de me perturbar (quando eles na verdade teriam sido uma distração bem-vinda) e a televisão firmemente desligada. Eu não podia nem me levantar sem que ela aparecesse ao meu lado, pronta a me obrigar a me deitar de novo. Quando pedi, queixoso, alguma coisa para fazer, ela me trouxe uma biografia de Louis Pasteur. Eu passei a usá-la como porta-copos. ("Mas ele inventou as vacinas!", protestou ela, ao ver as marcas de água na capa.)

O que não quer dizer que eu não tenha recebido visitas. A sra. Dunham apareceu, com um livro de presente; o primeiro volume de poemas de Galway Kinnell. Ela deu uma olhada no meu rosto – eu realmente parecia um zumbi – e se debulhou em lágrimas. O que foi estranhamente legal. Parece meio ridículo dizer isso, mas, depois de vários meses sem supervisão paterna (meu pai claramente não contava), era quase bom ter alguém se importando comigo.

O detetive Shepard apareceu também, todo nervos à flor da pele e exaustão. Depois de ralhar com Holmes pelo comportamento nada profissional dela – "Você confrontou uma assassina! No apartamento dela! Sem avisar à polícia, e com o seu melhor amigo morrendo aos seus pés! E continuamos de mãos vazias depois disso tudo!" – por uma boa meia hora, ele fez uma pausa para respirar. Foi aí que Holmes tirou um pendrive do bolso.

– Você gravou a confissão dela – observou o detetive, sem forças.

Holmes sorriu.

– Foi meu irmão quem gravou, mas sim, eu achei que você gostaria disso. Se bem que, até onde eu sei, você vai ter dificuldades em encontrar Bryony Downs, nascida Davis. Milo... qual é o termo? Ah, sim, desapareceu com ela.

– Holmes – sibilei. Aquilo não era para ser segredo de Estado?

– O quê? – Ela claramente estava se divertindo.

Só que o detetive não estava.

– Ah – falei, lembrando. – Acho que tem uma coisa que eu provavelmente deveria te contar sobre o meu professor de escrita criativa.

– E tem mais alguma coisa? – explodiu Shepard, quando eu terminei de falar. – Códigos de mísseis, talvez, que você achou por acidente? Não? Ótimo. – Ele saiu furioso, batendo a porta da frente.

Lena apareceu também. Com seu casaco brilhante, ela se empoleirou na beira da poltrona do meu pai e nos atualizou nas fofocas que eu tinha perdido. (Tom tinha ido junto, mas Holmes o barrou na porta.) Ela e Tom ainda estavam juntos, ela contou. Holmes forçou um sorriso que se transformou em um verdadeiro quando Lena perguntou se poderia visitá-la nas férias.

– Por alguns dias em janeiro – comentou Lena, casualmente. – Vou passar por lá a caminho da escola, e achei que seria divertido dizer ao meu piloto que eu preciso de uma longa escala. A gente pode se ver!

Nós dois concordamos. Eu sempre gostei de Lena, afinal.

Nas tardes mais calmas, quando ninguém ia visitar, eu ficava organizando meu diário dos últimos meses, dando uma olhada nas anotações, nas teorias malucas que eu tivera quanto ao assassino de Dobson, na lista de possíveis suspeitos que parecia tão risível agora. A essas coisas, acrescentei esboços de cenas. O jarro de dentes na prateleira do laboratório de Holmes. Como os olhos dela se fechavam quando ela dançava. Minha jaqueta de couro nos ombros dela. O jeito como meu pai estava nervoso quando nos encontramos pela primeira vez em anos. Tudo começou a formar uma história, que eu queria continuar, uma parte de cada vez, sem um fim visível.

Talvez Charlotte Holmes ainda estivesse aprendendo a destrinchar um caso; talvez eu ainda estivesse aprendendo a escrever. Não éramos Sherlock Holmes e John Watson. E eu achava que não me incomodava com isso. Tínhamos coisas que eles não tinham, também. Como eletricidade e geladeiras. E Mario Kart.

– Watson – disse ela. – Você não precisa fingir que me perdoou.

Essa veio do nada.

– Pelo quê?

– Pelo... pelo que eu fiz ao August. Por eu não ter te contado toda a verdade, mais uma vez. Sabe, no futuro, você pode me parar quando eu achar que tô sendo esperta. Porque eu tô dando um tiro no pé. Se nós dois tivéssemos todos os fatos desde o começo dessa confusão...

– Se... – repeti. – Esse é um grande "se". Olha. Eu te perdoei. Você tem meu perdão implícito, sabe, mesmo quando tá me deixando louco.

– Você foi arrastado pra isso tudo por minha causa. A enfermeira Bryony tava me obrigando a pagar penitência. Ela usou você pra me atacar.

– Então o próximo crime não terá nada a ver com nenhum de nós. Será um roubo de carro bem tranquilo. Em outro país. Um país quente. Nós vamos resolver muito preguiçosamente, deitados na praia entre os interrogatórios. Tomando margaritas.

– Obrigada – disse ela, muito seriamente.

– Não me agradeça, é você quem vai pagar as passagens de avião. – Eu me estiquei no sofá com a cabeça no colo dela. – Fiji é caro.

– Não quero Fiji. Quero lar. – Ela passou as mãos no meu cabelo. – Jamie.

– Charlotte.

– Volta pra casa logo. Não será Londres sem você.

– Você nunca me conheceu em Londres – respondi, sorrindo.

– Eu sei. – Holmes me encarou com olhos brilhantes.

– Pretendo corrigir isso.

Epílogo

DEPOIS DE LER O RELATO DE WATSON DO CASO BRYONY Downs, sinto a necessidade de fazer algumas correções. Talvez mais do que algumas. Primeiro, a narrativa dele é tão romanceada, especialmente com relação a mim, que a forma mais eficiente de abordar as concepções errôneas mais metafóricas seria em uma lista. A saber:
1. Quando eu falo, não soo como Winston Churchill. Eu soo como Charlotte Holmes.
2. Por que ele apelidou os meus esqueletos de abutre? Eles não são merecedores de nomes. São *artefatos*. E um deles tentou matar meu gato (férias na Califórnia, gato muito preguiçoso, abutres não têm olfato), o que me deixou muito aborrecida, e era por isso que os dois idiotas estavam pendurados no meu laboratório até ele explodir. O que, fique registrado, não me incomoda em nada.
3. Eu levei Watson ao baile porque a amiga de Lena, Mariella, certamente teria convidado ele, se eu não convidasse, e ela come meninos como ele no café da manhã antes de palitar os dentes com os ossos deles. (Ver item 2, re: abutres californianos.) Eu disse à Lena que levaria ele e en-

tão esqueci de falar com Watson até bem em cima da hora, não porque sou tímida quanto ao meu gosto por dança e/ou música pop, mas porque eu estava ocupada demais. Para ser mais precisa, estava ocupada estudando quão rapidamente o sangue coagula dentro de um iPhone. Precisei tirar muito do meu próprio sangue para a amostra de teste, depois tive que dormir bastante por causa da perda sanguínea, e então fui forçada a reembolsar Lena pelo celular ensanguentado dela. (Ela não ligou. Até me deixou tirar um pouco do sangue dela também. O meu é O Negativo, e o dela é O Positivo, o que criou uma simetria agradável.) Foi tudo muito interessante, e o baile não era, e eu só fui falar com Watson quando o meu béquer de teste explodiu. O sangue nunca saiu totalmente do teto.

4. Tom estava horroroso de smoking azul. Nisto, como em muitas outras coisas, Watson é bonzinho demais. Eu nunca o corrigi nessa questão, porque pelo menos um de nós tem que ser. Bonzinho, quero dizer.

Suponho que o resto do relato dele é mais ou menos suportável, se eu ignorar a proliferação de adjetivos. Mas parece que eu estou disposta a aguentar muita coisa em nome de Jamie Watson. Ele curte assistir a episódios antigos de *Arquivo X*, que se trata, até onde eu entendo, de um programa sobre um sujeito pavorosamente burro que, ainda assim, é muito atraente, e alienígenas. É tolerável se eu fingir que não tem áudio. Começamos quando ele ainda estava no hospital, e agora já vimos três temporadas, e Watson não exibe nenhum sinal de desistência. Foi a mesma coisa com os restaurantes de curry em Londres, depois dos nossos primeiros dias em casa. Ouvi muita baboseira dele em relação aos poderes curativos do frango jalfrezi. Ele é incapaz de consumir comida indiana sem derrubar molho vermelho na roupa; comecei a andar com uma caneta de alvejante.

Estou fazendo todo tipo de pesquisa química em peçonha de cobra. Almejo saber tudo sobre o assunto até o fim do mês. Enquanto Watson estava doente, aprendi tudo sobre ostras, porque o pai de Watson nos serviu algumas durante um jantar na casa dele, e estavam deliciosas. Nesse jantar, Abbie Watson me pediu para cuidar dos dois filhos dela enquanto fazia compras, no dia seguinte, muito provavelmente porque calhei de ser uma garota, e ela presume que é isso que as garotas fazem para ganhar um dinheirinho. Concordei, e lhes ensinei como fazer bombas com esterco, e quais os melhores lugares para escondê-las. Ela não me pediu de novo. O pai de Watson achou muito engraçado, e Watson também, ainda que se recuse a admitir. Eu sei que ele está segurando uma risada quando torce a boca como se estivesse chupando um limão. Às vezes digo coisas horríveis só para ver ele fazendo isso.

Não houve mais assassinatos, o que deixa as coisas muito tediosas, apesar de que só faz uma semana que encerramos nosso último caso. Houve um inquérito formal sobre as ações do sr. Wheatley que se concluiu com a demissão dele; já Tom foi só suspenso. Watson insistiu em perdoar o ex-colega de quarto, o que eu considerei bem tolo. Ele e Tom tiveram uma conversa obscenamente longa e emocional pelo telefone, da qual eu ouvi cada palavra, do quarto ao lado. Dito isso, não gosto de ver Watson chateado, então guardei minha opinião sobre o assunto. Como dizem os americanos: temos peixes maiores a pescar.

Tenho quase certeza de que Bryony Downs está morta, ainda que permita Watson continuar acreditando que ela está sob a custódia de Milo. Acho sinceramente que a minha teoria pode ser a mais misericordiosa. Já August Moriarty me mandou um cartão no meu aniversário. *Verbum sap.*

Lucien Moriarty foi visto na Tailândia. Pedi ao meu irmão para instalar um microchip nele, do tipo que colocam nos cães, e ele se recusou categoricamente. Portanto, dependemos dos agentes de Milo para rastrear os movimentos dele.

Estaremos de volta à Sherringford na primavera. A bolsa de Watson significa que as mensalidades do ano inteiro já estavam custeadas, então decidimos ficar. A família dele não tem um tostão, e eu não ligo muito para onde estudo, pois meus trabalhos mais importantes são realizados independentemente. Milo concordou que era melhor ficar aqui, por enquanto, ainda que, naturalmente, meus pais não tenham ficado felizes.

Estou começando a gostar muito de desagradar-lhes.

Estou limpa há uma semana e não quero falar mais nada sobre isso.

Uma nota final sobre Watson. Ele se flagela com bastante frequência, como esta narrativa demonstra. Não deveria. Ele é amável e caloroso e bem corajoso e um tanto descuidado da própria segurança, e, por qualquer métrica, é o melhor homem que eu já conheci. Descobri que sou muito boa em cuidar dele e, portanto, continuarei a fazê-lo. Hoje mais tarde, eu pedirei a ele que passe o resto das férias de inverno na casa da minha família em Sussex. (Tenho que me lembrar de avisar aos meus pais, ainda que eles certamente já devam ter deduzido minhas intenções.) Meu tio Leander, sempre muito divertido, está para fazer uma visita. Vamos procurar um bom assassinato ou, no mínimo, um golpe interessante para desvendar. Watson vai dizer sim, tenho certeza disso. Ele sempre diz sim para mim.

Agradecimentos

EM PRIMEIRO LUGAR, SOU MUITO AGRADECIDA À MINHA MAravilhosa editora, Anica Rissi, por seu olhar afiado, sua edição e por acreditar neste livro. Tenho uma dívida imensa com você. Obrigada também a Alexandra Arnold e a todo mundo na Katherine Tegen Books e na HarperCollins. Eu me sinto incrivelmente sortuda de ser uma autora Katherine Tegen.

A Lana Popovic, minha agente, editora e amiga extraordinária – você me encorajou em cada passo do caminho. Tenho certeza de que não haveria livro sem você. Obrigada, do fundo do coração, por apostar em mim.

Agradeço demais a Terra Chalberg por defender este livro no exterior, e a todos na Chalberg and Sussman, uma agência maravilhosa.

Obrigada aos meus amigos Chloe Benjamin, Rebecca Dunham, Emily Temple e Kit Williamson por serem incríveis, leitores incentivadores, e aos meus professores Liam Callanan e Judy Mitchell, que me disseram que eu podia. E a Ted Martin, por sua paciência infinita ao discutir o universo sherlockiano comigo.

Tenho uma dívida profunda com William S. Baring--Gould pelo seu conhecimento a respeito de Sherlock Holmes – seu *Sherlock Holmes of Baker Street* foi inestimável, e enchi este romance de referências carinhosas ao trabalho dele. Agradecimentos sem fim a Leslie Klinger; seu *New Annotated Sherlock Holmes* repousou cheio de marcações na minha mesa pelos últimos dois anos. Também tenho uma grande dívida com todos os outros estudiosos e escritores que jogaram o Jogo antes de mim.

Gratidão aos meus pais, por serem os meus maiores defensores desde o primeiro dia. Ao meu avô, por nos dar as histórias de Holmes. Agradecimentos e amor ao Chase, por seu amor e paciência enquanto eu preenchia minhas horas e cobria nossas paredes com este livro. Nunca achei que fosse encontrar alguém como você. Que grande sorte ter achado.

E, enfim, e mais importante que tudo, obrigada em primeiro lugar a Sir Arthur Conan Doyle por dar a todos nós Holmes e Watson. Este é, mais do que tudo, um trabalho escrito por amor a eles.

Impressão e Acabamento:
EDITORA JPA LTDA.